인자 그 번호 안 찍을껴

인자 그 번호 안 찍을껴

초판 1쇄 인쇄일 2016년 11월 4일
초판 1쇄 발행일 2016년 11월 11일

지은이 정혜옥
펴낸이 양옥매
디자인 이수지
교 정 조준경

펴낸곳 도서출판 책과나무
출판등록 제2012-000376
주소 서울특별시 마포구 월드컵북로 44길 37 천지빌딩 3층
대표전화 02.372.1537 **팩스** 02.372.1538
이메일 booknamu2007@naver.com
홈페이지 www.booknamu.com
ISBN 979-11-5776-304-7 (03810)

이 도서의 국립중앙도서관 출판시도서목록(CIP)은 서지정보유통지원 시스템
홈페이지(http://seoji.nl.go.kr)와 국가자료공동목록시스템
(http://www.nl.go.kr/kolisnet)에서 이용하실 수 있습니다.
(CIP제어번호 : CIP2016026640)

인자
그 번호
안 찍을껴

정혜옥 지음

책과나무

불신의 사회가 아닌 밝은 사회로

장보러 가는 길에 우연히 만난 이웃은 수년간 지속된 불경기와 고물가로 인해 추석명절에 김치도 못 담그고 배추 한포기로 겉절이를 하여 오랜만에 모인 가족들과 식사를 했다는 최악의 명절 후일담을 들려주었습니다. 제가 10여 년간 청춘을 받쳐 일했던 강남의 르네상스 호텔이 문을 닫고 재건축을 통해 최대 오피스텔로 거듭난다고 하는데, 하루 아침에 직장을 잃은 선·후배님들의 긴 한숨 소리가 들리는 듯합니다.

시절이 하수상한 시대에 얼어붙은 마음을 따뜻하게 녹여주는 따뜻한 소식도 들려옵니다.

용인시가 정찬민 시장님의 제안으로 역점사업으로 추진한 매달 1계좌에 1,004원을 기부하는 '개미천사(1004)기부운동'이 결실을 맺어 저소득층의 희귀 난치성 병을 앓고 있는 아동들에게 수술비 전액을 지원하기로 했다고 합니다. 매달 1인 1계좌 1,004원은 어른이나 아이들에게도 그리 큰돈은 아니지만 십시일반 기부한 돈이 큰 뭉칫돈이 되어 이웃을 살리는 빛이 되었습니다.

인천대에서도 아침밥을 거르고 다니는 학생들을 위해 1,000원의 건강밥상을 내놓아 500여명의 학생들이 이용하고 있다고 하는데, 이용하는 학생들의 수가 늘어날수록 손실도 늘어나고 있지만, 학생들을 위해 방학 중에도 확대하여 운영하는 것을 검토하고 있다고 합니다. 딸아이가 다니고 있는 중학교에도 아침밥을 거르는 학생들을 위해 한 달에 두 번 간단한 메뉴로 무료급식을 하여 학생들에게 호응이 좋다고 하는데, 애석하게도 학교의 예산 부족으로 인해 확대하지 못하고 있다고 합니다. 학생들의 자원봉사활동을 담당하고 있는 선생님은 자원봉사활동에 참여한 제자들을 격려하기 위해 1년 동안 모은 사비를 들여 래프팅과 서바이벌 게임 등을 하여 스트레스를 풀 수 있는 청소년 캠프를 주관하기도 하셨습니다.

내년에 전근을 앞두고 있는 존경하는 선생님들을 위해 딸아이는 아쉬운 마음에 미리부터 꽃다발을 준비한다고 색색의 종이로 장미꽃을 틈틈이 만들고 있습니다.

대한민국의 최상위 반열에서는 부정부패와 무능으로 인해 국가의 존립이 위태로울 정도로 경영이 악화되고 있지만, 최상위 반열이 아닌 저변의 일반 국민들은 십시일반 힘을 모아 덕을 베풀어 힘든 이웃들에게 빛이 되어주고 있습니다.

대한민국에 꼭 필요한 분들은 배부른 '필리밥스터'가 아니라 소외되고 어려운 국민들의 밥그릇부터 먼저 챙기는 '개미천사(1004)'가 되어야 합니다.

5남매의 막내로 태어나 짧은 시간 동안 누구보다도 아버지의 사랑을 많이 받았으나, 제가 일곱 살 때 아버지가 돌아가셨습니다. 일본강점기에 홍성고등보통학교 출신으로 외국어에 능통하셨던 아버지는 6·25에 참전하여 통역을 담당하시고 제대 후에는 무공훈장도 수여하셨다고 하는데, 너무 일찍 돌아가시는 바람에 국가로부터 유공자 자녀로서의 혜택은 일절 받지 못했습니다.

아버지는 K건설에서 공사감리를 담당하셨다고 하는데, 공사 현장에 나가셨던 아버지가 어느 날 들것에 실려서 집으로 돌아오셨습니다. 공사와 관련한 아버지의 수첩도 사라졌고, 아버지의 장례식에 끝내 나타나지 않은 먼 친척이 있었습니다. 장례식이 끝난 후 아버지께서 담당하셨던 공사 대금은 가족들에게 한 푼도 돌아오지 않았고, 집안의 가장이었던 아버지의 죽음으로 위기가 닥쳐 학교에 다니던 언니와 오빠들은 학업을 중단해야 했습니다.

그때부터 모진 가난이 시작되었습니다. 초등학교 1학년 시절에 대운동장에서 조회가 있던 날 불우한 이웃으로 선정되어 단상으로 불려 나갔을 때, 어린 나이였지만 말로 표현할 수 없는 비애를 느꼈습니다. 가난으로 끼니를 거르는 날이 많아지자 어린 막내였던 저를 불쌍하게 여긴 한 이웃이 배불리 얻어먹으라고 읍내의 빵집에 데려가 두 살과 다섯 살의 두 아이를 돌보게 한 적이 있는데, 그날 저녁에 퇴근한 작은 언니가 울면서 찾아와 언니의 손에 이끌려 다시 집으로 돌아간 기억이 있습니다. 한 집안의 가장이었던 아버지의 부재로 많이 힘들어하셨던 엄마는 삼년상을 치르자마자 아버지의 뒤를 따라 세상을 떠나셨습니다. 뒤이어 건축업을 하셨던 큰오빠 역시 불의의 사고로 돌아가시자 똑같은 상황이 재현되었습니다. 설계까지 도맡아 큰오빠가 담당하셨던 공사장의 공사 대금 역시 큰오빠의 가족들에게 한 푼도 돌아오지 않았습니다.

저 역시 친구의 권유로 전 재산을 재미교포에게 투자했다가 연락이 두절되어 혼인 파탄 후 어렵게 찾아내고 보니, 해외에 수출까지 하는 친환경 기업의 대표이사가 되어 있었습니다. 그런데 법인 등기부 등본에 등재되어 있지 않다는 이유로 대한민국에서 이름만 대면 알 만한 유명 인사가 개입하여 투자금을 회수할 수 없도록 방해를 하였습니다. 결국 힘 있는 압해정씨(押海丁氏) 대종회 종친님들께서 가문의 족훈(族訓)인 숭조돈목(崇祖敦睦)의 정신으로 나서서 양심 없는 기업인의 존재를 확인까지 해 주셨지만, 이미 공소시효와 시효소멸권이 완성되어 법적인 절차는 밟을 수 없었습니다.

결국 저도 투자사기를 당하면서 돈 앞에 양심이 없다는 것을 확인하는 계기가 되었습니다. 양심을 팔고 남의 피와 땀으로 이루어진 재물을 갈취하게 되면 이웃이 불행해지고, 누구도 믿을 수 없는 불신의 사회가 이루어져 결국에는 함께 망할 수밖에 없습니다.

현재 대한민국 곳곳에 만연하고 있는 부정부패로 인해 나라의 곳간은 비어 가고 하루가 멀다 하게 발생하고 있는 흉악하고 흉포한 범죄는 인심을 흉흉하게 만들어 이웃들마저 불신해야 하는 경계의 대상으로 만들고 있습니다.

이제는 양심마저 CCTV가 관리하는 시대가 되어 요즘은 다른 사람의 돈이나 물건을 길에서 주워 돌려주지 않으면 거리에 설치된 CCTV로 추적하여 '점유물이탈 횡령죄'로 처벌을 받습니다. 그러나 CCTV가 없는 곳에서 야기되는 비양심(非良心)은 통제할 방법이 없습니다.

한 달 전, 딸아이가 학교에서 원예심리치료 과정으로 만들어 온 호야를 창가에 두었는데, 줄기가 길게 뻗어 나오면서 그 줄기가 모두 빛을 향하고 있었습니다. 다른 화분의 식물들도 마찬가지였습니다.

빛은 밝음입니다. 밝음은 곧 사람의 양심입니다. 모든 식물이 빛을 지향하는 것처럼 우리 모두가 밝음을 지향하면 밝은 사회가 이루어집니다. 밝은 사회는 누구나 마음 편하게 행복하고 건강하게 살 수 있는 세상입니다.

이제는 잃어버린 양심을 되찾아 자식과 미래 세대들이 밝고 건강하고 행복한 세상에서 살 수 있도록 부모의 마음으로 뜻을 함께하는 여러분들과 함께 만들어 나가고 싶습니다.

미흡한 제 원고에 귀한 추천사를 내주신 전재경 교수님과 박희정 민주주의 시민동맹 대표님께 감사합니다.

2016. 11.
달빛 가까운 송림동에서
도화경 정혜옥 배상

참여하는 시민이 세상을 바꿉니다!

2014년부터 투표소에서 수개표 운동을 하면서 시민운동가 정혜옥 저자를 알게 된 인연으로 시민운동을 하는 동시대인으로서 작은 힘이라도 보태고 싶은 염원을 담아 추천사를 쓰게 되었습니다. 저에게 추천사를 쓰게끔 영광의 기회를 주신 정혜옥 저자에게 감사드립니다.

'가정맹어호(家政猛於虎)'란 말이 있는데 『예기(禮記)』의 「단궁하편(檀弓下篇)」에 나옵니다. 여기서 '가정'이란 혹독한 정치를 말하고, 정치가 잘못되면 백성들에게 미치는 해가 사납고 무서운 범의 해보다 더 크다는 뜻입니다. 공자가 노나라의 혼란 상태에 환멸을 느끼고 제나라로 가던 중 허술한 세 개의 무덤 앞에서 슬피 우는 여인을 만났습니다. 사연을 물은즉 시아버지, 남편, 아들을 모두 호랑이가 잡아먹었다는 것입니다. 이에 공자가 "그렇다면 이곳을 떠나서 사는 것이 어떠냐?"고 묻자 여인은 "여기서 사는 것이 차라리 괜찮습니다. 다른 곳으로 가면 무거운 세금 때문에 그나마도 살 수가 없습니다."라고 대답하였습니다. 이에 공자가 "가혹한 정치는 호랑이보다도 더 무섭다는 것을 알려 주는 말이로다." 하였는데 정치가 잘못되면 국민들의 생활에 미치는 영향이 어떠한지 잘 나타내 주는 말이 아닐까 생각합니다.

대한민국은 민주공화국임을 헌법 제1조에 명시하고 있습니다. 모든 권력은 국민으로부터 나온다고 분명히 규정되어 있지만 현실 정치에서는 선거철만 지나면 선출된 정치인들은 국민을 주인이 아니라 '머슴'으로 대할 뿐입니다.

2016년 한국의 정치는 혼란스럽고 민주주의는 후퇴 일로에 있습니다. 정치가 바로 서야만 백성들의 삶이 편하고 안락해집니다. 그 이유는 정치가 일반 국민들의 생활을 규정하기 때문입니다. 정치가 법률제정과 자원배분 등 국정을 재단하고 정권을 잡은 정당의 정책에 따라 민중의 삶은 달라집니다. 정치가 잘못될 때 시민사회가 이를 시정하는 시민운동은 어느 시대이고 필요하며 입법·사법·행정부를 견제할 시민 권력이 존재해야 하는데, 한국 사회는 시민운동 단체마저 정권의 분열 공작이나 무력화에 노출되어 있습니다. 한국의 시민사회는 좀 더 조직화되고 광범위하게 확산되어야 합니다. 정권이 불의하거나 부패하면 시민 권력이 제어할 수 있도록 시민사회 저변이 확대되기를 바랍니다.

정혜옥 저자는 이 책을 통해 시민운동가로서, 시민의 한 사람으로서 때로는 격분하고 슬퍼하며 혹은 안타까워하면서 한국 사회에서 만나는 불의·부패·부조리를 고발하고 잘못된 국정을 개혁하고자 합니다.

궁극적으로는 시민 독자가 대한민국 혁신의 기수가 되어 주기를 주문하는 것 같습니다. 저자는 시민에게 필요한 정치인은 권모술수에 능한 사람이 아니라 국민의 눈높이에서 정답을 말할 수 있는 사람이어야 한다고 촌철살인 합니다. 또한 후손들에게 물려주어야 할 것은 빚이 아니라 빛이 되어야 한다는 저자의 지적에 숙연해짐을 느낍니다.

모난 돌이 정 맞는다고 생각하여 세상의 어둠과 구조적 악에 침묵하거나 외면하면 당장은 자신은 피해 갈 수 있지만 세상을 살아가는 모든 사람에게 시간이 흐르면 구조적 악은 고스란히 돌아옴을 알아야 합니다. 굳이 시민단체에 참여하지 않아도 공동선과 공공의 이익에 배치되는 크고 작은 부조리나 불의를 보면 지적, 비판하고 시정하는 데 참여해야 세상은 조금이라도 살맛나는 세상으로 점차 변화해 갑니다.

저는 이 책을 읽는 독자들이 김구, 조봉암, 장준하, 문익환, 김대중, 노무현, 이재명으로 이어지는 민중 정치가들을 키워 내며, 스스로가 그러한 맥을 잇는 시민활동가나 사회변혁가 혹은 정치인으로 성장하시길 기대합니다.

세상의 변화에 관심이 있거나 후손들에게 사람 사는 세상을 물려주고 싶은 분들에게, 세상에 나올 때보다 한 가지라도 더 나은 세상이 되게 만들고 싶은 모든 분들에게 이 책의 일독을 권합니다. 감사합니다.

2016. 11.
박희정 민주주의시민동맹 대표

복숭아 향이 나는 작가

여성은 흔히 직관적으로 사고하고 남성은 종합적으로 분석한다. 글쓴이는 그간 본인이 겪은 경험들에 직관을 덧붙여, 누에가 실을 뽑아 내듯이, 우리 사회의 병폐를 구석구석 파헤친다. 작가는 처음부터 이처럼 날카로운 판단력이 있었던 것이 아니라 대장간의 칼처럼 고초를 겪으면서 안목이 넓어졌다. 걸어온 삶의 여정 자체가 한 편의 드라마이다.

작가는 혼인하기 전에 당한 사기로 인해 신용불량자로 살았고, 그 때문에 정상적인 취업도 불가능하였고 결혼생활도 순탄치 못했다. 자식에게 물려줄 것이라고는 빚밖에 없는 '한 부모' 엄마가 되었다.

작가의 눈에 먼저 들어오는 인간상은 불우한 여성들이다. 7살의 어린 딸과 병든 아버지를 위해 성매매자로 나설 수밖에 없었던 A양의 이야기는 "난장이가 쏘아올린 작은 공"이다. 짐짝처럼 화물칸에 실려 아시아 전선으로 끌려가 일본 군인들로부터 매일 강간을 당했던 13~14세 소녀들의 이야기는 보는 이들을 전율하게 만든다.

한국은 자살률 1위 등 진기한 기록을 많이 가지고 있는데, 고아를 해외에 내보내는 데에서도 으뜸이다. 저출산으로 해외에서 입양아들을 데려와도 시원치 않을 판인데 어렵게 태어난 아이들조차 키우지 못하고 내보내는 안타까운 현실에 관한 고발은 독자들로 하여금 부끄럽게 만든다.

세월호 참사는 그 자체의 재앙을 넘어 우리 사회의 가치관을 송두리째 흔들어 놓았다. 이 책은 '가만히 있으면 되는 것이 없고, 국가는 위기에서 국민을 구하지 못하며 일이 잘못되어도 책임지는 사람이 없다'는 진단을 내린다. 대체 그 이유가 무엇일까? 정치 경제의 왜곡이 첫 번째 요인이다.

작가가 보는 대한민국은 뒤로 가고 있으며 곳곳이 지뢰밭이다. 그 배경에는 너도나도 공멸하는 '스프링벅 현상'이 있다. 정치인과 결탁한 부자들이 도를 넘어섰다. 국회의원들의 유야무야, 일구이언, 책임회피 등으로 인하여 국회는 D학점을 면치 못하였다. 어느 지방자치단체장은 청년수당과 같은 혁신안으로 중앙정부를 난처하게 만들었다.

편작의 설화는 잘못을 인정하지 못하는 세태에 시사하는 바가 많다. 편작은 병을 치료하지 못하는 여섯 가지 유형으로서 '육불치(六不治)'를 들었는데, "교만·방자하고 도리를 알지 못하여 자신에게 병이 있음을 인정하지 않는 제왕의 사례"를 으뜸으로 꼽았다.

기업들이 인건비가 저렴한 제3국으로 속속 이전하여 국내에서는 일자리가 계속 줄어든다. '청년실신시대'에 연애, 결혼, 출산, 인간관계, 주택구입, 희망과 꿈을 포기한 이른바 '7포 세대'들이 방황한다. 흙수저를 물고 나온 '불쌍한 영구'는 미친 전셋값에 좌절한다.

한 부모, 누리과정, 고독한 노인, 기본 소득제, 미세먼지 등 병리현상들에 관한 작가의 진단과 제안이 날카롭다. 다문화 부부가 함께 사는 기간이 평균 6.4년이라면, 다문화가정은 이혼제작소가 아닌가?

심각한 딜레마이다. "자식은 부모의 거울이고, 부모는 자식의 거울인데……." 어떻게 살아야 할까?

이 책에 인용된 역사 교과서는 눈을 의심스럽게 만든다. "일본강점기 생산된 쌀은 총독부가 강제로 빼앗아 간 것이 아니라 무역을 통해 일본으로 수출된 것이며 … 조선인은 쌀 무역을 통해 큰 이익을 얻었고 … 조선은 연평균 3.6%의 획기적인 경제성장을 이루었다." 식민지 사관이 부활하였을까? 놀랍다.

이 책은 "세상에 이런 법이 어디 있냐?"며 정치 경제와 사회 문화의 비리들을 비판하지만 이에 주저앉지 않는다. 그 비판의 궁극에는 정의로운 대한민국이 있다. 이 책은 평론이 아니라 일상의 역사서이다. 작가는 제주 4·3 사건과 5·18 광주민주화운동과 같은 비극이 되풀이되지 않기를 바라면서, 진실을 바탕으로 역사를 기록하고 이 진실에 관하여 후손들과 대화하고 싶어 한다. 세상을 바라보는 냉철한 이성과 소외되고 어려운 이웃들에 대한 따뜻한 배려의 마음을 가진 작가야말로 이 시대에 복숭아 향이 나는 사람이 아닐까?

2016. 11.

전재경 사회자본연구원장, 서울대 겸임교수

제 2 장 인자 그 번호 안 찍을껴

제 5 장 날개옷을 찾아서

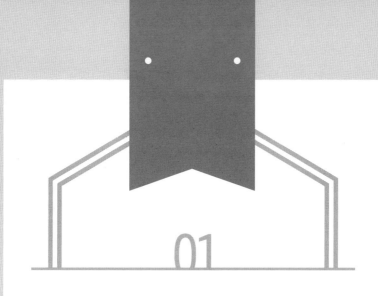

01

제 1 장

위기의 대한민국

대한민국 21세기 노예 완결판

2014년 11월 25일 경남 통영에서 발생한 24살의 성매매자 모텔 투신 자살 사건은 실로 유감이 아닐 수 없다. 항간에서는 투신자살을 두고 경찰이 무리한 함정수사를 벌였다고 비난하기도 한다. 그러나 선진국인 미국에서조차도 음성적으로 거래되는 성(性)노예나 인신매매범을 검거하기 위해 장기간에 걸친 함정수사를 이용하기도 한다.

투신자살한 A양은 부모의 이혼으로 인해 어린 시절에 가출을 하여 17살에 아이를 낳아 이혼한 아버지에게 아이를 맡기고 티켓다방에서 일해왔다고 한다. 티켓다방은 대한민국에서 인간 노예의 완결판이다. 수년 전, 티켓다방의 실체에 대해서 방송에도 크게 보도된 바 있다.

티켓다방에서 일하는 여종업원들은 한 번 발을 담그면 좀처럼 빠져나오기가 어려운 직업이다. 365일 하루도 쉬는 날이 없이 하루에 잠자는 시간 8시간을 빼고 16시간을 일하며, 업주에게 입금해야 할 하루 입금액이 정해져 있다고 한다. 결국 그 입금액을 채우기 위해 커피만 팔아서는 안 되기 때문에 여종업원들은 성매매를 할 수밖에 없고, 이로 인해 불특정한 계층을 상대하다 보니 성병에 걸리기도 쉽다.

하루 입금액을 다 채우지 못하면 고스란히 여종업원에게 빚으로 전가

된다고 한다. 이 때문에 티켓다방에서 일하는 여종업원들 대부분이 적게는 수십만 원에서 수백만 원의 빚을 지고 있다고 한다. 게다가 행여 병이라도 걸려 아파서 일을 하지 못하게 되면 웃돈을 얹어 섬이나 다른 열악한 지역으로 팔려 가기도 한다고 한다.

자살한 A양에게는 부모의 이혼이 그녀의 인생을 망가뜨리는 결정적인 원인이 되었다. 가출한 딸이 17살의 어린 나이에 아기를 낳아 아버지 품에 맡겼을 때, 정상적인 아버지라면 뒤틀린 딸의 인생을 바로잡아 주었어야 한다.

최악의 인간노예제도를 운영하는 티켓다방은 대한민국에서 박멸해야 할 대상이다. 티켓다방에서 일하는 여종업원들 대부분이 A양과 같이 갈 곳 없는 가출한 청소년들로, 주민등록증을 위조하면서까지 일해야 하는 악마의 노예이다. 국제 노동기구에 따르면 세계적으로 2천100만 명이 자신의 의사와 상관없는 노동이나 성매매에 나서고 있으며, 미국 등 선진국에는 150만 명에 이른다고 한다.

자살한 A양은 자신의 성매매자 신분이 노출되는 것을 꺼려했다고 하는데, 이 사회에서 A양이 도움의 손길을 청할 수 있는 사회적 제도 장치가 마련되어 있었다면 A양은 어린 딸과 새 인생을 살 수 있지 않았을까 생각해 본다. 7살의 어린 딸과 아프신 아버지를 위해 손쉽게 돈을 벌수 있는 성매매자로 살 수밖에 없었던 A양의 처지도 딱하다.

여성의 인권을 들먹이는 여성가족부나 여성단체들은 말로만 여성의 인권을 들먹이지 말고, 열악한 환경에 처해 있는 A양과 같은 미혼모, 한 부모 엄마들에게 제대로 된 복지법도 만들어 주고 실질적인 도움을 줄 수 있는 단체로 탈바꿈해야 한다. 투신자살한 A양의 명복을 빌며 그녀의 어린 딸만큼은 제대로 된 세상에서 제대로 된 인생을 살 수 있는 건강한 사회가 이루어지기를 진심으로 빌어 본다.

이웃 사랑은 내 나라 안의 이웃부터

"안녕하세요. 저는 지난주에 꽃동네 천사의 집에서 아기들을 돌보고 온 자원봉사자입니다.

꽃동네 천사의 집 4층에는 갓 나온 신생아부터 세 살 정도의 아기까지 백 명이 넘는 아기들이 살고 있습니다. 비록 일주일의 짧은 기간이었지만 아직도 아기들 얼굴이 어른거리네요.

꽃동네 아기들이 갖고 노는 장난감이 너무 적고 부실합니다. 바퀴가 온전히 네 개 달린 자동차를 못 봤습니다. 백 명이 넘는 아기들이 기증받은 헌 장난감을 갖고 놀다 보니 그럴 수밖에 없겠다 싶으면서도 참 가슴이 아팠습니다. 동요 시디도 멀쩡하지 않아서 항상 중간쯤에 시디가 튀면서 노래에 오류가 나고, 이제 이가 막 나려는 아기는 잇몸이 가려우니까, 제 손가락을 물고 놀더군요. 고무 장난감 같은 것을 물고 놀아야 하는데 그 흔한 눌러서 불빛이 반짝거리거나 소리가 나는 장난감도 없습니다. 아기들에게 쓰시지 않는 헌 장난감이나 아기용품을 보내 주시면 감사하겠습니다.

아기들은 일 인당 두 병의 젖병밖에 없습니다. 물론 삶지도 않고요. 삶을 사람도 없고 시간도 없습니다. 일 인당 두 개의 젖병으로 하루에 분유를 몇 번이나 먹어야 하니 먹자마자 다시 씻어서 말리고 다시 먹이고……. 젖꼭지는 얼마나 썼는지 투명했을 것이 허옇게 변해 버렸습니다. 정말 불쌍한 아기들입니다. 엄마 아빠 모두에게 버림받고, 자원봉사자도 부족해 아기들 스스로 놉니다. 그래서 문득 길거리의 비둘기가 떠오르더군요. 꼭 발가락이 한두 개씩 없는 비둘기가…….

아기들도 그렇습니다. 어딘가에 찧고 깔려서 손발톱이 하나씩은 나가 있어요. 머리도 어찌나 찧었는지 멍투성이. 웬만큼 넘어지거나 머리를 찧어도 울지 않는 게 더 마음이 아팠습니다.

부탁드립니다. 아기들에게 버리기 아까운 장난감이나 아기용품을 꼭 보내 주세요. 아기용품을 갖고 있는 분들이 드물어서 죄송하게도 이곳에 도움을 청합니다. 택배로 이곳으로 보내 주시면 됩니다.

[우: 369-711 충북 음성군 맹동면 꽃동네길 47-93번지 천사의 집 4층 아기들 앞]

아기 키우는 내 주변의 엄마들이라면 작은 도움이 되는 행동을 할 수 있을 거라 생각합니다. 우리에겐 작은 도움이 누군가에겐 큰 힘이 될 거예요. 봉사할 시간이 여의치 않다면 다르게라도 작은 도움이 되어 주시길 바라며……. 공유 많이 해 주세요."

위의 편지는 꽃동네 천사의 집 자원봉사자인 참사랑님께서 2014년 8월 21일 카톡방에 올려 주신 글입니다. 혹시라도 제 글을 읽으시는 독자님 가운데 이제는 더 이상 필요 없어진 아기용품이 있는 분이 계시면 꽃동네 천사의 집에 아기들을 위해 물품을 후원해 주시면 감사하겠습니다.

아침에 딸아이를 학교에 보내면서 학교에서 보낸 월드비전 해외아동 1:1 결연신청서를 작성하지 않은 이유를 설명해 주었습니다. 해외

후원은 글로벌 친구 맺기 월 3만 원, 식수 후원 월 1만 원이었습니다.

지난주에 어려운 이웃들에게 겨울 난방용 연탄을 후원해 주고 있는 연탄은행이 경제가 어려워지면서 후원이 줄어들어 외상으로 연탄을 구입하여 꼭 필요한 이웃들에게 연탄을 지원해 줄 계획이라고 보도되었습니다.

학교에서 보내온 해외후원 결연신청서는 나라 경제, 세계 경제가 어려워 서민들의 생활이 더 힘들어지고 있는 지금, 힘들 때일수록 어려운 이웃을 도우려는 그 마음은 아름다우나 구해 주려는 대상이 같은 동포가 아닌 먼 나라 이웃들입니다. 먼 나라 이웃을 돕는 일은 이렇게 거대한 조직을 통하여 조직적으로 이루어지고 있는 반면에, 내 나라 안의 이웃 구하는 일에는 인색하기만 합니다.

그래서 딸아이에게 질문을 했습니다.

"내 가족하고 남이 물에 빠졌다면 누구 먼저 구해 내야겠냐?"

딸아이의 대답은 당연히 내 가족이 먼저라고 했습니다. 해외결연신청서를 작성하지 않은 이유도 자동으로 설명되었습니다. 자선의 대상은 내 나라 안의 이웃이 우선되어야 한다고 생각하고, 여유가 있다면 해외 이웃을 돕는 일도 의미 있는 일이라 생각합니다.

2016년 20대 총선 재외국민 투표에 143억 원이 들었다고 합니다. 재외국민은 대한민국 국민이 지고 있는 국민의 4대 의무와 상관이 없는 사람들로, 내국민에게 세금을 거두어 나라 사정에 어두운 재외국민들에게 투표권을 부여하고 있습니다. 이는 대단히 위험한 일입니다. 투표권을 가진 재외국민이 198만여 명에, 실 투표율은 3.2%수준이라고 합니다. 재외국민에게 드는 1인 선거비용이 22만 4,000원인 데 반해 국내에 거주하는 국민 1인에 드는 선거비용은 7,113원이라고 합니다.

국민의 4대 의무와 상관이 없는 재외국민들에게까지 막대한 내국인의 혈세를 들여 투표권을 부여하는 것은 이치에 맞지 않는다고 생각합니다. 정치는 국민의 4대 의무인 근로의 의무, 납세의 의무, 국방의 의무, 교육의 의무를 성실하게 이행하고 있는 내국민을 위한 정치가 되어야 하고, 해외에 국적을 취득하여 외국인으로 살고 있는 교포까지 정치의 대상으로 삼아서는 안 된다고 생각합니다. 교포들 은 선진 민주국가의 정책자문이나 조언을 구하는 대상으로 삼으면 좋겠습니다.

1,287조 원의 막대한 부채를 지고 있는 대한민국에서 재외교민의 선거를 위해 드는 막대한 비용을 삶의 바닥에 있는 소외된 내국민을 위해 사용한다면 오히려 가치 있는 일이라고 생각합니다. 재외교민 투표는 막대한 나랏빚부터 갚아 빚 없는 복지국가를 이룬 연후에나 실행해야 합니다.

어제 시장에 다녀오던 길에 집 앞에서 재활용품을 뒤지고 계시던 할머니를 보게 되었습니다. 할머니의 캐리어에는 이미 종이박스가 한가득 실려 있었는데, 요즘 폐지 가격 하락으로 1kg에 90원인 폐지를 팔아 봤자 돈이 되지 않습니다. 딸아이 초등학교 저학년 시절에 사 주었던 책들을 버리기 아까워 이웃의 학부모 엄마에게 전화했다가 필요 없다고 하여 하는 수 없이 고물상에 20kg를 가져다주었더니, 제 손에 쥐어진 돈이 1,800원이었습니다.

겨울이 지나 필요가 없어진 옷들을 정리하면서 버려야 할 옷들이 족히 20kg은 되는 것 같아 고물상에 되팔려고 생각하고 있었는데, 재활용품을 뒤지고 계신 남루한 옷차림의 할머니를 뵈니 마음이 찡해져 헌옷도 가져가실 수 있으신지 여쭈니 반색을 하십니다.

헌옷은 폐지와는 달리 1kg에 500원이라고 합니다. 고물상에 내다팔면 돈 만 원은 족히 받을 수 있겠지만, 할머니께 내드리면 생활비에 도움이 될 것 같았습니다. 생활비가 필요하신 할머니께 현금으로 도와드릴 수는 없지만, 돈으로 바꾸어 쓸 수 있는 내게 필요 없는 물건이라도 내드릴 수 있어 정말 다행이라는 생각이 들었습니다.

경제 불황으로 살기 힘든 시대라지만 생활 속에서 주변의 어려운 이웃을 위해 배려하는 마음의 여유가 있으면 함께 살아갈 방법이 나옵니다.

상처

2011년 고교생에 의해 저질러진 친모 살해사건이 일반 국민이 참여하는 참여재판으로 열렸다. 사건의 당사자인 A군은 어렸을 때 부모님이 성격 차이로 이혼하고 어머니와 함께 살았다. 두뇌가 명석했던 A군은 영어 성적이 월등했고, 영어 선생님이 되고 싶었다고 한다.

그러나 A군의 어머니는 지군이 외교관이 되길 원했고, 방과 후 항상 방에 들여보내지 않고 거실에서 새벽 2시까지 졸음을 참아 가며 강제로 공부를 시키기도 했고, 기대에 못 미치면 밤새도록 어머니에게 심한 욕설과 야구방망이와 골프채로 매질을 당한 일도 다반사였다고 한다. 아버지와 함께 살았던 어렸을 때부터 유달리 자식에게 강한 집착을 보였던 엄마는 이혼 후에는 그 증상이 더 심해져서 아들을 통하여 자신의 한을 풀려는 듯 그 어머니는 한결같이 '네가 잘되어야 내가 네 아버지나 친가나 주변 사람들에게 받은 설움을 설욕할 수 있다.'며 아들에게 짐을 지웠다.

그리고 돌아온 것이 아들에 의한 존속 살해 사건이었다. A군은 엄마를 칼로 찔러 살해한 후 8개월 동안 한집에서 지냈다고 한다. 얼마나 견디기 힘들었으면 극단적인 살해까지 저질렀겠는가!

자식은 엄마의 한풀이 대상이 아니고 사랑으로 키워 내야 할 부모의 업(業)이다. 잘못된 이기적인 엄마의 욕심으로 영민한 자식을 사회의 인재가 아닌 범죄자로 만든 사건은 누가 봐도 용서받지 못할 죄이다. 남편이 결혼 후에 성격장애가 있었던 아내를 조금이라도 빨리 정상인으로 되돌려 놓을 수 있도록 세심한 노력을 기울였다면, 이러한 경천동지(驚天動地)할 사건은 일어나지 않았을 것이다.

요즘 하루가 멀다 하고 이어지는 이웃들의 이혼 소식을 접하노라면 그 원인이 대부분 가장의 외도와 부부간의 성격 차이, 경제적인 무능력이 원인이라고 한다. 어려울 때 서로 참고 이해하고 배려하기보다는 상대방이 나를 힘들게 하는 것이 참기 어려워 책임져야 할 어린 자녀가 있어도 사정없이 집 밖으로만 뛰쳐나가려 한다.

이 나라 대한민국에 '우리'라는 가족 공동체 의식은 이미 사라진 지 오래고 너무도 이기적인 너와 내가 되어 있다. 그래서 돌아오는 결과는 꿈을 잃어버린 우리의 자녀들이 있고, 모두들 아픈 영혼들이 되어 미래가 어두운 사회가 되어 가고 있다.

A군의 사건은 A군이 범죄자가 될 수밖에 없도록 자녀양육을 소홀히 한 부모와 이 사회가 책임져야 할 문제이다. A군이 끌어안고 있었던 근원적인 문제를 어느 누구도 나서서 해결해 주려 노력한 흔적이 없는데, 미성년자인 A군에게 죄를 물을 수 있는가?

우리 주변의 이웃 중에는 어이없게도 고등학교 졸업을 앞두고 학교에 다니기 싫다는 고3의 자녀를 아버지가 학교에 손잡고 가서 자퇴서를 내게 한 사람도 있다. 하나같이 속을 들여다보면 이혼 가정으로 자녀들이 제대로 바르게 자랄 수가 없다. 이러한 가정의 문제가 자녀들로 하여금 학교폭력으로까지 이어져 비일비재(非一非再)하게 일어나고 있는 학교폭력과 관련하여 주무부서인 교육부에서 문제의 본질을 해결하기 위한 방안으로 체육수업을 대폭 늘리는 바람에 교계에서 이미 짜인 계획을 수정하느라고 애를 먹었다고 한다.

지금 우리 사회가 당면한 문제의 본질을 해결하기 위해 더 늦기 전에 각 분야의 전문가들을 통해 제대로 진단하고 해법을 찾아내야 한다. 인성교육의 중요성을 아무리 강조해도 지나침이 없는 이유가 바로 매일 아침에 눈만 뜨면 우리가 접하게 되는 경천동지할 사건들에 있다. 대한민국의 미래의 꿈인 자녀들이 바르게 자랄 수 있게 건강한 가정이 많아질 수 있도록 교육계와 종교계, 각 시민단체 등 사회적인 공조시스템이 절실히 필요한 시점이 바로 지금이다.

A군의 꿈은 '평범한 삶'이다. A군은 보호관찰관에게 "여자 친구와 결혼해서 단란한 가정을 꾸리고 평범한 회사원으로 살아가는 것이 꿈"이라고 말했다고 한다. 나는 평범한 삶을 꿈꾸는 A군의 꿈이 꼭 이루어지길 바란다.

노란 리본

2014년 6·4 지방선거를 앞두고 공정선거지원단으로 활동하던 중 출마자들에게 선거법 안내를 하기 위해 송도지역에 나갔다가 점심식사를 하기 위해 들렀던 식당에서 세월호 침몰사건 보도를 처음 접하게 되었는데, 그 시각에는 전원 구조되었다는 자막이 떠 안심하고 점심을 먹었던 기억이 있다.

그러나 그 이후 보도된 뉴스에서는 2014년 4월 16일 오전 8시 48분에 발생한 침몰사건에 인명구조작업을 선도해야 할 선장과 선원들은 살려 달라는 어린 승객들과 배를 버리고 자신부터 살겠다고 배 밖으로 나와 해경에 의해 맨 먼저 구조되었다고 한다. 침몰하는 배 안에서 구조되길 기다리던 학생들에게는 가만히 있으라는 안내방송을 하고 난 직후였다. 그래서 방송만을 믿고 가만히 기다리고 있었던 304명은 끝내 살아 돌아오지 못하는 불귀의 객이 되었다.

침몰하는 배 안에서 한 명이라도 더 구해 내겠다고 끝까지 자신의 책임과 의무를 다한 승무원 박지영 씨와 양대홍 사무장, 단원고 새내기 선생님들, 자신의 구명조끼를 벗어 친구를 구하고 자신은 살아 돌아오지 못한 학생……. 그들은 천상에서 대한민국이 어디로 가야할지를 알려 주는 별이 되었다.

가만히 있으라는 방송 대신 빨리 구명조끼 입고 바다로 뛰어내리라는 방송을 했다면, 그들은 전원 구조되었을 것이다. 자신들이 지켜 내야 할 승객의 생명과 안전은 어찌 되든 자신부터 살고 보겠다고 탈출한 선장과 선원들이 복지부동하고 있는 대한민국 최고위층의 모습이다.

침몰하는 세월호에서 자신은 구조되고 수백 명의 제자들이 살아 돌아오지 못했음을 부끄러워하고 안타까워하셨던 교장 선생님은 가족들이 자신의 무사귀환을 안도하는 사이에 스스로 생목숨을 끊어 내어 가족들과 국민들에게 또 다른 슬픔을 안겨 주었다.

세월호가 침몰할 때 최초의 신고자는 단원고 학생이었다. 해경이 최초의 신고를 받고 출동했을 때에도 해경은 적극적인 구조 작업을 하지 않았고, 온 국민들은 안방에서 어른과 아이들 304명이 세월호에 갇힌 채, 진도 앞바다에서 서서히 침몰해 가는 장면을 고스란히 지켜봐야만 했다. 인명 구조에 있어 가장 중요한 72시간의 골든타임에 국민의 생명과 안전을 지켜 주어야 하는 대한민국 정부는 없었다.

자식을 잃은 세월호 유가족들은 세월호 특별법 제정을 통해 수사권과 기소권, 성역 없는 수사와 재발방지를 요구했다. 그러나 정치권은 정쟁과 당략으로 일관하며 세월호 유가족들의 요구와는 반대로 대학특례입학, 의사자 지정, 추모공원건립, 생활안정 평생보장, 정신적 치료 평생보장을 들이대며 유가족들의 뜻을 왜곡하였다.

아이들이 왜 죽었는지 수사를 통해 속 시원하게 밝혀 주고 다시는 재발하지 않게 안전을 강화해 달라는 것인데, 보수라는 이름의 언론이 앞장서고, 나라에서 지원을 받는 보수라는 이름의 정체불명의 관변단체가 얼마나 더 많은 보상금을 타려 하느냐면서 세월호 희생자와 유가족들을 희롱하며 욕보이는 행태를 일삼아 이를 지켜보는 유족들과 국민들의 가슴을 더 아프게 했다.

귀한 자식의 목숨을 돈과 바꾸고 싶은 유가족이 아니다. 더딘 구조작업에 답답하신 어느 부모님은 침몰하는 세월호 안에 갇혀 있는 자식을 직접 구하겠다고 선주들에게 필요한 돈은 얼마든지 드릴 테니 자식 구할 배 좀 내달라고 울며불며 통사정을 하여 이를 지켜보는 국민들의 애간장을 끊어 내게 하였다.

1989년 4월 15일 영국에서 발발한 힐스보로 사건은 힐스보로 경기장에서 경찰이 과다한 관람객 입장을 초기에 제대로 통제하지 못하여 96명이 목숨을 잃고 766명이 중상을 입은 사건이다. 선진 민주국가인 영국에서조차 사건 직후 언론은 진실을 왜곡 보도하였고, 경찰은 위증과 진실은폐 공작을 주도하여 유족들의 20여 년간에 걸친 끈질긴 싸움으로 사건 발생 후 27년이 지나서야 진실을 밝혀낼 수 있는 길이 열렸다.

세월호 사건도 진실규명에 있어서 힐스보로 사건을 닮아 가고 있는 양상이다. 대한민국 정부와 국회의원들은 힐스보로 사건을 타산지석(他山之石)으로 삼아 세월호 사건 해결에 최선을 다해야 한다. 그러나 대한민국은 정치후진국으로 세월호 참사 후 백일이 넘도록 특별법은 제정되지 못했다.

답답한 세월호 유족들은 태풍으로 폭풍우가 몰아치던 날 밤에 온몸으로 비바람을 맞으며 청와대까지 행진을 하는가 하면, 영양보충을 해도 시원치 않을 삼복염천(三伏炎天)의 날씨에도 불구하고 국회 앞에서는 24명의 유족들이 단식을 하다가 20명이 탈진하여 병원으로 이송되었다고 한다. 자식의 사망 원인을 밝혀 달라고 46일간 목숨을 건 단식을 강행한 유민 아빠 김영오 선생님도 계셨다.

유족들은 아직도 아홉 구의 시신조차 찾지 못한 상태이다. 지각없는 모 국회의원은 국회 앞에서 시위 중인 유가족들을 노숙자에 비유하며 비하하고 세월호 침몰사건을 단순한 교통사고로 치부하기도 했다.

세월호 사건에 지원을 나갔다가 헬기 추락으로 5명의 소방관이 사망하였는데, 대형 참사를 막기 위해 마지막까지 추락하는 헬기와 운명을 함께하신 일은 정말로 가슴 아픈 일이다. 침몰하는 세월호에 대한민국의 대통령과 정부, 국회의원들은 119소방관이 되었어야 했다.

서명으로 600만 명의 시민들이 자발적으로 참여하여 입법청원을 통해 4·16 세월호참사특조위가 발족했어도 조사 대상인 해양수산부가 노골적으로 조사를 방해하고, 여당 측 추천위원들은 집단 사퇴로 직무유기를 하고, 특조위 무력화를 시도했다. 세월호 특조위 청문회에 출석한 모 경정은 학생들이 철이 없어 탈출을 못 했다는 망언을 쏟아내 유족들과 국민들의 공분을 샀고, 세월호 인양에 돈과 시간이 너무 많이 드니 세월호 인양을 포기하자는 여당 인사의 망언도 있었다. 세월호 인양은 가라앉은 국가를 다시 바로 세우는 일이 되어야 한다.

수학 여행길에 어이없는 참사로 250명의 친구를 잃은 단원고 75명의 생존 학생들이 정신적인 충격에서 헤어나지 못해 대인 기피증 등의 증세를 호소하며, 학교와 병원을 오가는 힘든 시간을 보내면서 미처 마음속에서 떠나보내지 못한 친구들의 명찰을 가방 속에 넣고 다니며 수능시험을 준비하고 시험을 치렀다고 한다.

요리사를 꿈꾸었던 학생이 참사로 친구를 떠나보내고 사고현장에서 다수의 인명을 구조할 수 있는 사람이 되고 싶어 응급구조학과를 지원하기로 했다고 한다. 세월호 참사는 친구들의 꿈마저 바꾸어 놓았다. 그런데 교육부는 세월호 참사 재발 방지책으로 수학여행 나누어 보내기와 선박 이용금지 등을 내놓았고, 정부는 해양경찰을 해양경비로 명칭만 바꾸어 놓았을 뿐이다.

아직도 해결되지 않은 세월호 참사로 인해 희생된 학생들의 물품이 교실에 그대로 존치되어 있는 단원고에 새로 입학하는 신입생들에게 배움의 공간이 부족한 사태까지 야기되었다. 신입생들의 학부모는 이제 후배들에게 교실을 돌려 달라고 시위를 하고 있다.

억울하게 희생당한 학생들을 위해 정부에서 세월호 추모 공간을 따로 만들어야 한다. 그리고 교실은 후배들의 배움의 터전으로 다시 돌려주어야 마땅하다. 세월호 참사의 추모 공간은 단원고의 교실이 되어야 하는 것이 아니라 대한민국 국회와 청와대가 되어야 한다.

장휘국 광주광역시 교육감이 세월호 참사 2주기를 맞아 광주여고에서 '세월호 참사의 교훈과 안전'에 대해 "모든 학생들이 건강하고, 안전하며, 행복한 삶을 살기를 바란다."는 말과 함께 학생 참여형 수업을 진행했다. 장 교육감은 질문 속에 삶의 방향이 있고, 답도 있다는 철학을 가지고 학생들에게 다양한 의견을 제시했고, 건강한 질문을 던졌다.

"사고 당시 왜 정직하게 보도하지 않았을까?", "내가 만약 그 배 안에 타고 있었다면, 나는 어떻게 행동했을까?", "친구들과 나올 수 있었을까?", "우리 사회는 세월호에서 어떤 교훈을 얻었고, 정부는 어떤 대책을 내놓았을까?"

수업에 참여한 한 학생은 "세월호 참사에 대해 잊지 않았으면 좋겠고, 사건을 정직하게 밝혀 다시는 불행한 참사가 반복되지 않고, 사람을 소중하게 생각하는 사회로 역사가 발전했으면 좋겠다."고 말했다. 장휘국 교육감도 수업을 마치며 "세월호 참사의 진실을 찾기까지 정말 오랜 시간이 걸릴지도 모른다. 오늘 찾아본 질문들을 잊지 말고 반드시 기억하라. 세월호 진실 인양은 끊임없는 질문을 통해서만 가능하다."라고 끝을 맺었다.

세월호가 대한민국 국민들에게 알려 준 것은 '가만히 있으면 안 된다.'

는 것과 '위기 상황에 국가는 국민을 구하지 않을 수 있고, 잘못하고도 책임지는 사람이 없다.'는 것이었다.

박근혜 대통령은 세월호 유가족과 시민사회, 야당의 '세월호 특별법' 개정을 통한 특조위 활동기간 보장 요구에 대해 국민세금이 많이 들어가는 문제라며 거부했다. 세월호 인양과 특조위 활동에 들어가는 비용에는 유독 인색하게 굴면서 2015년 9월 유엔 개발정상회의에 참석한 박근혜 대통령은 기조연설에서 개발도상국 소녀들을 위해 5년간 2억 달러, 우리 돈 약 2,400억 원을 지원하겠다고 밝혔다.

세월호와 관련 답답한 정치 현실에 맞서 눈물이 마르지 않은 유가족들과 시민들이 거리로 나와 희생자들을 애도하고 진실규명을 외면하려는 불의한 세력들을 규탄했다. 경찰은 추모의 현장에서 채증정보를 근거로 '세월호 애도죄'로 이들 중 600여 명을 연행하고 7명이 구속되었으며 검찰은 이들에게 과도한 벌금을 부과하여 벌금을 감당할 수 없는 이들은 노역으로 환형하여 감옥에 갇힌 이들도 있다. 그들은 유족들과 지난 2년여 세월 동안 거리에서 함께 울고 함께 눈비를 맞아 가며 진실규명을 위해 함께 싸워 온 이들이었다.

세월호 참사 당시 25명의 민간 잠수사가 투입되어 2개월 동안 구호와 시신 수습 작업을 하다가 이들 가운데 10~11명이 목과 허리를 다쳐 국가에서 의사상자 지정도 받지 못하고 보상법이 없다는 이유로 보상도 받지 못해 생계에 위협을 받고 있다. 그들 가운데 한 명이었던 김관홍 잠수사는 평소에 "국가에 배신당한 것도 화나지만, 내가 이 모양으로 사는 것도 자존심 상하고, 자괴감까지 파괴된다. 다시는 국민을 부르지 말라."는 말을 남기고 숨진 채 발견되었다.

자원봉사 잠수사였던 이광욱 씨가 목숨을 잃은 것과 관련하여 자원봉사 잠수사들을 관리했던 공우영 씨에게 징역 1년을 구형하여, 실질적인 지휘는 해경이 다했다면서 억울함을 호소하기도 했다. 이 같은 정부의 어이없는 갑질에 어느 누가 재난 구조에 나서겠는가!

세월호 인양과 관련하여 공모에 참여한 미국의 타이탄, 네덜란드의 스미트, 스비쳐, 마오에, 중국의 차이나샐비지 등 외국 업체 5곳과 살코, 코리아샐비지 등 국내업체 2곳 가운데 기술력이 검증된 선진국의 인양업체가 선정되지 않고 중국 회사가 선정된 것에 대하여 의구심과 우려를 표하고 있다.

인양 작업과 관련하여 세월호 유족들과 시민들은 희생된 아이들에게 미안하다면서 "한 점 부끄럼 없이 인양해라. 진실은 침몰하지 않는다."라고 말했다.

노란 리본의 의미는 안전한 나라를 만들자는 국민들의 간절한 바람이고, 고통 앞에 중립은 없다는 것이다. 대한민국 정치인들은 세월호 참사와 관련하여 먼 훗날 역사 속에서 후손들에게 부관참시(剖棺斬屍)당할 일은 이제 그만해야 한다.

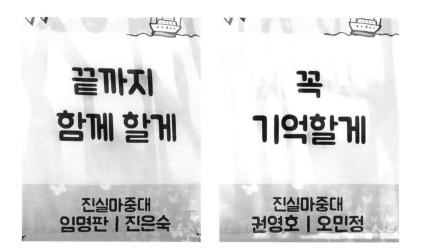

위기의 대한민국

　국제결혼으로 다문화가정을 이루었던 무직의 60대 남성이 이혼 후 심적 고통을 겪다가 끝내 스스로 목숨을 끊었다고 하는데, 그는 교통사고 후유증으로 장애인이 되어 사회생활이 힘든 상태였다고 한다. 그런 그가 50이 넘어 국제결혼 상담소를 통해 나이 차이가 많이 나는 젊은 외국인 아내를 맞이하였다. 대한민국 여성들이 외면하는 부양해야 할 노모와 가난과 장애인이라는 조건을 갖고 있는 사람이었다.

　결국 결혼 3년 만에 아내는 딸을 데리고 집을 나갔고, '상습폭력'을 당했다는 이유로 아내는 이혼소송을 청구하여 승소하였다. 그리고 법적 양육비를 마련하기 위해 고철과 폐지를 수집하여 팔았다고 하는데, 그는 핸드폰 요금조차 감당하기 힘들 정도로 생활고가 심한 상태였다고 한다.

　현재의 대한민국은 정상의 몸을 가진 사람도 경제적 불황으로 가족의 부양의무를 감당하기가 힘든 시대이다. 대한민국의 딸 가진 부모들의 입장에서 생각해 보면 참으로 양심 없는 행태이다. 가족을 책임질 능력이 없으면 이기적인 욕심만으로 새로운 가족을 만들지 않아야 한다.

　대한민국은 잘못된 정치로 인해 실업과 실직과 경제적인 이유로 성인 남녀의 결혼비율이 1,000명당 5.9명으로 역대 최저치를 기록하여 나라의 존립마저 위태롭게 하고 있다. 가족을 책임질 능력도 없는 사람들이 양심을 팔고 다문화가정을 이루어 외국인 아내와 자녀들에게 상처를 주고 복지정책으로 국가에 부양의무를 대신 지우게 하고 있는데, 결혼을 포기한 내국인들은 그들에 비하면 차라리 양심적이다.

통계청에서 발표한 자료에 의하면, 지난 2007년 8,294건이던 국내 국제이혼 건수는 지난 2014년 1만 2,902건으로 급증했다. 다문화 이혼 부부의 결혼 유지 기간은 평균 6.4년이었고, 5년 미만이 45.2%로 가장 많았다.

한국가정법률상담소의 발표에 의하면 2014년 다문화가정 이혼상담 통계 결과, 아내가 외국인인 747쌍의 다문화가정 가운데 34.7%인 259쌍의 부부가 별거 중인 것으로 나타났다. 별거 기간은 전체 259쌍 가운데 결혼 기간이 5년 미만인 신혼부부가 103쌍에 달했고, 결혼 기간이 5년 이상인 부부(156쌍)인 경우라도 별거 기간이 5년 이상인 경우(70쌍)가 44.8%로 절반에 육박했다.

내국인끼리 혼인한 일반 가정은 나이 차이가 불과 한두 살 차이로 가장이 퇴직하는 60대 후반의 황혼기에 부부 갈등을 가장 많이 겪고 있는 데 비해, 남편이 아내보다 17~30세 이상 많아 나이 어린 신부에게 아버지뻘에 해당되는 다문화가정은 결혼 전부터 나이차이로 인한 대화의 어려움이 가장 큰 부부 갈등의 원인으로 파악되었다. 같은 내국인끼리 맺어진 부부간에도 소통의 부재로 이혼이 증가하고 있는데, 하물며 언어소통의 장벽이 있는 국제결혼으로 이루어진 다문화가정은 오죽하겠는가!

이밖에도 다문화가정의 부부 갈등 원인 중 하나로 교육 수준도 부각되었는데, 외국인 아내의 학력에 비해 남편의 학력이 더 낮은 것으로 파악되었다. 또 경제적인 능력도 부부 갈등 원인 중 하나인데, 고정수입이 없는 일반 가정의 남편은 58.9%, 아내 76.5%인 데 반해 다문화가정의 한국인 남편은 64.5%, 외국인 아내는 92.4%로 재산도 없는데다가 일반 가정보다 경제적 빈곤이 심각한 것으로 파악되었다.

일반 가정의 재혼율이 15.5%인 데 반해 다문화가정의 재혼율은 38.7%로 2.5배 높고, 자녀의 양육권 문제도 부부 갈등의 요인으로 작용하였다. 상담을 요청한 부부 갈등을 겪고 있는 다문화가정의 한국인 남편은 '아내의 가출'이 119명(31.2%)으로 가장 많이 호소했고, 외국인 아내 105명(28.7%)이 남편이나 시댁 식구의 부당한 대우와 폭행 등을 가장 많이 호소했다고 한다. 가정불화로 이혼 상담을 신청한 외국인 아내의 국적은 중국이 465명(62.3%), 베트남 97명(13%), 필리핀 74명(9.9%) 순이었다.

외국인 아낙네가 남편은 자신을 아내로 여기지 않고 한낱 노예로 여겨 낮에는 농사일과 가사와 양육, 시부모 병수발을 들어야 하고, 밤에는 성노예 역할까지 해야 하니, 몸이 아파 병원에라도 다녀오는 날이면 일을 하지 않았다고 때려서 도망을 나왔다고 하소연을 한다. 이들은 도망을 나왔어도 갈 곳이 없고, 여권과 비자를 남편이 갖고 있어 마음대로 고국으로 돌아갈 수도 없다고 한다. 다문화가정의 가출한 외국인 아내 중 중국 국적의 아내들은 일부가 노래방 도우미로 진출하여 보수적인 한국 사회에 부정적인 영향을 끼쳤다.

가정의 달 5월에 MBC 〈리얼스토리〉에서 방영된 다문화가정을 이룬 가정에서 어린 자식을 놓고 집을 나간 젊은 외국인 며느리와 그 며느리를 대신하여 몸이 불편한 아들과 손자 양육을 혼자 책임져 왔던 노환의 할머니께서 끝내 7살의 어린 손자와 함께 남한강변에서 싸늘한 시신으로 발견되었다. 서로 사랑하는 마음이 없이 단시일 내에 외형적인 조건만으로 이루어지는 국제결혼은 가족과 사회 모두를 불행하게 만든다.

장기간 지속된 경제 불황이 대한민국에서 역대 최저 결혼율과 저출산으로 이어져 '인구 자연감소' 도미노가 시작된 지금, 소비 위축과 지역경제의 침체로 이어지고 있는 가운데, 은퇴자 증가와 함께 노동력 부족, 사회 활력 감소, 경제성장율 하락을 이유로 정치권에서는 이를 해소할 방안으로 다문화가정을 부추기고 있는데, 다문화가정만이 과연 대한민국의 총체적인 문제를 해결할 수 있는 유일한 해법인가 되묻지 않을 수 없다.

요즘 집 밖을 나서면 세상은 온갖 지뢰밭투성이다. 대한민국은 대낮에 눈 뜨고 코 베어 가는 일은 이제 예삿일이 되어 버렸고, 눈에 보이지 않는 곳에서 일어나고 있는 범죄는 상상을 초월한다. 어른인 남편이나 아내, 어르신 등을 상대로 한 집 밖에 드리워진 잠재적인 사회의 위험 요소들이 너무나도 많기 때문이다.

2016년 1월 제주에 폭설이 내려 항공기 결항으로 발목이 묶이는 사태가 발생했을 때, 가정을 책임져야 하는 위치에 있는 사람들이 가정과 직장을 상대로 거짓말을 한 것이 들통이 나 이혼 위기에 처한 부부들의 상담이 많았다고 한다. 도덕 불감증이 불러온 가정 파괴로 인해 어린 자녀들이 계모와 친부, 친모와 계부에게 극악무도한 패악을 당하다가 어이없게 살육되었다는 뉴스를 하루가 멀다하게 접하고 있다.

우연히 성매매를 직업으로 하여 세 아이를 양육하고 생계를 이어 가고 있다는 외국 여성의 기사를 읽었다. 엄마의 성매매 직업을 다 알고 있는 지역사회이다 보니 학교에 다니고 있는 두 아이들에게 친구들이 "너희 엄마는 얼마냐?"라고 농담 삼아 놀려서 아이들이 마음의 상처를 받아 늘 우울한 학교생활을 하고 있다고 한다.

직업에 귀천이 없다고 하지만 직업에 귀천은 현실적으로 존재한다.

부모로부터 물려받은 몸은 함부로 상하게 하지 말아야 한다. '신체발부 수지부모 불감훼상'이라는 말을 떠올리며 부모는 자식들에게 상처가 되고 수치심을 느끼게 하는 직업만큼은 갖지 않았으면 좋겠다는 생각을 한다.

재벌총수의 혼외자 보도나 아버지와 딸 같은 나이 차이에도 불구하고 유명 영화배우 감독과 여배우의 불륜설은 이 사회가 얼마나 타락한 사회인지를 보여 주는 빙산의 일각에 불과하다. 최근 발생한 신안군의 섬에서 20대의 여교사를 만취시키고 주민과 학부형 세 명이 번갈아 성폭행을 한 사건은 이 사회가 얼마나 야만의 사회인가를 극단적으로 보여 주고 있다.

대한민국 사회에 닥친 심각한 도덕 불감증이 미혼의 여성의 성을 불법으로 유린하고, 재혼의 가정에서는 아이들의 목숨을 위태롭게 하고 아이들의 설 자리를 위협한다. 가정이 무너지고 있는 소리가 사회 곳곳에서 들려오고 있는데도 나라님도 종교 지도자들도 모두 침묵으로 일관하고 있다. 위기에 처한 가정을 구해내는 일이야말로 나라를 구하는 길로 종교인과 정치인들이 풀어내야 할 숙원사업이다.

백제시대에 지고지순(至高至純)한 아내가 가족의 생계를 책임지기 위해 장사를 나간 남편의 무사귀환을 달님께 기원하며 부른 '정읍사'가 있다. '정읍사'는 백제시대 지어진 작자 미상의 곡으로 악학궤범에 한글로 전하는 노래 중 가장 오래된 곡으로 민간에 널리 불리다가 고려와 조선시대에 궁중 음악으로 쓰였다.

천년의 시공을 초월한 지고지순한 사랑을 담은 정읍사에 대한 설화에 의하면, 정읍현에 소금장수의 아내 월이가 장사를 나가 오랫동안 돌아오지 않는 남편 도림이 걱정되어 집 바위 근처에 올라 남편의 무사귀환을 염원하며 부른 노래라고 한다. 아내 월이는 사랑하는 남편이 집으로 돌아오는 길에 진흙탕 등 험한 곳을 디딜까 걱정스러운 마음에, 남편이 안전하게 집으로 돌아올 수 있도록 달님이 밝게 비추어 주기를 바라는 간절한 마음을 담아 노래로 불렀다. 그러나 결국 월이는 사랑하는 남편을 기다리다가 끝내 망부석이 되었다고 전해진다.

백제시대에 불렸던 '정읍사'의 가사 내용처럼 이제는 밖에 나간 내 가족이 집으로 무사하게 돌아올 수 있도록 달님에게 무사귀환을 염원하는 그 마음이 되살아나는 시대가 되어야 한다. 전기도 들어오지 않고 전기밥솥이 귀했던 어린 시절, 내 어머니는 일터에 나가 늦게 돌아오시는 내 아버지를 위해 이불속에 밥그릇을 넣어 밥이 식지 않도록 하셨다. 가족 구성원이 식사 시간을 넘겨 돌아오게 되면 무사귀환을 염원하는 어머니의 정성이 담겨 있는 밥그릇은 아버지에 대한 어머니의 사랑의 징표로 변함없이 따뜻한 방바닥에 깔린 이불더미 속에 보관되었다.

요즘은 전자렌즈와 전기밥솥이 어머니의 손길을 대신하는 시대다. 가족을 진심으로 사랑하고 아끼는 진실한 마음이 있어야 내 가족에게도, 내 이웃에게도 평안한 세상이 이루어질 수 있다. 예의와 염치를 잃어버리고 불신과 원망이 가득한 이 사회에 돌고 있는 차디찬 냉기가 이제는 따뜻한 사람의 온기가 흐르는 사회로 바뀌었으면 좋겠다. 가화만사성(家和萬事成)이다.

유전무죄(有錢無罪), 무전유죄(無錢有罪)

만취한 60대의 남성이 만원버스 안에서 여고생을 성추행하여 전주지법은 벌금 200만 원을 선고하고 40시간의 성폭력 치료프로그램 이수를 명했다. 한편 심야 버스 안에서는 술 취한 척하며 옆 좌석에 앉은 여고생을 성추행한 40대 남성에게 수원지법은 벌금 1,000만 원을 선고하고, 40시간의 성폭력 치료프로그램 이수를 명했다.

성범죄 강제추행과 관련한 형법 제298조에는 "폭행 또는 협박으로 사람에 대하여 추행을 한 자는 10년 이하의 징역 또는 1,500만 원 이하의 벌금에 처한다."라고 명시되어 있다. 또 형법 제297조에는 "강간죄는 폭행 또는 협박으로 강간한 사람은 3년 이상의 유기징역에 처한다."고 명시되어 있다.

범죄자는 성범죄를 저지르고도 솜방망이 처벌을 받고 돈만 있으면 벌금으로 징역을 대신할 수 있다. 형법 제298조는 한마디로 유전무죄(有錢無罪), 무전유죄(無錢有罪)가 완성된 법(法)이다. 대한민국 사법부는 국민이 당한 불행한 사건을 벌금으로 부과하여 모자란 세금으로 충당하여 쓰고 있는 것이다. 죄형법정주의를 지향하는 민주주의 국가에서 형법 제298조에 명시되어 있는 벌금에 관한 사항은 범죄자의 편에서 개인의 불행을 벌금으로 팔아먹는 것과 같으니 폐지되어야 한다.

'황제노역'의 D그룹 A회장이 벌금 노역으로 일당 5억 원을 책정받아 30억 원을 탕감받으면서 일반 국민들의 비판이 거세게 일었었다. '황제노역'에 대해서 대한변호사협회에서는 "평등 원칙에 위배되는 황제노역의 양형에 통탄한다."라고 성명서까지 발표했다.

D그룹 회장의 '5억 원 황제노역' 논란 이후 2014년 5월에 신설된 형법 제70조(노역장 유치)에 따르면, "벌금이 1억 원 이상 5억 원 미만일 경우 300일 이상, 5억 이상 50억 원 미만인 경우 500일 이상, 50억 원 이상인 경우 1,000일 이상의 유치 기간을 정해야 한다."고 규정하고 있다. 또 제69조(벌금과 과료) 2항은 "벌금을 내지 않으면 1일 이상 3년 이하의 노역"에 처하도록 했다.

제주지법에서 사기 등 혐의로 재판에 넘겨진 자영업자에게 30억 원의 벌금을 선고하면서 새로 신설된 형법에 따라 하루 노역비를 500만 원으로 책정하였다. 벌금을 내지 않고 노역을 선택하면 600일간 노역으로 30억 원의 벌금을 대신하게 된다. 또 부동산 매매와 관련하여 27억 원의 세금을 포탈한 전임 대통령의 차남과 처남에게 법원이 징역형과 함께 각각 38억6천만 원의 벌금을 선고했는데, 벌금을 내지 못해 2년 8개월간 구치소에서 노역으로 대신한다고, 하는데 하루 노역 대가가 400만 원으로 책정되었다.

그러나 이에 반해 일반 국민의 노역은 일당 10만 원 수준이다. 하루 노역비가 많게는 수억 원에서 수백만 원을 호가하고 있는데, 일반 국민들 입장에서는 감방 안에서조차 선고받은 벌금액수에 따라 차별 차등 적용되는 1일 노역비에 대해서 선뜻 동의하기가 어렵다. 불평등하게 적용되는 노역대가는 결국 바늘도둑이 되기보다는 소도둑이 되기를 장려하는 것과 같다.

고조선의 8조법에 의하면 "① 살인자는 즉시 사형에 처한다. ② 다른 사람에게 상해를 입힌 자는 곡물로 보상한다. ③물건을 훔친 자는 노비로 삼는다. 노비가 되지 않으려면 1인당 50만 전을 내야 한다."라고 명시되어 있다. 5천 년 전에 세워진 고조선의 8조법에도 국민의 생명과 신체, 사유재산을 보호하려는 목적으로 빈부의 격차에 상관없이 평등하게 법을 적용하였다는 것을 알 수 있다. 법은 만인에게 평등하게 적용되어야 한다. 대한민국 헌법 제11조 1항에도 "모든 국민은 법 앞에서 평등하다."라고 명시되어 있다.

선고받은 벌금의 액수에 따라 1일 노역의 대가가 차등하게 적용된다면 이는 헌법에 명시되어 있는 평등의 원칙에 위배되는 것이다. 선고받은 벌금 액수에 따라 차등 적용되는 노역비의 불평등은 형법 69조에 벌금을 내지 않는 경우 노역장에 유치할 수 있는 기간이 3년으로 제한되어 있기 때문이라고 한다.

고액의 벌금을 선고받고 갚을 능력이 되지 않는다면 평생 동안 감방에서 노역을 해서라도 일부를 갚도록 법을 개정해야 한다. 이것이 바로 법의 평등성이다. 사회에서는 자신의 능력에 따라 연봉이 달라질 수 있지만, 감방 안에 적용되는 1일 노역 대가는 대한민국 국민이라면 직위 고하를 막론하고 일률적으로 평등하게 적용되어야 한다.

그 기준을 정하는 데 있어 표준 금액을 정하기가 어렵다면 대한민국 근로기준법에 의해 정해진 법정 최저임금 시급을 기준으로 정해도 무방하리라 생각한다. 2016년 대한민국 법정 최저 시급은 6,030원이다.

한편 '한국의 장발장법'으로 불리는 '특정범죄가중 처벌법'도 논란의 대상이 되고 있다. 2015년 2월 17일 『데일리엔』의 보도에 의하면, 영업이 끝난 분식집에 몰래 침입하여 주인 몰래 라면 2개를 끓여 먹고 라면 10개와 2만 원이 든 동전통을 훔쳐 간 김 모(39)씨가 징역 3년 6개월을 선고받았다고 한다. 지은 죄에 비해 형량이 높게 선고된 것은 특정범죄 가중 처벌법에 의해 상습적으로 절도를 한 경우 무기징역 또는 3년 이상 징역에 처하도록 했는데, 두 번 이상 같은 법으로 실형을 선고받은 전력이 있으면 같은 조의 6항에 따라 최소 6년이 된다.

70억대 횡령 및 배임 혐의로 기소된 Y회장의 장남에게는 고작 3년형이 선고되었다. 결국 대한민국에서 극빈층이 생활고를 이유로 저지르는 상습 절도 사건은 징역 5년 이상인 살인죄보다, 70억대 횡령 및 배임죄보다 더 높은 형량을 선고받아 무전유죄, 유전무죄를 완성하는 법이 되었다.

개인적으로 죄질로 따지자면 남의 생명을 빼앗는 것이 으뜸이고, 남의 재물을 횡령 배임한 죄가 그다음이고, 훔친 라면과 동전을 합하여 총 3만 원도 안 되는 생계형 범죄는 앞선 두 가지 범죄에 비하면 그야말로 아무것도 아니다.

외국에서는 최근 생활고를 이유로 저지르는 생계형 범죄에 대해서는 무죄를 선고했다고 한다. 외국의 사례는 차치하고서라도 대한민국에서 범죄의 죄질에 따라 형량을 더 높게 구형하는 사법부가 되어야 한다고 생각한다.

한 부모를 위한 제안

　2~3개월 전 미혼부로 8개월에서 15개월 동안 4건의 소송을 거쳐 어린 딸을 호적에 등재한 한 부모 아빠에 대한 기사가 보도되었습니다. 미혼모는 출생과 동시에 친자관계가 확인되어 출생신고가 가능하지만, 아빠인 미혼부는 '가족관계의 등록 등에 관한 법률' 제46조 제2항 "혼인 외 출생자의 신고는 모(母)가 하여야 한다."는 규정에 의해 출생신고가 불가능했습니다. 미혼부에 대한 불합리한 호적 관계법으로 인해 호적에 등재되지 못한 아기는 양육비 지원 등 사회적인 복지혜택을 전혀 받을 수가 없었습니다.

　미혼부 김 씨가 호적 등재에 필요한 유전자 검사 비용 30만 원을 모으는 데 석 달이 걸렸다고 하고, 미혼부 김 씨의 아이는 출생신고가 되어 있지 않아 건강보험과 양육비, 보육료 지원 등 정부에서 시행하고 있는 아동복지 혜택을 전혀 받을 수 없었다고 합니다. 어린 자식을 혼자 키워야 하는 미혼부 아빠들은 돌보아야 하는 어린 자식으로 인해 정상적인 취업을 할 수 없습니다. 이렇게 생활고와 악전고투하며 어린 자식을 키우는 미혼부는 2만 명이 넘을 것으로 추산되고 있습니다.

　한 부모 가정으로 불리고 있는 미혼부 가정 중에 사회적으로 배려가 필요한 차상위 계층 이하인 미혼부 가정은 3.5%이고, 차상위 계층 미혼모 가구 또한 전체 미혼모 가구의 1.9%에 이릅니다.

현재 미혼부와 미혼모 가정인 차상위 한 부모 모자가정에 대한 복지정책을 들여다보면 김대중 · 노무현 정부와 이명박 정부는 차상위 한 부모 가정에 물가 인상률과 상관없이 15년 동안 월 5만 원의 양육비를 아이가 만 12세까지 지원하는 법을 시행하였습니다. 현재까지도 의료보험 혜택이 전혀 없는 차상위 한 부모 가정은 아이가 아프거나 엄마가 아파도 마음 놓고 병원에 갈 수가 없는 실정입니다.

박근혜 대통령은 한 부모 가정에 지급되는 월 5만 원의 양육비를 15만 원으로 인상해 주는 정책을 대통령 공약으로 약속하고도 재정 상태를 핑계로 월 7만 원을 지원하다가 2015부터 월 10만 원의 양육비를 지원하고 있습니다. 정부에서 고아원의 아동 1인에 지급하는 양육비는 127만 원이고, 일반 가정에 0세에서 5세까지 지원하는 양육비는 20만 원을 책정하면서, 한 부모 가정에는 유독 낮은 양육비를 책정하여 한 부모로 하여금 아이를 직접 키울 수 없어 양육을 포기하게 하고 있는 실정입니다.

대한민국에서 미혼모나 미혼부가 아기를 키우는 것은 정말 불가능에 가깝다며 서울 난곡동의 주사랑 공동체의 베이비박스에 매달 4~5명의 아기들이 버려지고 있다고 합니다. 버려진 한 부모의 아이를 입양하는 가정에는 매달 양육비와 심리적 상담비를 포함하여 월 35만 원을 지급하고 의료보험 혜택도 주고 있습니다.

서민경제가 어려워지자 입양할 자격도 되지 않는 사람들이 35만 원의 양육비를 목적으로 입양에 필요한 서류를 위 · 변조하여 세상에서 가장 불쌍한 한 부모의 아이를 입양하여 아이에게 필요한 사랑 대신 학대를 일삼아 입양된 2살의 아이가 양모에게 맞아 죽는 불행한 사건도 발생하였습니다.

미국 가정에서 아이 한 명을 입양하게 되면 정부에서 아이 한 명당 양육비로 80여만 원을 지원해 준다고 합니다. 외국에서 한국인 아이를 한 명 입양하는 데 드는 비용은 최소 3천만 원이라고 합니다. 대한민국에서 생활고로 인해 버려지는 아이들을 외국으로 입양 보내는 데 입양기관에서 한 아이당 1,600만 원에서 2,000만 원을 수수료로 받는다고 합니다.

대한민국은 저출산으로 인해 인구가 부족하다면서 최하위층인 미혼부와 미혼모 한부모의 자녀를 최악의 복지법으로 버리게 하는 정책을 취하여 해마다 980여 명의 고아를 해외에 수출하여 고아수출국 1위의 지위를 굳건히 지키고 있습니다. 고국에서 버려져 해외로 입양된 우리의 아이들은 과연 행복할까요?

워싱턴포스트의 보도에 의하면 지난 30여 년간 아이들을 입양한 미국 양부모들이 귀화절차를 제대로 밟지 않아 무국적 상태에 놓여 불안한 삶을 살고 있는 한국인 입양아들이 35,000명으로 추산됩니다.

2014년 7월 18일자 『한국일보』 보도에 의하면 23세의 한국계 스위스 입양인 여성이 양부모의 친아들인 두 살 위 오빠에게 오랜 기간 동안 성폭행을 당해 오다가 1993년 6월 "나는 친엄마를 보기 위해 길을 떠난다."라는 유서를 남기고 스위스 라인 강의 차가운 강물에 몸을 던졌다고 합니다.

미국으로 입양되었다가 34년 만에 친엄마를 찾은 어느 입양인이 친엄마에게 보낸 편지에는 "양부모님은 언제나 저를 많이 사랑해 주었고 많은 미국인 사촌과 이모, 삼촌들이 있지만 저는 항상 그 가족과 겉도는 느낌이었습니다. 입양되지 않고 한국에 있었어도 가족과 행복한 인생을 살 수 있었겠다는 생각이 듭니다."라는 대목이 있었습니다.

이처럼 입양인은 아무리 좋은 환경에서 자랐다고 하더라도 평생 자신의 친가족이 누구인지, 모국은 왜 자신을 버렸는지, 끊임없이 혼란스러워한다고 합니다.

　여성가족부에서는 한 부모를 위한 다양한 정책으로 한 부모 가정의 여성 가장을 위한 일자리 지원을 해 준다고 하고, 창업도 지원해 준다고 문구로 인쇄되어 있지만 홍보용 문구로만 존재할 뿐입니다. 각 지자체와 종교단체에 다문화 가정을 위한 쉼터나 일자리 지원을 위한 센터는 많이 설립되어 있지만, 대한민국에서 가장 불행한 미혼부·미혼모인 한 부모 엄마들을 위한 쉼터나 지원센터는 턱없이 모자란 현실입니다.

　반면에 명절 때만 되면 26만 가구의 다문화가정의 외국인 며느리들의 고향 방문을 위해 각 지자체에서는 가족 무료 왕복항공권까지 지원해 주고 통신업체에서는 영상통화까지 무료로 지원해 주고 있습니다.

　선진국에서 시행하고 있는 한 부모 복지정책을 예로 들어 보면, 영국은 자녀 1인당 월 116만 원을 양육비로 제공하고 있고, 독일에서는 매달 164만 원의 최저생계비를 지원하고 있으며, 호주 정부는 매달 100만 원의 양육비를 지급하고, 10대 미혼모가 학업을 유지할 수 있도록 맞춤식 교육을 지원하고 있습니다.

　이렇게 국가가 양육을 책임지는 선진국에 비해 정치 후진국인 대한민국은 가난한 대한민국에 태어난 죄와 낳아 놓은 죄를 힘없는 한 부모 가정에 전부 지우고 있는 것입니다.

　복지정책으로 대한민국의 대통령은 5년 임시직으로 퇴임 후 평생 동안 재임 시 급여의 95%를 연금으로 받고 4년 임시직으로 65세부터 평생 동안 월 120만 원의 연금을 받는 국회의원들이 있습니다. 그야말로 대한민국은 세계 최고 수준의 정치인들만의 복지국가가 되어 있습니다. 결국 대한민국 정치인들은 국민들에게 개념이 없고, 양심이 없고,

진심이 없고, 대책이 없고, 상식이 없고, 배려가 없고, 진실이 없고, 소신이 없고, 생각이 없고, 윤리도 없고, 자유와 평등, 정의, 내일이 없는 존재들로 인식될 수밖에 없습니다.

막대한 빚더미의 대한민국에서 국민들의 혈세로 과잉복지를 누리고 있는 대한민국 정치인들에게 자신들의 복지만 살뜰하게 챙기지 말고 극빈층의 어린 자녀들이 차가운 보육원보다는 따뜻한 엄마, 아빠 품안에서 건강하게 자랄 수 있도록 입양가정에 지원하는 양육비와 의료보험 혜택을 미혼부·미혼모 한 부모 가정에도 동일하게 만 18세까지 지원해 주는 법을 복지정책으로 개정해 줄 것을 제안합니다.

2015. 7. 4.
정혜옥 (사)한국문화예술유권자총연맹 여성위원장

위의 글은 미혼부들이 자식을 호적에 쉽게 올릴 수 있도록 한 일명 '사랑이법'을 발의한 여당의 모 여성 국회의원에게도 같은 내용의 제안을 올린 적이 있습니다. '사랑이법'은 호적이 없어서 복지 사각지대에 놓여 있는 불행한 아이를 구하기 위한 법입니다.

그러나 '사랑이법'은 최근 온전한 법이 아닌 엉터리 법으로 증명되었습니다. 미혼부인 아빠가 자식을 호적에 등재하기 위해 여러 가지 법적인 증명서류를 첨부하여 법원에 출생 신고서를 제출했다가 판사는 이유 없으므로 기각하고, 아이 아빠가 엄마의 신상을 모른다는 이유로 혹은 아이 엄마의 이름을 안다는 이유로 호적등재를 불허하는 판결을 내리는 등 일반 국민들의 상식에 반하는 어이없는 판결을 내리고 있습니다.

생모가 버리고 간 아이를 아빠가 버리지 않고 혼자 키우겠다고 하는

데, 호적법을 까다롭게 적용하여 미혼부의 아이가 호적에 등재될 수 없게 하는 것은 명백한 인권 탄압입니다. 미혼부의 아이는 아빠가 엄마의 신상정보를 알고 있는지에 대한 유무 사실과 상관없이 친자유전자 검사만으로 호적에 오를 수 있게 해 주어야 함이 마땅합니다.

미혼부·미혼모인 차상위 한 부모 가정에는 2016년 현재까지도 의료보험 혜택이 없고, 양육비는 아동의 나이 만 12세까지 월 10만 원이 지급되고 있는데, 차상위 한 부모 가정에 가장 필요한 복지정책이 바로 의료보험 혜택과 양육비 인상과 양육비 지급 기간을 만 18세까지로 연장해 주는 복지법입니다.

> "사람이 되어야 합니다. 따뜻한 사람이 되어야 합니다.
> 나하고 가까운 우리에게만 따뜻한 사람이 아니라 넓은
> 우리에게 따뜻한 사람이 되어야 합니다. 따뜻한 사람은
> 분노가 있는 사람이지요."
>
> — 고(故) 노무현 대통령

편지

우연히 뉴스에서 고아들에 관한 기사를 읽고 자식을 키우는 엄마의 입장에서 안타까운 마음이 들이 가장 믿음이 가는 이재명 시장님께 그 아이들에게 도움을 주십사 하는 편지를 올렸는데 그게 그만 이재명 시장님의 복지정책을 점검하는 것이 되고 말았네요.

아래는 이재명 시장님께 올린 편지의 내용과 성남시에서 보내온 답변서입니다.

이재명 성남 시장님께

아동복지시설인 보육원에서 자라는 아이들은 현행법상 만 18세가 되면 퇴소를 하게 되어 있습니다. 만 18세면 이제 겨우 고등학교를 졸업하는 나이로, 아직 사회에 적응할 준비도 덜 된 나이입니다.

이 아이들에게 정부에서 '자립지원정착금'이라는 명목으로 지방자치단체별로 최소 100만 원에서 최대 500만 원을 지원한다고 합니다. 그러나 요즘과 같은 고물가시대에 정부에서 지원한 '자립정착지원금'으로는 급등한 전(貰)세가나 월세를 얻기란 그야말로 현실적으로 어렵습니다.

부모 없는 고아들에게 국가는 든든한 부모가 되어 주어야 함이 마땅한

데 국가도 잘못된 경영으로 인해 발생한 막대한 부채를 국민들에게 세금 폭탄으로 떠안기는 불량한 무능한 부모가 되어 있습니다. 고아들의 힘들고 답답한 현실에 대한 기사는 어제오늘만 보도된 것이 아닙니다.

합리적인 경영으로 성남시를 빚더미에서 건져 내고 흑자경영을 이루어 대한민국에서 최상의 복지 지자체를 만들어 가고 계신 이재명 시장님께 보육원에서 퇴소해야 하는 고아들을 위하여 제안을 올립니다.

성남시 보육원에서 자라고 퇴소하는 아이들을 위하여 성남시에서만이라도 그 아이들이 자립기반을 다질 수 있도록 최소한의 보증금과 관리비만 부담하는 저렴한 임대주택을 최소한 5년 동안 임대해 주는 법을 만들어 주십시오. 이 아이들을 위해 적합한 일자리도 내어주신다면 금상첨화가 될 것이며, 부모 없는 고아들에게 시장님께서 든든한 부모가 되어 주는 것과 다름이 없을 것입니다.

그리고 한 가지 청이 더 있습니다. 경제적인 이유로 아이들을 직접 키우지 못하고 입양을 보낼 수밖에 없는 한 부모 가정인 미혼부·미혼모들에게 입양가정에 지원되는 동일한 혜택을 주는 법을 지자체 조례법으로 제정해 주십시오. 현재 미혼부·미혼모의 차상위 한 부모 모자가정에는 국가에서 아이가 만 12세 될 때까지 월 10만 원의 양육비가 지원되고 의료보험 혜택이 전혀 없습니다.

그에 비해 경제적인 이유로 버려지는 불행한 한 부모의 아이들을 입양하는 가정에는 아이가 만18세까지 양육비 15만 원과 심리상담비 20만 원을 포함하여 매달 35만 원의 현금이 지원되고 의료보험 혜택도 주고 있습니다.

한 부모 모자가정에 입양가정에 지원되는 동일한 혜택을 주신다면 생활고로 인해 자녀를 버리는 엄마나 아빠는 사라질 것이며, 아이 또한 엄마나 아빠의 따뜻한 품안에서 바르게 자랄 수 있을 것입니다. (중략)

늘 건승하십시오.

2015. 8. 4.

압해정씨 대종회 이사

만민공회 운영위원 정혜옥 올림

시민이 행복한 성남 시민이 주인인 성남

성 남 시

수신 압해정씨 대종회 이사 정혜옥 귀하
(경유)
제목 아동복지시설 퇴소아동 자립정책 제안에 대한 답변

　　1. 시정에 관심과 고견을 주신 귀하께 감사드리며, 아동복지시설 퇴소아동의 자립지원정책 제안과 관련하여 아래와 같이 답변 드립니다.

　　○ 우리시에는 공동생활가정 14개소에서 90여명의 아동이 거주하며, 매년 3~10명의 아동이 고등학교를 졸업하고, 대학 진학과 취업 및 취업준비 등 자립을 위해 노력하고 있습니다.
　　○ 시설퇴소아동에 대하여는 현재 자립정착금 500만원을 지원하고, 한국주택공사의 전세주택(7,500만원 이내)지원과 연계하여 최장 8년까지 거주할 수 있도록 하고 있습니다. 또한 퇴소아동이 보다 안정적으로 자립할 수 있도록 자립정착금 추가지원을 적극 검토 중임을 알려드리며, 이와 관련하여 궁금하신 사항은 아동보육과 아동복지팀(☎ 031-729-2944)로 문의하시면 답변 드리겠습니다. 끝.

성 남 시

주무관　소정선　아동복지팀장 최창섭　아동보육과장 2015. 9. 17. 손들래
협조자

시행 아동보육과-29176　(2015. 9. 17.)　접수
우 13437　경기도 성남시 중원구 성남대로 997 (여수동, 성남시청) / http://www.seongnam.go.kr/
전화번호 729-2944　팩스번호 031-729-2949 / sjs7@korea.kr / 비공개(6)
학습하는 시민, 성장하는 평생학습도시 성남

조강지처(糟糠之妻)

옛 선인들은 자신의 아내를 가리켜 '조강지처(糟糠之妻)'라 불렀다. 이는 술지게미와 쌀겨로 끼니를 이을 때의 아내라는 뜻으로, 몹시 가난하고 천할 때에 고생을 함께 겪어 온 아내를 이르는 말이다.

먼저 단어의 뜻을 보면 조(糟)는 술을 거르고 난 후 남는 찌꺼기를 가리키는데, 강(糠)은 벼나 보리 등 곡식을 턴 후 남은 껍질이다. 여기서 술지게미나 곡식의 껍질은 핵심이 제거된 후 남은 찌꺼기로 좋지 않은 음식의 대표격으로 쓰였다. 옛날에 가난한 사람들이 흔히 먹던 음식이 바로 조강(糟糠)이었다.

후한(後漢)의 창업자 광무제(光武帝)가 아끼는 신하 가운데는 현명하고 어진 사람들이 많았다. 그중에 지조(志操)로 유명했던 송홍(宋弘)이란 사람이 있었는데, 사람 됨됨이가 정직하고 온후하여 사람들의 존경을 받았다. 광무제에게 혼자 몸이 된 손위 누이 호양공주(湖陽公主)가 있었는데, 혼자 된 누이를 가엾게 여겨 신하들 가운데 배필이 될 만한 자를 물색했다.

어느 날 호양공주는 광무제에게 말했다.

"인품이나 기량, 어느 면으로 봐도 송홍을 따를 사람이 없습니다."

광무제는 누이의 심정을 알아차리고 송홍과 맺어 주기 위해 송홍의 의중을 떠보는 대화를 나누었다. 호양공주는 병풍 뒤에 숨어 있었다. 광무제가 송홍에게 말했다.

"속담에 사람이 지위가 높아지면 옛 친구를 버리고 높은 사람을 사귀려 하고, 부자가 되면 아내를 바꾼다고 하는데, 이것이 인지상정(人之常情)이 아니겠소?"

송홍은 정색을 하며 말했다.

"신은 어려울 때 사귄 친구는 잊어서는 안 되고, 함께 고생을 하여 집안을 일으킨 아내는 절대로 내쳐서는 안 된다고 들었습니다(謂弘曰, 諺言貴易交, 富易妻, 人情乎. 弘曰, 臣聞貧賤之交不可忘, 糟糠之妻不下堂)."

이 말을 들은 광무제와 호양공주는 마음을 바꿀 수밖에 없었다.

이 이야기는 『후한서(後漢書)』와 『송홍전(宋弘傳)』에 나온다. 송홍(宋弘)은 동한(東漢) 초 장안(長安) 사람으로 광무제(光武帝) 때 조선의 정승(政丞)에 해당하는 고위직인 대사공(大司空)에까지 올랐다.

고생을 싫어하는 지금 시대의 사람들에게는 조강지처라는 말의 의미가 무색하기만 하다. 동물이나 사람이나 짐짝 취급을 당하며 버리는데 익숙한 시대가 되어 가고 있다. 가난 때문에 자식을 버리고 조강지처를 버리고 부모를 버리는 대한민국이 되어 있다.

지금의 대한민국에서는 부부가 되어 어려움 가운데 자식과 부모를 함께 봉양하는 고단한 짐을 함께 짊어지고 갈 수 있는 조강지처(糟糠之妻)도, 조강지부(糟糠之夫)도 되어야 산다.

7포 세대를 바라보는 서글픔

2015년 가정의 달 5월에 취업이 어려워 아르바이트로 생활해 오던 30대의 남매가 생활이 어려워지자 아버지의 4억 원대의 재산을 노리고 살해하려다가 경찰에 구속되었다는 뉴스가 보도되었다. 부모의 재산을 제대로 상속받지 못했다며 법원에 낸 '유류분 반환소송'의 경우, 2005년 158건에서 2014년에는 811건으로 5배나 급증했다. 이와 더불어 요즘 젊은 자녀들이 연로하신 부모님께 자신의 빚을 떠넘겨 파산신청을 하도록 하는 '불효 파산'이 늘고 있다고 한다.

2016년 4월 법원의 발표에 의하면, 서울지방법원이 파산을 선고한 1,727명 중 65세 이상 '노후파산'은 428명으로 4명 중 한 명꼴로 나이가 많고 수입이 적어 상대적으로 면책 결정을 받기 쉽다는 점을 악용한 파산 신청으로 파악되고 있다. 파산법원 관계자는 파산신청을 한 70대 노인의 신용카드 내역을 살펴보면 대부분이 젊은 사람들의 브랜드 의료비 구입과 값비싼 피부과 시술에 사용되었다며 "부모의 잘못된 희생과 자식의 불효가 만들어 낸 씁쓸한 현상"이라고 꼬집었다.

대한민국은 기업에 이로운 노동정책으로 인해 비정규직이 70%를 차지하는 노동시장의 현실이다. 이로 인해 '청년실신시대', '열정노예'의

시대에 이어 연애, 결혼, 출산, 인간관계, 주택 구입, 희망, 꿈을 포기한 이른바 '7포 세대'라는 신조어가 등장했다. 게다가 대기업들은 글로벌 기업으로 발돋움하겠다는 명분으로 인건비가 저렴한 제3국으로 이전을 하여 국내에서는 일자리가 계속 감소하고 있는 추세이다.

이에 대해 정동일 연세대 경영학과 교수는 "나라를 떠나려는 젊은 세대의 심정은 대한민국에서 가능성을 찾지 못한 결과로 정부는 20년 후를 바라보는 대책을 세우고, 기업들도 외국 문화에 대한 거부감도 적고 언어구사력도 뛰어난 젊은 세대가 활약할 기회를 마련해 줘야 한다."고 강조했다.

고려장의 내용을 담은 장사익 선생님의 〈어머니, 꽃구경 가요〉 서글픈 가사를 듣노라면, 삶이 어려웠던 시절에는 자식들을 살리기 위해 노부모를 희생양으로 삼아 산으로 모셨는데, 이제는 부모의 재산을 빼앗아 자신부터 살겠다는 자식들이 늘어만 가는 세상이 되어 있으니, 잘못된 정치의 결과로 '7포 세대'를 바라보아야 하는 서글픔이 이 시대의 부모들에게 있다.

아들의 등짝에 업혀서 산중으로 들어가는 중에도 혼자서 산길을 내려갈 아들이 길을 잃을 것을 염려하여 솔잎을 따서 뿌린 어머니의 그 마음이 뿌리도 없는 낯선 나라로 이민을 계획한 고뇌에 찬 젊은 부모들에게서 너무도 아프게 와 닿는 대한민국의 현실이다.

가정의 달 5월에 실의에 빠져 있는 '7포 세대'들을 위해 대한민국에서 하루 빨리 건강한 정치가 이루어지기를 바라고 그들에게 좋은 부모님, 훌륭한 선생님, 좋은 배우자 꼭 필요한 세 가지 만남의 복이 이루지기를 바란다.

대한민국 국방은 누가 책임져야 하나?

2015년 5월 12일, 법원에서 특정종교에서 병역을 기피하는 양심적 (?) 병역거부자인 '여호와의 증인' 신도에게 무죄선고를 내렸다. 그동안 법원은 대한민국이 남과 북으로 대처하고 있는 특수한 상황을 무시하고 종교적 신념을 이유로 병역을 거부하는 병역 거부자들에게 솜방망이 처벌인 징역 1년 6개월 형을 선고해 왔다.

각 지방법원에서 2004년과 2007년 양심적 병역 거부자들에게 무죄선고를 내리기도 했지만, 대법원과 헌법재판소에서 입영대상자가 정당한 사유 없이 입영하지 않으면 3년 이하의 징역에 처하도록 한 병역법 88조에 대하여 2004년과 2011년 합헌결정을 내렸다.

국방의 의무와 관련하여 현행법상 불법행위에 해당하는 양심적 병역거부에 대하여 2005년 인권위원회는 양심적 병역거부권을 인정하고 대체복무제를 도입하도록 국회와 국방부에 권고하였고, 이에 대하여 국방부도 2007년에 종교적인 이유로 병역을 거부하는 대상자들에게 대체복무를 허용하는 방침을 밝힌 바 있다.

2013년 새정치민주연합의 전해철 의원은 양심적 병역 거부자들의 대체복무를 허용하는 병역법 개정안을 발의했다. 엄하게 적용해야 할 병역법 88조를 무시하고 양심적 병역거부에 무죄를 선고한 재판부는 "국방의 의무는 전시 전투원뿐 아니라 경찰 업무나 재해방지 · 수습 업무, 공익근무, 사회복무 등 대체복무도 포함하는 넓은 의미"라며 "국방의무 이행이라는 헌법적 가치가 크게 훼손되지 않고도 병역을 거부하는 양심을 보장할 수 있다."고 밝혔다.

그러나 대체복무는 종교적 신념을 이유로 병역을 거부하는 신체 건강한 사람들에게 허용되어야 하는 것이 아니라, 신체적인 결함으로 국방의 최전방에서 의무를 이행할 수 없는 사람들에게 허용되어야 함이 마땅하다. 종교적인 신념을 이유로 병역을 거부하는 신체 건강한 젊은이들에게 대체복무를 허용한다면, 가뜩이나 열악한 위험천만한 군대환경으로 인해 병역을 기피하고 싶은 젊은이들이 병역기피 목적으로 종교를 이용할 수도 있기 때문이다.

대한민국의 군대는 복리후생도 제대로 되어 있지 않아 중이염을 제때 치료받지 못해 귀머거리가 되어 돌아온 아들도 있고, 건강검진에서 종양이 발견되었어도 검진 결과에 대해 설명도 듣지 못하고 치료시기를 놓쳐 죽음에 이르는 위험한 상황에 처해 있는 아들도 있다고 한다. 이렇게 2008년부터 지난 5년간 군대에서 593명의 사망자가 발생했는데, 그중 45%가 자살로 인한 사망이었다고 한다.

살벌한 병영 참사와 관련하여 대한민국 군대 내에서는 "참으면 윤 일병 되고 터지면 임 병장 된다."라는 말이 유행어가 되어 있다. 이러한 상황에 양심적 병역거부자에게 무죄를 선고한 것은 대한민국이 세계 유일무이한 분단국으로 남과 북이 종전이 아닌 휴전 중인 대한민국의 특수한 상황을 무시한 처사라고 여겨진다.

대한민국에서 2000년부터 지금까지 병역을 거부하여 투옥된 사람이 1만 명이라고 한다. 대한민국에서 비양심의 고위층 자제들은 법을 이용하여 합법적으로 국방의 의무를 면제받고 있고, 힘없는 서민들의 자제들만 가야 되는 위험한 군대가 되어 있다. 특정한 종교적 신념을 이유로 양심적 병역거부를 인정하는 것은 또 다른 합법적인 병역 기피 사유로, 병역거부자들이 늘어날 것은 불을 보듯 뻔하다.

그렇다면 이제 대한민국의 국방은 누가 책임져야 하는가? 대한민국의 국민으로 태어나 국방의 의무를 다하고 예비군의 의무도 다 마치신 연로하신 부모 세대들이 책임져야 하는가? 대한민국이 처해 있는 특수한 상황을 무시하고 양심적 병역거부 인정으로 대한민국의 안전을 송두리째 위험에 빠뜨릴 수 있는 상황으로 몰아가는 인권위원회와 대한민국의 사법부는 반성해야 한다.

병역기피자들 또한 이 나라가 처해 있는 분단의 현실을 무시하고 종교적 신념을 이유로 병역을 기피하기보다는 대한민국의 군대가 처해 있는 위험천만한 열악한 환경을 이유로 병역기피를 신청함이 오히려 타당성 있는 사유로 인정받을 수 있을 것이다.

2015. 5. 13.

봉사의 미학

국립현충원 봉사후기

부처님 오신 날인 오늘, 한옥순 회장님의 '나누고베풀고봉사하는그룹'의 자원봉사자로 국립현충원에 봉사를 다녀왔습니다. 봉사를 시작하기 전에 충혼탑에서 묵념을 올리고 안내원의 설명을 잠시 들었는데, 6·25 전쟁터에서 돌아가신 아직도 찾지 못한 유해가 103,244명이나 되고 시신은 찾았으되 이름표가 없어 신원 확인이 되지 않아 가족을 찾지 못한 무명용사로 봉안되신 분이 6,904명으로 지금까지도 가족들을 찾기 위해 가족들의 DNA 검사를 진행 중이라고 합니다.

2015년 6·25 참전 희생자의 유가족이 국가를 상대로 국가 유공자로 인정해 달라는 소송을 제기했는데, 소송에서 패소했다고 합니다. 패소 원인은 국방부에서 참전 희생자들의 사망한 장소와 시간이 적힌 서류를 국방부에서 민간 보훈단체에 넘겨주었다고 하는데, 유가족들이 단체에 회신을 요구한 결과 아직까지도 서류로 정리되어 있지 않아 알려 줄 수 없다고 하여 소송에서 패소했다고 합니다.

나라를 지키기 위해 희생하시고도 6·25 발발 66년이 지난 지금까지도 희생자들의 유해와 명단조차 정리되어 있지 않아 아직도 진행 중에 있다고 하니, 후세대로서 참으로 부끄러운 일입니다. 전쟁터에서 사망한 국가유공자와 관련한 사안은 민간단체에 이양해야 하는 것이 아니라, 국방부에서 책임지고 정리해야 하는 중대한 사안입니다. 그러나 정부에서 막대한 금액을 지원받고 있는 민간 보훈단체들은 정작 이 나라를 위해서 해야 할 기본 업무조차 도움을 주지 않고 있습니다.

국립현충원에 안장된 분들 중에 6·25전에서 '최악의 패전' 군인으로 기록되어 있는 유재흥 장군이 있습니다. 위키 문헌에 의하면, 유재흥 장군은 1951년 5월 현리전투에서 오마치 고개가 중공군에게 점령당하고 포위되자 자신이 지휘하던 3군단에 3사단장을 대리로 지정한 후, 군단 사령부로 복귀하겠다며 경비행기를 타고 혼자 탈출하였습니다.

지휘관이 탈출한 3군단은 지휘통제가 아예 불가능하여 지휘관과 사병들이 서로 살겠다고 무질서한 도피를 감행했습니다. 결국 군단 병력의 30%와 중장비의 70%를 손실하게 되었고, 이 사건으로 미군 지휘관들이 한국군 장교의 작전지휘 능력을 철저하게 불신하게 되어 유엔군 사령관이었던 벤플리트 장군에 의해 3군단이 해체되었습니다.

현리 전투 중 밴플리트 미8군 사령관과의 다음과 같은 대화는 아직까지도 유명하며 현리에서의 국군의 치욕을 잘 보여 주고 있습니다.

밴플리트: 유 장군, 당신의 군단은 지금 어디 있소?
유재흥: 잘 모르겠습니다.
밴플리트: 당신의 예하 사단은 어디 있소? 모든 포와 수송 장비를 상실했단 말이오?
유재흥: 그런 것 같습니다.
밴플리트: 유 장군, 당신의 군단을 해체하겠소. 다른 일자리나 알아보시오!

이때부터 한국군의 작전지휘권이 상실되었고, 일체의 작전지휘권도 미군 장성들에게만 부여하였으며 지금까지도 작전통제권을 미국이 행사하고 있습니다. 유재흥 장군은 패전과 무단도주로 작전통제권이 미군으로 넘어간 단초를 제공한 인물이었음에도 불구하고, 6·25 휴전 이후 이승만 정권과 박정희 정권하에서 승승장구하여 외국대사와 국방부장관, 공기업의 사장과 성우회 회장을 역임하였습니다.

유재흥 장군은 이후 친미성향의 보수 세력과 정치적인 행보를 함께하여 1990년대 이후 작전통제권 반환 움직임에 결사반대하여 미군에게 일임하자는 등 전시 작전통제권 회수 등의 국방 관련 현안에 대해 민족주의, 자주국방을 원하는 국민들의 의사와는 상반된 행보를 보였습니다.

현충탑 제단 오석에 새겨진 이은상 선생님의 헌시가 쓸쓸하게 와 닿습니다.

> "여기는 민족의 얼이 서린 곳
> 조국과 함께 영원히 가는 이들
> 해와 달이 이 언덕을 보호하리라."

국립현충원에 안장된 분들 중에는 애국애족과는 전혀 거리가 먼 상반된 행보를 보여 이 나라와 후손들에게 역사적으로 깊은 상처를 남긴 분들도 있습니다. 반면에 항일독립운동가로 106세로 소천하신 구익균 애국지사님은 보훈처에서 박정희 유신시대에 집행유예를 받은 전력을 이유로 현충원 안장이 불허되어 초라하게 벽제 화장터에서 화장 후 시립 납골당에 모셔졌습니다. 제대로 된 민주주의 정신을 계승할 지도자가 나온다면, 친일청산 작업을 통해 국립묘지에 안장될 자격이 없는 인사들을 걸러 내야 할 것입니다.

6·25전쟁에 참전한 유공자들에게 지급하는 명예수당도 지자체의 재정 여건에 따라 최하 1만 원부터 20만 원까지 지급되고 있는데, 이는 지자체에서 관장해야 할 사안이 아니라 국가에서 관장해야 할 사안입니다. 전쟁에 참여한 유공자분들께는 사는 지역에 관계없이 똑같은 예우를 해 드려야 함이 옳습니다. 그것이 유공자들에 대한 국가의 도리입니다.

뙤약볕 아래에서 묘역에 덮여 있는 마른 잔디를 걷어 내며 막대한 빚더미에 있는 나라의 현실이 호국영령님들께 후세대로서 부끄럽고 죄송한 생각이 들었습니다. 더불어 현충원과 같이 경건한 장소에 철없이 애완견을 데리고 온 분들이 계셨는데, 애완견을 동반할 수 있는 일반 공원과 구별을 해 주면 좋겠다는 생각이 들었습니다.

더운 날씨에도 불구하고 오늘 봉사에 동행으로 함께 참여해 주신 초중고 학생들과 자원봉사자님들께 진심으로 감사하고, 봉사에 참여할 수 있는 기회를 주신 한옥순 대표님께도 감사합니다. 한옥순 대표님은 자비의 대명사로, '나누고베풀고봉사하는그룹'은 회비가 없으며 회원들에게 봉사를 빌미로 회비를 요구하지도 않으시고, 오히려 회원님들이 시간을 내어 봉사에 참여해 주시는 것 하나만으로도 감사하게 생각하시는 분입니다.

한옥순 대표님의 '나누고베풀고봉사하는그룹'에서 이루어지는 소외계층인 독거어르신들에 대한 무료급식 봉사나 고아원 방문 등은 한옥순 대표님이 사비를 들여서 행하고 있습니다. 봉사를 하는 도중이나 봉사를 마친 후에도 미비한 점은 없었는지 반드시 살피시는 한옥순 대표님은 '봉사를 하고 욕먹을 일이 있으면 안 되고, 욕먹을 봉사라면 차라리 봉사를 하지 않는 것이 낫다'는 철학을 가지고 계신 분입니다. 언젠가 삼계탕을 후원해 주시겠다는 후원자의 말을 믿고 봉사를 기획했다가 후원이 이루어지지 않아 봉사약속을 지키기 위해 계획에 없던 큰 비용을 지불하게 되어 수백만 원의 빚을 진 적도 있었다고 합니다.

봉사단체에서 봉사활동을 하다 보면 봉사시간을 채우기 위해 억지 춘향이식으로 그저 시간 때우기로 일관하며 성실하지 못한 분들이 낳습니다. 그러나 '나누고베풀고봉사하는그룹'의 자원봉사자들은 한옥순 대표님과 똑같은 부모의 마음을 가지신 분들로, 진실하고 성실한 분들입니다.

대한민국 전역에 한옥순 대표님과 함께하는 나누고 베풀고 봉사하는 사람들이 많아져서 따뜻한 세상이 이루어지기를 소망합니다.

2016. 5. 14.

음성 꽃동네 품바축제

어제 '나누고베풀고봉사하는그룹'의 자원봉사자로 충북 음성 꽃동네로 품바축제 자원봉사를 다녀왔습니다. 서울에 거주하시는 노숙인분들과 쪽방촌에 거주하시는 독거어르신들을 포함 1,060분을 25대의 대형버스에 나누어 모시고 인솔자로 아침 7시에 서울역에서 출발하였습니다.

출발하기 전에 노숙자도 아니신 할머님들께서 구름 같이 몰려들어 한정된 버스에 타시겠다고 난리 아닌 난리를 치렀는데 공짜를 바라는 행태에 아연실색하지 않을 수 없었습니다. 사람이 가난해지면 마음도 따라 가난해지는 것인지……. 배식을 하며 음식에 대한 욕심과 집착을 보이시는 어르신들을 대하면서 대한민국이 노인빈곤률 1위라는 사실이 실감났습니다. '7포 세대'의 젊은 노숙자를 대했을 때는 더욱 안타깝고 답답함을 느꼈습니다.

행사에 참여하신 독거어르신들과 노숙인들께는 초·중·고·대학생들이 자원봉사자로 참여하여 배낭에 운동화와 속옷 등 생활에 필요한 물품을 포장하여 전달해 드렸습니다. 꽃동네 대강당에서 진행된 품바축제에서 오웅진 신부님께서 강연을 하셨는데, 건강하고 행복한 삶을 영위하기 위해 자선과 희생과 봉사의 세 가지를 강조하셨습니다.

어렵고 소외된 이웃들을 위한 공동체인 꽃동네의 한 해 살림살이 규모가 600억 원이라고 합니다. 노숙인들을 위한 꽃동네 품바축제가 성공적으로 이루어져 교황님이 인정하고 동참하여 전 세계 13개국에 꽃동네를 설립했다고 합니다. 가난한 이웃들을 구제하는 일에 종교가 나서고 정부가 나서면 기아로 인해 굶어 죽는 이웃들은 없을 것입니다. 해외에 지부까지 설립하여 지구촌 어려운 이웃들을 구하는 일에 나서는 것은 정치인들이 내국민들을 상대로 사기정치를 일삼는 것보다 백 배 낫습니다.

배식을 하는 도중 식사를 마치신 어느 할머니께서 떡과 음료수 과일이 담겨 있는 봉지를 안 받아 갔다고 한 봉지 더 달라고 떼를 쓰셔서 배식을 하기 위해 줄을 서 계시던 노숙인 어르신들의 빈축을 사기도 했습니다. 어르신들의 정신마저 가난하게 만드는 물질적인 빈곤은 대한민국에서 꼭 퇴치되어야겠습니다.

2016. 5. 29.

천사들의 보금자리 상록원

오늘 '나누고베풀고봉사하는그룹'의 한옥순 회장님과 회원님들이 모여 사당동의 상록보육원으로 방역·소독 봉사를 다녀왔습니다. 봉사 나가기 며칠 전부터 한옥순 회장님은 영아부터 고등학생들이 거주하는 보금자리인 상록원의 아이들이 눈에 밟힌다고 하시며 방역·소독을 위해 사비로 수십만 원을 호가하는 고가의 장비도 구입하시고 친환경 방제약품도 구매셨습니다.

봉사원들과 상록원에 당도하니 부청하 대표이사 · 원장님께서 환한 미소로 반겨 주셨습니다. 부청하 원장님은 제주 4 · 3사건의 피해 당사자로, 여섯 살 때 29세의 아버지께서 억울하게 총살당하시고 고아가 되어 미군을 따라 고아원에 가게 되었다고 합니다. 고아원에서 자라며 고등학교 시절에 총학생회장까지 지내시고 중앙대학에 진학하여 사회사업과 관련한 학과를 전공하시고 졸업한 후에 자신과 같은 처지에 있는 고아들을 위한 상록보육원을 설립하여 운영해 오신 지 어언 40년이 되었다고 합니다.

보육원 자투리땅에는 부청하 원장님께서 아이들의 건강한 먹거리를 위해 직접 지으신 비닐하우스와 정원 텃밭에는 상추, 쑥갓, 토마토, 오이, 열무가 유기농법으로 튼실하게 자라고 있었습니다. 정원 한 편에는 보리앵두 두 그루에 빨간 앵두가 탐스럽게 익어 가고 있었습니다. 원장님은 아이들의 정서 발달을 돕기 위해 아침저녁으로 아이들과 함께 채소밭에 물을 주시고 계시다고 합니다.

처음 대하는 상록보육원의 아이들의 미소가 해맑은 것은 사랑과 헌신으로 보살피시는 원장님과 선생님들 덕분이 아닌가 싶습니다. 보육원에는 헬스장도 있고, 넓고 쾌적한 도서관도 있었습니다.

여름을 앞두고 아이들이 쾌적한 환경에서 생활할 수 있도록 한옥순 회장님과 봉사회원님 모두 한마음으로 열심히 방역과 소독을 하였습니다. 상록원 천사들과 원장님, 그리고 보육을 담당하시는 선생님들 모두 건강한 여름 나시고 해맑은 얼굴로 다시 만나 뵙게 되길 소망합니다.

2016. 6. 4.

이런 법이 세상에 어디 있습니까?

　지난 2015년 8월 4일에 발생한 비무장 지대 목함지뢰 폭발사고로 다리를 잃은 병사 두 명에게 군당국은 한 달이 지나자 치료비를 본인에게 부담시켰다.

　그리고 2015년 3월 12일과 5월 10일에는 육진훤·진솔 형제가 군 훈련 중 부상을 당했는데, 군 당국이 방치하여 상처가 악화되어 복합부위 통증증후군(CRPS) 확진을 받았다. 형제의 부모님은 수술비용과 완화치료비용으로 수천만 원을 자비로 지급했다. 군은 가족들의 반대에도 불구하고 동생을 강제로 의병 전역 조치했다. 전역을 하고 나면 군병원에서 무상치료를 받을 수 있는 기간은 고작 6개월이라고 한다. 동생은 막대한 치료비도 부담이지만 부상에 대한 고통을 감당하기 어려워 자살을 시도하기도 했다.

　한편 재미교포 청년으로 고국에 국방의 의무를 다하기 위해 입대한 장래 희망이 의사인 김믿음 군에게 일어난 불행 사건과 관련하여 그의 어머니가 국방부에 보내온 사연은 아들 가진 부모들에게 피눈물을 흘리게 한다. 아래는 김믿음 군의 어머니가 국방부에 보낸 편지의 전문이다.

도와주세요. 군대에 2015년 3월 9일에 입대한 김믿음 엄마입니다.

애가 열이 나고 머리가 아파서 의무실에 갔는데, 꾀병을 부리면 훈련 일수가 모자라 다시 훈련받아야 한다며 해열제만 줘서 보냈답니다. 약을 먹었는데도 열이 나고 토하고 아파서 홍천 의무실에 입원했다가 퇴원 후에도 상태가 심각해, 부대 밖에 있는 병원에 입원해 감기로 알고 치료를 받았습니다.

그런데 5월 9일 뇌수막염으로 생명이 위급한 상황에 처해 홍천에선 치료 할 수 없어서, 분당 국군 수도병원으로 후송 중이라는 연락이 왔습니다. 이때 이미 손발이 심하게 떨리고, 눈동자가 심하게 흔들렸습니다. 그러나 나중에 알고 보니 뇌수막염이 아니라 세포가 변형되는 특이한 뇌염이라고 했습니다.

20일간 구토로 음식 섭취도 못한 상태였고, 뇌에 염증이 있어서 정신 이상 증세가 점점 심해져 몇 차례 고비를 넘겨야 했습니다. 의사선생님은 너무 늦게 와서 생명을 보장할 수도 없고 염증이 치료되어도 장애를 입을 거라고 했습니다.

부대 중대장은 애가 이주 이상 방치되어 위독한 상태인데, 서류를 뒤적거리고 보면서도 이랬다, 저랬다 제대로 아는 게 없고 "애들이 훈련 일수 때문에 아파도 참아요. 믿음이도 지가 훈련일수 모자랄까 봐 참아서 이렇게 늦게 발견된 것 같습니다."고 거짓말하며, 우리 애한테 책임을 전가했습니다.

애 정신상태는 광란 그 자체였습니다. 애는 환청, 환각으로 고통받고 죽여 달랬다 살려 달랬다 괴로워했습니다.

아직 치료가 안 되어 앞으로도 계속 약을 먹어야 한다고 해놓고, 더 이상 호전되지 않자 병원에 더 있을 이유가 없다고 부대로 복귀시켰습니다. 뇌염 원인을 결핵균으로 판정해 놓고 약은 삼 개월도 안 먹고 치료를 끝냈습니다. 믿음이는 균형 장애로 눈동자가 좌우로 움직이고 손이 떨려 읽기 쓰기가 힘들어 전화번호 쓰는 데 2분 이상 걸리고, 걷는 것도 똑바로 못 걷고 걸을 때 골이 순두부처럼 흔들려 아프다는데도 의사는 꾀병이랍니다.

7월 22일 홍천으로 복귀시켰으나 임무수행 불가능으로 강원도 인제 12사단으로 보내졌습니다. 이때 피검사를 했는데 마약성분이 검출됐다고 합니다. 우리 애는 술 담배도 안 합니다.

12사단에서도 임무수행 불가능으로 의가사 제대 재심사를 의뢰해 입원을 기다리는 중, 8월 11일에 처음 훈련받는 장소에 갔는데, 훈련시키는 사람이 믿음이가 앉아 있는 걸 보고 "넌 왜 앉아 있냐? 뛰지 못하면 걷기라도 해라."라고 해서 조금 걸었는데 기절해서 다시 의무실에 갔답니다. 이 일로 혈압이 140 이상이 되고, 목과 허리 통증을 호소했습니다.

8월 13일, 분당 국군수도병원에 입원했는데 같이 입원했던 약사가 믿음일 알아보고 하는 말이 "마약 성분 약 처방을 과하게 해서 죽은 줄 알았다. 그 약은 환각 환청 증상을 일으킨다."고 했답니다. 그리고 결핵 약을 삼 개월도 안 돼 끊는 게 말이 안 된다고 했답니다.

1. 균형 장애로 현재도 눈동자가 좌우로 흔들려 어지럽고 손발이 떨려 생활이 힘듭니다.
2. 훈련도 부적합하고 일상생활도 안 돼 생활관에만 있고 부대에선 계속 의가사 심사를 요구해도 의사가 거절합니다.
3. 가슴이 아파서 검사했더니 폐에 공기가 너무 차 있어서 그렇다며 특이한 경우지만 어쩔 수 없다고 합니다.
4. 허리가 아파 검사했더니, 척수 뽑다 구멍이 생기고 척추에 염증이

생겼는데 아무 조치도 없이 돌려보냈습니다. 목뼈도 일자로 됐답니다.

5. 8월 13일 입원 후 사랑니 4개 동시에 뽑고 잇몸 뼈에 구멍이 생겨 물, 음식이 코로 넘어가고 잇몸과 입술 안쪽 살을 꿰매 놓아 아프고 안 벌어지는데, 이 또한 할 수 없다고 합니다. 이런 상태에 있는 아이를 신체등급 1을 주고 장애 4급은 등급이 있는데 5급 바로 밑 즉, 4급의 최고로 되어 있답니다.

6. 분당 국군수도병원 민원실, 폐 담당의사, 척추 담당의사, 치과 담당 의사들이 믿음이가 신경과에 치료받은 기록이 전혀 없다고 합니다.

거의 삼 개월을 입원했었고, 민원 답변 글에도 의가사 심사 4급 판정 받았다고 했는데요. 국민신문고, 병원 민원실, 사령부 민원실 다 신고했지만 현재 믿음이는 부대 생활관에만 있습니다. 아무것도 못 하는 걸 다 아는데 우리 애 비참하게 이런 식으로 놔두는 게 이해가 안 됩니다. 균형 장애 후유증도 치료받고 폐, 디스크, 목, 잇몸 치료받게 의가사 제대 민원을 넣었지만 앵무새처럼 4급이라 안된다고만 합니다.

요구사항

1. 우리 애 의가사 제대시켜 주세요.
2. 치료 포기하지 않고 받을 수 있게 치료비 보상해 주세요.
3. 더 늦기 전에 맘 편히 재활치료를 받을 수 있게 가족이 있는 미국으로 보내 주세요.

멀쩡했던 애가 입대하자마자 사경을 헤매며 장애인이 되는 것을 동영상으로 3개월을 봐야 했습니다. 돈이 원수고, 힘없어 아직도 미국에

산 지 11년이 넘어도 신분 해결이 안 돼 작년 엄마께서 돌아가셨는데
도 못 가뵙고 이제 큰애가 장애를 입어 절망하며 절규해도 아무것도
못하는 게 한스럽습니다.

이대로 작은 애만 미국에 두고 가자니 작은애한테 무슨 일이 있을 때
정말 올 길이 없어 이러지도 저러지도 못하는 이런 사정 다 알고 있는
군위관은 이것을 악용해 애한테 거짓말과 모함, 마약 과다 투여 등
엄청난 충격을 준 것도 모자라 삼 년간 조용히 생활관에 있다 제대하
라니, 말이 됩니까?

군에서 장애 입은 애를 이런 식으로 처분한 것을 보며 군사기는 얼마
나 저하되겠습니까. 뭔가 세상이 크게 잘못되고 있는 것 같습니다.
도와주세요. 제 이름은 조형주 미국에 살고 있습니다.

1-714-726-5261
annakimjohn@gmail.com

법 규정에 현역 군인이 공무상 다쳐서 민간 의료기관에서 진료를 받
을 경우 최대 30일까지만 비용을 보존해 주도록 되어 있다. 위키문헌에
나와 있는 대한민국 국회에서 발표한 법률 제107425 전직대통령 예우
에 관한 법률을 살펴보면 다음과 같다.

제4조(연금) ① 전직대통령에게는 연금을 지급한다.
② 제1항에 따른 연금 지급액은 지급 당시의 대통령 보수
연액(報酬年額)의 100분의 95에 상당하는 금액으로 한다.
[전문개정 2011.5.30.]

제5조(유족에 대한 연금) ① 전직대통령의 유족 중 배우자에

게는 유족연금을 지급하며, 그 연금액은 지급 당시의 대통령 보수연액의 100분의 70에 상당하는 금액으로 한다.
② 전직대통령의 유족 중 배우자가 없거나 제1항에 따라 유족연금을 받던 배우자가 사망한 경우에는 그 연금을 전직대통령의 30세 미만인 유자녀(遺子女)와 30세 이상인 유자녀로서 생계능력이 없는 사람에게 지급하되, 지급 대상자가 여러 명인 경우에는 그 연금을 균등하게 나누어 지급한다. [전문개정 2011.5.30]

제7조의2(무상진료) 전직대통령 및 그 배우자의 국·공립 병원(「서울대학교병원 설치법」에 따른 서울대학교병원, 「서울대학교치과병원 설치법」에 따른 서울대학교치과병원, 「국립대학병원 설치법」에 따른 국립대학병원 및 「국립대학치과병원 설치법」에 따른 국립대학치과병원을 포함한다)에서의 진료는 무료로 하고, 민간의료기관에서의 진료에 소요된 비용은 국가가 이를 부담한다. 〈개정 1988.3.18., 2000.1.8., 2010.2.4., 2011.9.6.〉

대한민국의 대통령은 5년 임시직을 수행하고 본인과 그 자녀들까지 국민의 혈세로 온갖 특혜를 누리도록 되어 있다. 국회의원은 어떠한가? 국회의원들도 재임 시 온갖 특혜를 누리다가 만 65세가 되면 평생 동안 월 120만 원의 연금을 지급받는다.

대한민국에서 앞길이 구만 리인 젊은 아들이 국방의 의무를 다하고자 입대하여 의무를 수행하다가 불시에 재난을 당하게 되면 오히려 가족들에게 부담으로 전가되는 이 같은 현실을 어떻게 설명해야 하는가? 남북 간 대치 상황에 전시작전권도 없는 나라에서 위험을 감수하고 의무를 다한 결과가 평생 가족들이 짊어져야 할 재난으로 돌아온다면, 어느 누가 국방의 의무를 감당하려 하겠는가? 이러한 상황에 특정 종교를 이유로 양심적 병역거부를 인정해 주는 사법부도 있다.

현재 국회에서는 군인이 공무상 다쳤을 경우 2년까지 요양비를 지원하고 필요한 경우 연상할 수 있도록 하는 법안을 상정했다고 한다. 목함지뢰 폭발의 피해 당사자인 곽중사의 어머니는 "축구하다가 다친 것도 아니고 나라를 위해 위험한 작전 나가 지뢰를 밟았는데, 한 달 치밖에 못 준다는 게 이게 이런 법이 세상에 어디 있습니까?"라고 항변하고 있다.

군인이 공무상 재해를 당했을 경우 평생 치료비 전액을 국가에서 지원하고 노후까지 안락하게 보장받을 수 있게 대통령 연금법에 준하는 법안을 제정해줄 것을 정치권에 제안한다.

민주당 김광진 국회의원의 발표에 의하면, 2008년부터 2012년까지 책정된 군복지 예산 1,597억 원 가운데 95.7%인 1,529억 원을 10%도 안 되는 군 간부 몫으로 사용한 것으로 밝혀졌다. 사병들을 위해서는 겨우 4.3%인 68억 원이 집행되었다. 집행된 내역을 살펴보면 간부용 골프장 1,339억 원, 휴양시설 169억 원, 콘도 회원권 19억 원, 사병복지 회관 18억 원, 복지매장 4억 원, 미니 축구장 조성 45억 원 등이다.

군 골프장은 전국에 32곳으로 군인의 대기태세 유지와 체력 단련, 건전한 여가 선용을 통한 전투력 향상을 도모한다는 취지로 운영되고 있다. 군복무 중에 부상을 당한 군인들의 막대한 치료비는 가족들에게 부담시키고 치료비조차 제대로 지급해 주지 않으면서 군인들의 복지를 위해 책정된 예산마저 군 간부들을 위한 예산으로 전용하고 있으니, 전국에 있는 32곳의 골프장은 모두 팔아 군인들의 복지 예산으로 사용해야 함이 마땅하다.

구국실천연대의 회원이신 남선영 님은 두 아들을 군대에 보냈다가 어이없는 불행을 당하셨다는데, 무척 착하고 타인을 사랑하고 배려할 줄 아는 첫째 아들은 입대하여 군대 취사병이 되어 고두밥을 지었다는 이유로 폭행을 당하여 중증 장애인이 되어 돌아왔다고 하고, 만화가가 꿈이었던 둘째 아들 또한 군에 입대하여 선임병들에게 받은 극한의 스트레스와 과로로 뇌 전두엽이 손상되어 3년째 투병 중이라고 한다. 두 아들 모두 중증장애 진단을 받아 국가보훈처에 유공자 신청을 했다가 기각당했다고 한다. 건강하게 키워서 군에 보낸 아들들이 군 복무 중 병들어 죽거나 다치게 되면 국방부에서 똥갯값도 안 쳐준다며 남선영 님은 분개하고 있다.

　베트남 전쟁에 아들을 보내고 전쟁이 끝난 후 베트남 전쟁에서 미군이 죄 없는 민간인을 학살했다는 사실을 알게 된 한 어머니가 미국 정부에 항의한 말이 생각난다.

　"나는 미국 정부에 착한 아들을 보내 주었는데, 정권은 그 아들을 살인자로 만들어 돌려주었다."

　김믿음 군의 어머니와 남선영 님도 대한민국 정부에 한마디 하신다면, 아마도 그 말은 이 말 한마디가 되지 않았을까 싶다.

　"나는 대한민국 정부에 착하고 건강한 아들을 보내 주었는데, 정권은 그 아들을 장애자로 만들어 보내 주었다."

　아들 가진 부모들의 마음을 참 아프게 하는 대한민국의 현실이다.

진정한 프로들의 세계

형제 은행 강도가 당당하게 은행에 들어가서 이렇게 소리친다.

"움직이지 마시오! 이 돈은 정부의 돈일 뿐이고, 목숨은 여러분의 것이니, 시키는 대로 가만히 있으면 아무 문제가 없을 것이오!"

모든 사람들은 강도의 말에 예상외로 마음이 편해져서 조용히 엎드려 있었다. 이건 바로 '일반적인 생각을 바꾸는 반전 콘셉트 형성 전략'. 강도라면 큰 패닉에 빠지는 일반적인 사람들의 생각을 바꾸는 데 성공한다.

그 와중에 한 늙은 여성이 갑자기 도발적인 행동을 하려고 하자, 강도는 그녀에게 차분하게 말한다.

"어머님, 교양 있게 행동하십시오. 말씀드렸듯이 당신을 해칠 이유도, 생각도 없습니다!"

이건 바로 '프로다운 냉정함 유지하기 전략'. 그들이 평소 연습하고 훈련한 대로 그 어떤 상황에서도 돈을 가져오는 목적에만 집중하며 냉정함을 유지한다.

그 결과, 두 강도는 무사히 돈을 갖고 나올 수 있었다. 돈다발을 들고 무사히 집에 돌아와 동생 강도(MBA 출신)가 형 강도(중학교 졸업)에게 말한다.

"형님! 우리 얼마 가져왔는지 세어 봅시다!"

형님이 바로 답한다.

"이런 바보 같은 놈! 이 돈을 다 세려면 얼마나 힘들겠냐? 오늘밤 뉴스에서 알려 줄 테니 그때까지 기다려 봐라."

이건 바로 '경험의 중요성'. 경험이 학벌보다 더 중요한 이유를 알게 해 준다.

강도들이 은행을 떠나고 은행은 정신없이 요란하다. 은행 매니저는 상관에게 경찰을 부르자고 채근한다. 그러나 상관은 침착하게 말한다.

"잠깐! 경찰 부르기 전에 일단 10억은 우리 몫으로 빼놓고, 70억은 지금까지 우리가 횡령했던 것을 메꾸도록 하지."

이건 바로 '파도 타며 헤엄치기 전략'. "하늘이 무너져도 정신만 차리면 산다."는 속담을 기억하며 위기의 상황에서도 냉정함을 잃지 않는 기지와 용기를 배운다. 상관은 행복한 미소를 지으며 말한다.

"강도가 매달 들러 주면 좋겠구먼."

다음 날 뉴스에 은행에서 100억이 강탈되었다고 보도된다. 강도 형제는 하도 이상해서 결국 돈을 세어 본다. 그런데 아무리 세어 봐도 20억이다. 강도 형제는 땅을 치며 말한다.

"우린 목숨을 걸고 고작 20억을 벌었는데, 저놈들은 손가락 하나로 80억을 버는구나."

이건 바로 '시스템의 중요성'. 각 분야에서 그 시스템을 가장 많이 아는 사람이 가장 '위험한 존재'임을 깨닫게 해 준다.

지인께서 보내 주신 글을 옮겨 왔습니다. 세상을 살다 보면 기는 사람 위에 걷는 사람이 있고, 걷는 사람 위에는 뛰는 사람이 있고, 뛰는 사람 위에는 또 나는 사람이 있다는데, 제일 무서운 사람이 천지 분간 못하고 날뛰는 사람이라고 하네요.

OECD가 발표한 '한눈에 보는 정부 2015' 보고서에 따르면, 대한민국 국민 10명 가운데 정부를 불신하는 국민이 7명으로 조사 대상 41개국 가운데 26위라고 합니다. 그리고 대한민국 사법제도에 대한 국민 신뢰도는 27%로, OECD 조사 대상국 42개국 가운데 38위를 차지했다고 합니다.

요즘과 같이 아무도 믿을 사람이 없는 시대에는 어떤 일을 추진하든 사업을 위한 포커페이스의 냉철함이 필요하겠지요.

2015. 11. 19

뒤로 가는 대한민국

2016년 2월 7일 12시 30분 『조선중앙통신』 보도 전문에 따르면, 김정은 북한 국방위원회 제1위원장이 광명성 4호 발사를 참관한 가운데 "국가우주개발국 과학자, 기술자들은 국가우주 개발 5개년 계획, 2016년 계획에 따라 따로 연구 개발한 지구관측 위성 광명성 4호를 궤도에 진입시키는 데 완전 성공하였다."라고 발사 장면을 보도했다.

이에 덧붙여 "김정은의 직접적인 지도를 받으며 진행된 광명성 4호 발사의 완전 성공은 위대한 조선노동당의 과학기술중시정책이 자랑찬 결실이며 자주적인 평화적 우주 이용 권리를 당당히 행사하여 나라의 과학기술과 경제, 국방력을 발전시켜 나가는 데서 획기적인 사변으로 표현하며, 주체위성의 황홀한 비행운은 우리 우주 과학자, 기술자들이 당과 국가와 인민에게 드리는 가장 깨끗한 충정의 선물"이라고 했다. 또 "조선민주주의인민공화국 국가우주개발국은 위대한 조선노동당의 과학기술중시정책을 높이 받들고 앞으로도 주체의 위성들을 더 많이 만 리 대공으로 쏘아 올릴 것"이라고 했다.

북한이 쏘아 올린 광명성 4호에는 지구 관측에 필요한 측정기재와 통신기재들이 설치되어 있다고 하니, 제대로 작동만 된다면 군사적 목적

외에 다용도로 활용될 것이고 우주 위성사업에서 군사적 우위를 점유하게 될 것이다.

알마에서 출간한 『MB의 비용』을 참고로 발췌한 내용은 다음과 같다. 대한민국의 위성사업 자회사인 KT샛은 총 4,500억 원 이상을 투자한 국가 자산인 무궁화 위성 2호와 3호를 보험계약을 위한 품질 보증기간이 다했다는 이유로 2011년 9월 홍콩 위성서비스 회사인 ABS에 고철값도 안 되는 45억 원에 매각했다.

설계 수명이 10년인 무궁화 2호는 1996년에 발사되었고, 설계 수명이 12년인 무궁화 3호는 1999년에 발사되었는데, 무궁화 3호는 첨단 기능을 장착하고 있어 국제서비스나 군사용으로 활용가치가 높은 것으로 평가되었다. 매각된 무궁화위성 3호는 중동과 아프가니스탄에 주둔하고 있는 나토와 미군, 러시아 방송사 등에 위성 서비스를 제공하며 연평균 55%의 성장률을 기록하고 있고, 연간 400억 원이 넘는 수익이 발생하고 있다.

2013년 12월 미래창조과학부는 "전략물자인 무궁화 3호 위성을 대외무역법에 따른 적법한 수출허가를 받지 않고 홍콩에 매각한 것은 강행법규 위반"이라며 KT샛에 무궁화 3호를 매각 이전 상태로 되돌리라는 시정명령을 내렸으나 해결될 가능성은 매우 희박하다. 무궁화위성 3호의 매각으로 대한민국이 국제전기통신연합으로부터 할당받은 적도 동경 116도의 영토에 타국 소유의 위성이 운영되는 셈으로, 차후 국제적 분쟁이 발생할 소지가 높다.

홍콩 소유의 무궁화 3호가 돌고 있는 동경 116도에 대한민국 소유의 무궁화 7호를 발사할 경우, 무궁화 3호와 간섭이 발생한다는 이유로 ABS사가 조정을 거부하게 되면 대한민국은 중요한 우주궤도 자원을 아예 활용할 수 없게 된다. 매각된 무궁화 3호에서 거둬들일 수 있는 예상되는 직접적인 수익 5,200억 원과 무궁화 7호를 발사하여 예측되는 잠재적인 최소 수익 5,200억 원을 더해 1조 400억 원의 손실이 추정되고 있다. 남북이 군사적으로 대치하고 있는 현실에서 위성을 통한 군사정보의 확보는 필수적인 것으로, 불법 매각에 따른 대체 수단 확보를 위해 미국 및 일본에 대한 의존도를 감안하면 대한민국이 지불해야 하는 비용은 10조원 이상으로 추정되고 있다.

막대한 국민혈세가 투입된 국가의 자산을 소홀하게 취급한 대가는 고스란히 국민들이 감당해야 할 몫이다. 아무도 책임지지 않는 정치가 대한민국에서 이루어지고 있는 것이다.

모범생과 불량 교복

2016년 3월 2일, 딸아이의 중학교 입학식에 다녀왔다. 1학년 입학생이 146명이라고 하는데, 입학식에 오신 학부모님은 10여 명 남짓으로 예전과는 많이 달라진 모습이었다.

1월 중순에 교복 공동구매에 참여하여 1학년 입학생 전원 체육관에 모여 업체에서 치수를 재어 갔는데 교복 찾으러 오라는 업체에 방문했더니, 공장에서 이미 만들어진 교복을 교환해 주고 있었다. 남학생 교복은 문제가 없는데 여학생 교복 상의 길이가 겨우 배꼽까지 오기에 업체에 항의 전화했더니, 요즘 학생들은 길게 안 입는다며 학생들의 욕구에 맞추어 나왔다고 한다.

평상시 거리에서 상의가 짧은 교복을 입은 여학생들을 보면 부모의 한 사람으로서 마음이 많이 불편했는데, 아이들이 원해서가 아니라 교복업체의 잘못된 심리가 문제라는 것을 이번 기회를 통해서 알게 되었다.

딸아이의 키가 162cm인데 교복 상의 길이를 재어 보니 겨우 50cm였다. 최소한 60cm는 되어야 할 길이가 50cm로 겨우 배꼽까지 오는 수준이었다. 입학식장에서 만난 다른 학부형님께도 여학생 교복에 대해 여쭈어 봤더니, 그 학부형님도 교복업체에 항의 전화했다가 똑같은 대답을 들었다고 한다.

졸업식에서 학교의 명예를 드높인 공로를 인정받아 공로상을 타고 모범생으로 졸업한 딸아이에게 입학식 날 상의가 짧은 교복을 입혀 놓으니, 영락없는 불량 학생의 모습이다. 입학식장에서 여학생들 교복 상의를 유심히 살펴봤더니 상의가 짧은 학생이 대부분이었다. 그런데 그 가운데 내가 생각하는 정상의 교복을 입은 학생도 발견할 수 있었다. 그래서 그 여학생의 뒷모습 일부를 촬영하였다.

입학식이 있던 날, 방과 후에 교복을 입은 채로 졸업한 초등학교에 들러 선생님들께 감사의 인사를 하고 왔다고 하는데, 예의 바르게 잘 가르쳐 놓은 제자들이 상의가 짧은 불량 교복을 입은 모습에 당황하셨을 선생님의 모습이 떠오른다. 아무리 예의 바른 아이라도 복장이 불량하면 불량 학생으로 오해받기 쉽다. 특히나 청소년을 상대로 한 성범죄가 심각한 요즘 여학생의 단정한 옷차림은 중요하다고 생각한다.

업체에 불량 교복을 들고 갔더니 여유 시접이 없어서 수선도 안 되고, 요즘 학생들 다 그렇게 입는다며 그냥 입히라고 하기에 딸 가진 엄마의 입장에서 생각해 봐 주십사 말씀을 드리며, 입학식장에서 찍은 정상적인 교복을 입은 학생의 사진을 보여 주며 설명했다. 결국 업체에서 내가 원하는 정상의 길이로 다시 맞추어 주기로 하였다. 원하는 대로 이루어지기는 했지만, 마음은 여전히 편치 않다.

다리가 길어 보인다는 어느 교복업체의 광고가 생각난다. 다리가 길어 보이려면 치마 길이를 짧게 하거나 상의 길이를 짧게 만들 수밖에 없다. 교복업체에서 어린 학생들에게 비정상의 교복을 내주며 정상이라고 우기는 것은 양심이 없는 행위이다. 교복에 들어가는 천을 아껴서 업체에 얼마나 큰 이득이 돌아가는지는 모르겠지만, 사회적으로 아이들에게 미치는 악영향에 대해서는 고려해 보지 않은 것 같다. 어른들의 상술이 사춘기의 순진한 아이들의 마음을 흐려 놓고 불량 학생으로 오인받아 마음의 상처를 받을 수도 있다.

내년에 입학하는 신입생 학부모들에게는 양심적인 업체에서 정상적인 교복을 맞추어 입히십사 학부모 운영위를 통해 공지해 드릴 생각이고, 이청연 교육감님께 여학생 교복과 관련한 청원서를 올렸다. 아이들을 바르게 키워 내려면 양육을 책임진 부모와 교육을 담당하는 학교 선생님들 외에 제3지대의 사회적 공조가 반드시 이루어져야 한다는 생각이다. 한쪽에서 아무리 잘하려고 해도 다른 쪽에서 공조해 주지 않으면 목적을 이루기 어렵기 때문이다.

특히 아이들을 키워 내는 일만큼은 사회 각계각층의 공조가 우선적으로 이루어졌으면 좋겠다.

2016. 3. 3.
만민공회 운영위원 정혜옥 [정책평가신문 칼럼]

대한민국 민선 이장 1호

2015년 11월 14일, 대한민국 농민들의 생존권을 위해 민중총궐기대회에 참석했다가 경찰의 살인적인 물대포 진압에 쓰러져 317일 동안 삶과 죽음을 넘나드는 사투를 벌이시다가 2016.9.25. 소천하신 농민운동가 백남기 님(69세)이 있다. 소천하신 농민운동가 백남기 님은 서울대병원 중환자실에 외상에 의한 뇌출혈로 의식이 없는 상태였으며, 많은 시민들이 경찰의 과잉 진압을 비판하면서 백남기 님의 쾌유를 빌며 안타까움을 표했다. 소천하신 후 37일 동안 일반인들의 상식에 벗어난 사망진단서를 발급한 병원측과 사망원인이 명백함에도 불구하고 부검을 고집한 공권력에 맞서 유가족과 시민들이 대치하다가 11월5일 민주사회장으로 장례를 치를 예정이다. 농민운동가 백남기 선생님의 죽음을 통해 국가폭력 책임자 처벌과 재발방지 대책이 이루어져야 한다.

백남기 선생님의 이력을 살펴보면, 백남기 농민은 광주서중학교, 광주고등학교를 졸업하고 1968년 중앙대에 입학했다. 1971년 10월 위수령 사태 때 시위를 벌이다 1차 제적됐고, 1973년 10월에는 교내에서 유신 철폐 시위를 주도했다. 1975년 전국대학생연맹에 가입해 활동하다 2차 제적됐고, 이후 가르멜 수녀원, 가르멜 수도원 등에서 생활했다.

1980년 복교 해 학도호국단을 해체하고 학생회를 재건하는 데 나서서 재건 총학생회 1기 부회장을 지냈다. 서울의 봄(박정희 전 대통령이 암살된 1979년 10월 26일부터, 신군부에 의해 비상계엄이 확대된 1980년 5월 17일 사이의 기간) 때인 1980년 5월 15일 중앙대에선 4천여 명이 흑석동 캠퍼스에서 서울역까지 도보로 행진했는데, 이를 주도했다.

그로부터 이틀 뒤인 5월 17일 당시 전두환 신군부의 계엄 확대로 기숙사에서 계엄군에 의해 체포됐다. 학교에선 퇴학 처분을 받았고, 1980년 8월 계엄령 위반으로 징역 2년을 선고받았는데, 1981년 3월, 3·1절 특사로 가석방됐다.

백남기 농민은 가석방된 후 전남 보성군 웅치면으로 내려갔다. 그의 집안이 9대째 내리 살아온 고향이다. 백남기 농민의 아버지는 경찰 공무원을 지낸 뒤, 웅치면 면장을 지냈다. 이곳에서 그는 농사를 지으며 가정을 꾸렸고 주변 사람들로부터 신망을 얻어 갔다. 그는 1987년 가톨릭농민회 보성 고흥협의회 회장을 지냈고, 가톨릭농민회 전남연합 회장(1989~1991), 가톨릭농민회 전국 부회장(1992~1993) 등을 지냈다.

1980년 광주민주화운동의 피해자로 '죽은 사람도 있는데 살아남은 사람이 무슨 염치로 보상을 받겠느냐'며 보상을 거부하셨다고 한다. 또 1992년 우리 밀 자급률이 0.2%로 우리 밀이 거의 사라질 위기에 처해 있을 때, 어렵게 밀 종자를 구하여 우리밀살리기운동 광주전남본부 창립하여 우리 밀 살리기 운동에 나섰으며, 1994년 광주전남본부 공동 의장을 지냈다.

지역민들의 인정을 받고 계셨던 백남기님은 군수나 도의원에 출마하라는 권유도 많이 받았으나 매번 고사하셨다고 한다. 백남기 님은 농촌의 삶을 농민으로서 체험하시고 농민들의 생존권을 해결하기 위해 다방면으로 애쓰셨던 분으로, 그분을 잘 아는 동료들과 부인은 품성이 바르고 욕심이 없고 검소하셨으며 바르게 살아온 분이라고 평가한다.

백남기 님이 귀농하여 농사와 축산을 겸했을 당시 이장은 관선으로 지명했다고 하는데, 대한민국에서 최초로 보성군 웅치면 부촌동 마을에서 지역 주민들이 민선으로 백남기 님을 이장으로 선출했다. 그러나 관에서 이를 인정해 주지 않고 이장회의 날도 알려 주지 않아 스스로 의자를 갖고 가서 회의에 참석하셨다고 한다.

대한민국 민선 1호 이장 백남기 님은 자신이 옳다고 생각하는 것은 밀고 나가는 올곧은 성정을 가진 분이셨다. 백남기 농민은 농민들이 더 많은 수확을 위해 밀과 콩을 2모작으로 키웠는데, 10월에 밀을 파종해 이듬해 여름이 오기 전 수확하고, 그 자리에 콩을 심어 가을이 깊기 전에 콩을 수확한다.

하루 일과가 끝나고 막걸리 한 잔을 들이키시면서 농민이 농사를 지어서 이것 빼고 저것 빼고 하면 정말 남는 것이 없다며 올해 전라도 지역은 대풍이라고 하는데 쌀값은 폭락한 데다 밥쌀까지 수입한다고 하니 농촌과 농민들의 앞날에 대한 시름이 깊으셨다고 한다. 쌀값은 40kg 기준으로 2012년 5만 6천 원, 2013년 5만 4천 원, 2014년 5만 2천 원, 2015년 4만 원대로, 이를 환산하면 1kg당 1,275원이어서 1kg당 5,330원인 개 사료보다 싸다고 한다.

백남기 님은 농민으로서 80kg 한 가마에 현재 15만 원선인 수매가를 21만 원 수매를 약속한 정치권에 공약을 지켜 달라고 농민들의 시린 속을 대변하기 위해 민중총궐기대회에 참여하셨다가 경찰이 살수차 운용 지침을 위반하고 집회 참가자들의 머리와 가슴을 때린 물대포 진압에 정통으로 맞고 1미터를 튕겨나가 아스팔트 바닥에 쓰러지셨다. 경찰은 백남기 님을 구조하기 위해 나선 사람들에게까지 물대포로 가격했다.

여당과 경찰은 대한민국 헌법에 명시되어 있는 국민들의 집회 · 결사의 자유를 전면 부정하고 시위에 참여한 국민들을 IS테러리스트에 빗댄 대통령의 말 한마디에 여당에서는 오래전에 위헌 판결이 난 '복면금지법'까지 발의했다. 국민들은 이에 맞서 할 수만 있다면 '독재정치 금지법'을 발의하고 싶어 하는 지경에까지 이르렀다. 내가 생각하기에 대한민국에 꼭 필요한 법은 '복면금지법'이 아니라 '철면피 금지법'이다.

독일에서 독일 법원은 경찰이 물대포와 최루액 등을 무차별적으로 사용해 시위를 강제 해산한 것은 위법이라고 판결했다. 만약 시위대 일부가 범법행위를 했다면 개개인의 행위자로 추적·체포·구금할 수 있지만, 시위 자체를 해산하는 것은 불법이라고 지적했다. 또한 2016년 6월 스위스 제네바에서 열린 유엔인권이사회에서 마이아 키아이 특별보고관은 차벽과 물대포를 사용하는 한국 정부의 집회, 시위, 진압 방식에 대해 강한 우려를 표시하였으며, 전교조 법외노조화는 '국제인권법 배치'된다고 지적했다.

대한민국이 유엔 인권이사회 의장국으로 기본권으로 보장되어야 할 '집회·결사의 자유'가 한국에서 제대로 보장되지 않는다고 지적당한 것은 참으로 부끄러워해야 할 일이다. 대한민국이 북한 동포들에 대한 인권을 운운하며 북한인권법을 제정하기 이전에 억울한 대한민국 국민들의 인권부터 되찾아 주는 일이 선행되어야 하고, 대한민국이 정치선진국으로 진입하기 위해서는 대통령과 정치권부터 헌법에 명시되어 있는 국민주권을 인정하고 솔선수범하여 헌법을 준수해야 한다.

헌법 제69조 대통령은 취임에 즈음하여 다음의 선서를 한다.
"나는 헌법을 준수하고 국가를 보위하며 조국의 평화적 통일과 국민의 자유와 복리의 증진 및 민족문화의 창달에 노력하며 대통령으로서의 직책을 성실히 수행할 것을 엄숙히 선서합니다."

시민운동가가 된 벤처기업인 이야기

부정부패추방실천시민회의 박흥식 대표님은 잘나가던 유망한 벤처기업의 CEO였습니다.

유망한 벤처기업인에서 시민운동가로 변신하게 된 것은 보일러에 대한 특허를 획득하여 상공부의 신기술고시 및 발명공로를 인정받고 제일은행상주지점에서 중소기업진흥공단의 시설자금 5억 원을 지원받아 만능기계㈜ 공장을 상주군에 건설하던 중, 커미션을 거부하여 은행 측의 보복으로 2,520만 원의 저축예금을 보유한 상태에서 1991년 2월 26일 동 은행이 만능기계㈜ 약속어음 2,300만 원의 지급을 거절당해 1차 부도가 났고, 그 후로 당좌 거래 정지가 이루어지면서 기술신보의 불법에 의한 임의 공장경매로 1억 9,500만 원의 채무자가 되었습니다.

금융기관들의 부당한 부도 처분에 박흥식 대표는 은행감독원에 분쟁 조정을 신청하고 경실련에 사건을 고발했습니다. 경실련이 1994년 7월 27일 재무부에 사건 보고서를 제출하자, 재무부 장관이 은행감독원에 사건 구제를 명했으나 1994년 12월 문민정부의 은행감독원장은 각하 결정한 후, 박흥식 대표를 허위사실 유포죄로 고소하도록 지시했으나 검찰에서 커미션을 받은 것으로 밝혀져 고소를 취하했습니다.

이때부터 박흥식 대표와 국가기관과의 기나긴 법적 투쟁이 시작되었습니다. 박흥식 대표는 제일은행과 기술보증기금의 불법행위 및 금융감독기관의 부작위로 인하여 공장 경매, 공장 분양 계약 해제, 투자 손실, 특허권 소멸, 적색거래자 등록, 신용훼손 등의 물질적·정신적 피해를 입게 된 데 대하여 국가에서 이를 조사하여 피해 금액을 보상하여 줄 것을 요구하고 있습니다.

대출원리금을 기술보증기금에서 대위변제 받음으로써 기술보증기금은 청원인의 공장과 개인재산까지 압류하고 경매하여 발생한 손실금 1억 9,500만 원은 현재 한국자산공사에 10억 2,200만 원 상당의 채무가되어 있습니다. 박흥식 대표는 이 사건을 해결하기 위해 금융감독위원회와 대한민국 국회, 국민고충처리위원회, 국가인권위원회 등에 진정·제소하고 있으나 지금까지 해결되지 않고 있습니다.

박흥식 대표는 1999년 11월 11일경 15대부터 제18대 국회(2008.09.17.)에도 제출하였으나 임기만료로 폐기되고, 제17대 국회 정무위원회 청원심사소위원회는 금감원에 청원인과 합의하라고 구두로 의결하여 이에 금감원과 제일은행은 본 청원을 취하하는 전제로 7,000만 원을 제시하였으나 이 금액으로는 10억 2,200만 원의 빚을 청산할 수 없다고 거절하였습니다.

금융기관이 썩어서 기업인들에게 부당한 커미션을 요구하고 보복으로 기업을 망하게 한 것은 명백히 직권남용과 직무유기에 해당합니다. 기업인의 재산권에 대한 권리행사를 방해한 것도 명백합니다. 이는 국가의 금융감독 기관이 감독을 게을리 한 결과이므로 당연히 국가에서 전액 보상을 해 주어야 마땅합니다.

그러나 이 사건이 발생한 지 26년이 넘도록 해결되지 않고 있는 것은 국회의 잘못도 큽니다. 국민이 당한 억울한 사건에 대하여 사건을 접수한 국회 정무위원회 청원심사소위원회가 청원법 제9조제3항 및 국회청원심사규칙 제7조제2항 규정에 의거하여 제대로 심사·의결하였다면 20여 년이 넘는 긴 세월 동안 청원인이 심리적·경제적 고통을 겪지 않아도 되었을 것입니다. 부정부패와 관련한 사기정치에는 능하면서 국민이 당한 억울한 사건을 해결해 주는 일에는 무능의 극치를 보여 주고 있는 대한민국의 정부와 국회입니다.

박흥식 대표는 오늘도 대한민국에서 힘없고 억울한 국민들의 인권을 되찾아 주기 위한 일에 앞장서고 있습니다.

뜯지 못한 컵라면과 19세 청년의 꿈

지난 5월 28일, 구의역에서 발생한 고장 난 스크린 도어를 수리하기 위해 정비를 하다가 불의의 사고로 세상을 떠난 사회에 나온 지 7개월밖에 안 되는 19세 비정규직 청년의 사망 사건은 안타까움을 자아내고 있다. 그는 전동차의 기관사를 꿈꾸었던 청년이다.

본인 과실로 결론을 낸 서울메트로에 화가 난 어머니는 생일을 하루 앞두고 사고로 뒤통수가 날아간 아들의 시신을 확인하면서 어머니도 그날 함께 죽었다고 한다. 살아서 다시 돌아올 수 없는 아들의 명예를 되찾아 주고 싶다는 어머니는 자식을 기르면서 책임감 있게 반듯하게 가르친 것을 후회하는 말도 하였다. 속이 깊고 착한 아들을 어이없게 떠나보낸 어머니의 분노가 고스란히 와 닿는다.

그는 백만 원이 조금 넘는 월급을 타서 동생에게 용돈을 주고 조금만 참으면 공기업의 정규직이 된다는 희망을 갖고 끼니까지 걸러 가며 일하고, 집에 돌아오면 씻지도 못할 만큼 지쳐 쓰러져 잠들었던 착한 아들이었다고 한다.

서울 지하철 1~4호선 안전문의 오작동 건수는 연간 2,700~2,800건으로, 사건이 나던 그날도 사망한 김 군(19세)을 포함하여 6명이 49개역의 장애가 발생한 스크린도어 수리를 해야 했다고 한다. 2인 1조로 정비작업이 이루어져야 함에도 불구하고 '효율화, 비용 절감' 등을 이유로 내세워 사내하청으로 운용되는 턱없이 부족한 비정규직 인원으로 인해 어이없는 참사가 재발한 것이다. 정규직으로 운용되는 5~8호선의 정비·안전점검반에서는 단 한 건의 사망사고가 없었다고 한다.

사고를 당한 김 모 군의 어머니는 기자회견을 통해 "지금도 우리 아이가 온몸이 부서져 피투성이로 안치실에 있다는 것을 도저히 믿을 수 없어요. 회사 쪽에서는 지킬 수 없는 규정을 만들어 놓고 그것을 우리 아이가 지키지 않아 그 과실로 죽었다고 합니다. 죽은 자는 말이 없다지만 너무 억울합니다."라고 아들의 죽음의 억울함을 호소하며 눈물을 흘렸다.

공공운수노조는 김 군의 안타까운 죽음에 '외주화'가 있음을 지적하며 "서울시가 (안전사실에 대한) 용역 외주화 문제를 해결해야 한다."고 촉구했다. 서울메트로는 지난 5년간 발생한 스크린도어 정비 참사 3건의 원인을 본인 부주의로 결론지어 유가족들과 시민들의 분노를 샀다.

참사를 당한 청년의 가방에서는 수리공구들과 미처 먹지 못한 컵라면 한통과 젓가락이 나왔다. 이를 확인한 부모와 이 소식을 접한 시민들의 가슴을 아프게 하는 건 밥 먹을 시간도 없이 수리에 나섰다가 컵라면도 먹지 못한 안타까움에 있다. 1시간 이내에 스크린이 오작동 되고 있는 현장을 찾아가 보수를 하지 않을 경우에는 불이익을 받는다고 하니, 소수의 인력으로 제한된 시간 내에 많은 업무량을 소화하려니 식사 도중에도 긴급호출 명령을 받고 출동하여 밥 한 끼마저도 마음 편히 먹을 수 없었던 비정규직 청년의 고단한 삶이 고스란히 느껴진다.

청년의 죽음 뒤에 서울메트로와 청년이 속해 있는 용역회사인 은성 PSD 간에 불평등 계약이 체결된 것으로 밝혀졌다. 2016년 6월 3일

『중앙일보』의 보도에 의하면, 서울메트로의 용역 제안서에는 메트로 퇴직자 38명을 정규직으로 고용해야 한다는 조건과 1인당 월 급여 402만 원과 복리후생비 월 20만 원, 퇴직금 442만 원 등 38명에게 지급할 액수가 구체적으로 적혀 있다.

메트로가 용역업체에 불평등 계약을 요구한 배경에는 메트로 노사 간의 2011년 정년 연장을 놓고 대립하던 메트로 노사는 '사측이 퇴직자의 분사 재취업을 알선하고 처우를 보장한다.'고 합의하여 이에 따라 그해 설립된 게 은성 PSD이며, 이재범(62) 대표이사와 주요 주주는 서울메트로 퇴직 간부라고 한다. 메트로 퇴직자에게 월 422만 원의 월급을 챙겨 주느라 사망한 김 씨와 비정규직 직원들은 월 144만 원의 박봉을 받고 있었던 것이다.

2013년 4월 지하철 정비 용역업체인 '프로종합관리' 소속 계약직 정비사들은 국가인권위원회에 "메트로 출신 직원과 같은 일을 하는데 임금·복지 차별이 크다."는 내용의 진정을 냈는데, 인권위원회에서 서울시에 차별이 일어나지 않도록 관리감독을 철저히 할 것을 요구했지만 지금까지도 바뀐 것은 아무것도 없다고 한다.

현재 비정규직 외주 용역은 인건비 절감을 위해 인력 쥐어짜기, 헐값에 청년인력 부리기, 최저가 계약 강요하기로 대한민국에서 정비·안전점검 등의 핵심 업무와 조선·철강산업을 포함한 모든 산업 현장에 고루 분포해 있다.

구의역 참사에 이어 대기업 하청업체의 강도 높은 실적에 내몰려 하루 14시간 안전장비 하나 없이 에어컨 실외기를 수리하다 3층에서 추락사한 진 모 씨의 차량에는 미처 열지도 못한 아내가 싸 준 도시락 가방이 남아 있었다고 한다.

박주선 의원은 세월호 참사 이후 19대 국회에서 제2의 세월호 참사를 막기 위해 '생명 안전 종사자 직접 고용에 관한 법률안'을 제출했는데, 박근혜 정권과 새누리당의 반대로 임기만료로 폐기되었다고 한다.

박주선 의원은 "이 법에는 철로정비 등의 업무도 생명 안전 업무로 봐서 직접 고용하게 규정하기 때문에 이 법이 통과됐으면 사고를 막을 수 있었다. 국민들의 생명과 안전을 책임지는 업무에 기간제 근로자 파견이나 외주 인력을 사용하게 되면 해당 근로자는 낮은 소속감과 고용 불안 문제로 안전 문제를 사용주에 소신껏 제기하기가 어려운 게 현실이다. 국민 생명과 안전을 담당하는 업무는 상시적, 지속적이기 때문에 이 부분의 비정규직 사용은 지양해야 한다. 고용과 신분이 안정된 근로자가 안전 업무를 담당할 경우 안전하고 지속가능한 직무 수행으로 안전관리 수준을 높이는 데 기여할 것으로 기대되고, 고용이 안정되면 근로자 스스로 안전 보건 문제에 적극 대응하고 목소리를 낼 수 있어 산업재해 예방에도 기여한다."고 설명했다.

박주선 의원은 폐기된 "생명안전 업무 근로자의 직접고용에 관한 법률을 여야 합의로 공동 발의해 6월 국회에서 반드시 처리하도록 하자."고 제안했는데, 이 법은 불안한 비정규직으로 내몰리고 있는 노동자들에게 꼭 필요한 법으로 반드시 법률로 제정되기를 촉구한다.

선진국에서는 3D업종에 더 많은 임금을 지급하여 청소부도 자신의 직업에 자부심을 가지고 있고, 삶에 만족하며 행복지수도 높고 이직 률도 적다고 한다. 그런데 이 나라에서는 나라의 근간이 되는 3D업종과 관련하여 저임금에 비정규직으로 불안한 삶을 강요당하고 있다. 똑같은 비정규직임에도 불구하고 국회의원들은 높은 임금에 연금까지 보장받는다. 국회의원들이 누리고 있는 특혜를 비정규직 청년들에도 똑같이 적용해 준다면, 대한민국은 세계 최고의 일류복지국가가 될 것이다.

쓰레기 무덤 위의 첨단산업단지와 미세먼지

2016년 5월 31일, 인천시청 기자실에서 미세먼지와 청라지구 쓰레기 매립지와 관련한 인천환경운동연합과 인천시민단체 대표들이 모여 성명서를 발표하는 자리에 참석하였다.

서울시가 미세먼지와 관련하여 인천과 서울을 오가는 광역버스 257대 중 경유버스는 63대로 전체의 24%를 차지하고 있는 인천과 경기도 경유버스의 서울 진입 제한 방침을 검토한다는 발표에 '글로벌 에코넷' 김선홍 사무총장은 31일 인천시청에서 기자회견을 열고 "미세먼지 때문에 인천 경유버스의 서울 운행을 제한한다면, 미세먼지가 훨씬 더 많이 발생하는 인천 발전소에서 생산하는 전력의 서울 공급을 중단해야 할 것"이라고 주장했다. 또한 수도권매립지 사용 기간을 연장하기로 한 4자협의체 합의 파기를 주장하며 "서울 쓰레기는 발생자 처리 원칙에 따라 서울로 되가져가라."고 촉구했다.

최근 미세먼지와 관련 환경부는 지난 23일 실내 미세먼지를 조사한 결과 집 안에서 고등어를 구우면 미세먼지 나쁜 날의 30배 이상 농도의 미세먼지가 나온다고 발표했다. 미세먼지의 주범으로 삼겹살과 경유차도 지목되었다. 미세먼지의 주범으로 몰린 고등어는 가격이 가락동 농수산물시장 경락가 80% 폭락했고, 어민들은 가격이 더 떨어질까봐 노심초사하고 있다. 경유차는 정부에서 친환경 녹색성장의 상징이라고 하면서 친환경 자동차로 분류해 혼잡통행료를 할인해 줬고 환경개선부담금도 면제해 줬다.

국민 건강을 위협하는 초미세먼지의 원인으로 그린피스와 환경운동연합은 석탄 화력발전소를 지목하고 석탄화력발전소 증설 계획을 철회해야 한다고 주장했다. 그런데도 환경부는 엉뚱하게도 미세먼지의 주범으로 죄 없는 고등어와 삼겹살을 지목하여 화가 난 네티즌들로부터 "환경부가 마침내 해냈다. 쇼하고 있다. 조만간 방귀도 규제하겠네. 신체배출 가스세 신설!" 등 조롱과 빈축을 사고 있다.

지난 5월 10일 감사원이 발표한 감사 결과에 따르면, "충남 지역의 석탄화력발전소는 수도권에 4~28%의 초미세먼지 농도를 가중시키고, 3~21%의 미세먼지 농도를 가중시키는 것으로 나타났다. 충남 지역 화력발전소에서 배출되는 오염물질량은 에너지산업 연소 부문의 국내 배출 총량 중 질소산화물(NOx)의 52%, 황산화물(SOx)의 46%를 차지하고 있으며, 수도권과 바로 연접하여 수도권 대기환경에 직접적인 영향을 미치고 있다"고 지적했다.

그린피스와 환경부 산하 국책연구소인 한국환경정책평가연구원도 국내 신규 화력발전소의 초미세먼지로 매년 1,144명이 조기 사망하며, 24시간 최대 $24\mu g/㎥$의 초미세먼지 농도를 가중시킨다고 발표했다. 그렇다면 에너지생산설비와 관련하여 위험한 초미세먼지를 최소화할 수 있는 수력발전, 태양광, 풍력발전 등을 이용하여 전력 생산을 활성화하는 것이 가장 안전한 방법일 것이다.

서울과 경기도의 쓰레기 매립지인 인천 청라지구 IHP(인천하이테크파

크) 2공구에 첨단산업단지를 조성한다고 한다. 시민협의회 공동대표단이 같은 쓰레기 매립지인 IHP 1공구의 현장을 방문했을 때, 굴착하고 있는 폐기물에서 심한 악취와 침출수가 발생하고 있음을 확인했다고 한다. 사태의 심각성을 깨닫지 못한 LH공사는 서구 환경단체협의회 및 청라지구 주민들의 의견을 무시한 채 환경부가 승인한 환경영향평가를 근거로 첨단산업단지 및 테마파크 조성을 일방적으로 진행하고 있다.

이에 시민협의회 박창화 인천대학교 교수는 지난 4월 29일 '인천 청라지구 매립폐기물 굴착처리 촉구' 범시민대회를 시발점으로 청라 주민뿐만 아니라 인천광역시에 거주하는 모든 시민, 관련 시민단체, 학계, 전문가와 함께 매립 폐기물 굴착하고 정상적인 택지개발을 진행할 때까지 행보를 멈추지 않을 것이라고 밝혔다. 쓰레기 무덤에 첨단산업단지를 조성하는 것은 옥시사태와 다를 바 없다.

이명박 정권 시절 광우병과 조류독감 파동이 일어났을 때, 전국에서 동물들을 산 채로 비닐을 깔고 땅속에 파묻어 수년이 지난 후 그 침출수로 인해 금수강산의 토양이 오염되어 악취와 오수가 나와 식수로도 사용할 수 없어 지금까지도 아토피와 피부병으로 국민들이 극심한 고통을 겪고 있다. 병든 동물의 사체는 태워 없애는 것이 가장 좋은 방법이다.

생활쓰레기도 매립보다는 소각처리가 가장 깔끔한 방법인데, 소각처리 과정에서 독성물질인 다이옥신이 배출되는 것이 문제라고 한다. 오래전에 쓰레기 처리와 관련하여 진로그룹에서 첨단기술로 '플라즈마' 공법을 프랑스에서 들여와 연구소를 설립하여 연구 중에 있었다. 플라즈마 공법은 순간적으로 높은 열을 가하여 쓰레기를 녹여 내는 기법이라고 한다. 플라즈마 기법이 지금도 연구 중에 있는지는 알 수 없지만, 쓰레기 처리와 관련하여 자연과 인간에게 돌아가는 피해를 최소화하는 것이 관건일 것이다.

가스와 침출수가 유출되는 쓰레기 매립지에 최첨단산업단지를 조성하기보다는 자정작용이 강한 버드나무를 많이 심어 공원 녹지화하여 자연 순환시키는 것이 가장 좋은 방법이라 생각한다. 버드나무가 오염된 침출수를 흡수하고 인간에게 이로운 산소를 배출하도록 하면 그 이상 좋은 방법이 없다.

현재 서울과 경기도에서 자체 폐기물처리시설을 확충할 부지가 없고 기간 부족 및 예산 등을 이유로 매립지 사용 기한을 연장하여 인천의 청라지구 쓰레기 매립지를 이용하고 있는데, 인천 시민들은 쓰레기 처리와 관련하여 혜택은 없고 환경오염으로 인해 악취가 심해서 건강권과 환경권, 행복추구권을 박탈당하고 있다고 불만이 많다.

인천 시민들은 쓰레기 처리와 관련하여 가장 비싼 쓰레기봉투 값을 지불하고 있는데, 쓰레기 종량제 20L 봉투 값이 서울은 435원이고, 경기도는 527원, 인천은 620원이다. 한마디로 인천 시민들에게는 쓰레기 매립과 관련하여 전혀 혜택이 없다는 이야기이다.

현재 대한민국에서 지자체별로 천차만별인 쓰레기봉투 값과 주민세는 국민들이 생각하기에 전국적으로 통일되어야 한다고 생각한다. 만약에 인천에 살던 사람이 서울이나 다른 지자체로 이사를 하게 되면, 그 지역에서 사용하던 쓰레기봉투는 사용할 수 없게 된다. 어느 지역이던 상관없이 쓰레기봉투 가격을 통일하여 전국 어느 지역에서도 사용할 수 있게 해 주었으면 좋겠다. 주민세와 관련하여 살고 있는 지역의 땅값에 비례하여 산정한다면 국민 누구도 불만을 제기할 사람이 없는데, 빚이 많은 지자체에 살고 있다는 이유만으로 공평하게 부담해야 할 비용마저 더 많이 부담해야 하는 것은 불합리한 처사다. 주민세는 사는 지역에 상관없이 대한민국 국민이라면 누구나 똑같은 금액을 부담하도록 전국적으로 통일하는 것이 마땅하다고 생각한다.

대한민국에서 을(乙)의 지위로 존재한다는 것은 사람이나 지자체가 당하는 서러움은 똑같다.

2016. 6. 1.

선(善)을 위해 성공하라

　지하정부로 존재하는 세계 최고의 부호 가문인 록펠러가에서 세운 록펠러 재단은 세계 최대의 비과세 지주회사로, 종자기업인 몬산토사를 설립하여 전 세계의 인류를 상대로 유전자를 조작한 작물을 개발·공급하여 인류 건강에 미친 치명적인 결과들이 속속 드러나고 있다.

　록펠러의 삶의 좌우명은 "성공을 위해서는 선을 포기하라."였다. 록펠러의 좌우명에 따라 선을 포기한 결과는 거의 인류 재앙에 가깝다.

　몬산토에서 연구·개발한 Bt작물이란 농작물의 유전자에 '바실루스 투린지엔시스'라는 박테리아를 이입하여 만든 유전자 조작 작물을 뜻하는데, 이 박테리아는 cry1Ab단백질과 같은 독소를 자체적으로 합성하여 스스로 병충에 대한 독을 내뿜는다. 현재 유전자 조작 작물(GMO)로 생산되고 있는 콩, 옥수수, 밀, 식용유, 고추, 깨 등이 가공 식품에 사용되고 있는데, 성분 표시에 표기되지 않아도 되기 때문에 소비자로서는 유전자 조작 작물이 사용되었는지의 여부를 전혀 알아낼 수가 없다. 독성을 내재하고 있는 유전자 조작 작물에 대해 양심적인 과학자들은 '안전이 확인될 때까지 음식으로 사용하지 말자'고 할 정도이다.

　몬산토사에서 연구·개발한 다수확품종은 유전자 조작을 통해 재생산 능력을 제거하여 재생산 능력이 없어 농부들이 농사를 지을 때마다 종자를 비싼 값에 새로 구입해야 한다.

또 유전자가 조작된 작물을 재배하기 위해서는 종자를 생산한 기업에서 개발한 '세이프너'라는 화학촉진제를 일정 기간 투여해야 하는데, 이 촉진제에는 독성, 발암 화학물질인 플루라졸, 니프탈산 무수물, 디시클로논, 옥사베트리닐, 펜클로림, 시오메트리닐, 플룩소페님 등이 들어 있다. 90년대 중반부터 글리포세이트 성분의 제초제를 사용하여 GMO 콩을 생산한 아르헨티나의 차코 지방은 20년이 지난 지금 차코의 신생아 30%는 기형아로 태어났고, 주민들은 뇌성마비, 종양, 암 등 각종 이상 질병에 시달리고 있다.

세계 각국에서 GMO 식품을 동물에게 투여하여 실험한 결과를 발표했는데 결과는 그야말로 경악 그 자체다. 내용을 살펴보면, 2004년 스위스에서는 GMO 옥수수로 사육한 젖소가 사망했고, 2005년 11월 호주에서 쥐에 실험한 결과 유사한 폐질환 현상이 발견되었고, 2006년 러시아 과학원의 과학자들이 갓 태어난 쥐새끼들에 실험 결과 평균 3주 만에 사망했다. 2007년 오스트리아와 프랑스의 과학자들이 공동으로 몬산토 GMO 옥수수를 인체에 실험했을 때 간, 신장 등에 독성이 검출되었고, 2008년 미국과 이태리의 과학자들이 GMO가 면역계통에 미치는 악영향에 대한 의견을 재차 제출했다.

그리고 2010년 러시아에서 쥐들에게 식용 GMO 콩만을 계속 급여했을 때 3대째 절종(絶種) 현상이 나타났으며, GMO 식품이 여성의 자궁 내막과 외연의 상관적인 질병 발생률을 상승시키는 것으로 나타났다. 2012년 프랑스 파리대학에서 2년간 GMO 식품으로 쥐 실험을 한 결과, 간의 부종, 내장 위축, 신체 부풀기, 암컷의 조기 사망, 암과 자폐증 유발, 제2대의 불임현상 등 다양한 증상을 보고 했다. 2010년 2월 중국의 수많은 과학자들의 공동으로 GMO 위해성 선언을 했다.

2013년 5월 29일 미국 CBS 방송에 출연한 심장병의사이자 밀박사인 윌리엄 데이비스는 "밀은 완벽한 만성독약이다."라고 주장하여 충격을 주었다. 데이비스 박사는 "세계에서 가장 인기 있는 곡물인 밀이 인간의 신진 대사에 치명적이다. 인류가 수백만 년을 지내오는 동안 밀재배를 늘리고 더 나은 품종의 밀을 생산하기 위해 수차례에 걸친 유전자 코드를 변화시켜 그로 인한 화학적 돌연변이가 발생되어 인체에 해를 입힌다. 이로 인해 밀 부작용에 대한 수백 개의 임상 연구를 문서화했다. 소뇌 운동 실조증, 치매, 신경 장애, 심장 질환, 내장 지방 축적과 백내장, 당뇨병, 관절염 등이 그것들이다."라고 밝혔다.

2016년 6월 13일자 『서울신문』의 보도에 의하면, 세계보건기구(WHO) 산하 국제암연구소는 종자기업인 몬산토사에서 생산하고 있는 제초제인 '글리포세이트'를 발암추정 물질로 지정하여 미국과 콜롬비아 등 세계 각국에서 글리포세이트 퇴출 운동이 확산되고 있다고 한다.

글리포세이트는 전 세계에서 가장 많이 쓰이는 제초제로, 2012년에만 72만톤이 생산됐으며 1996년 이 제초제에 대한 내성을 가진 유전자변형 콩이 개발되면서 사용량이 폭발적으로 증가했다. 잡초는 물론 주 경작 작물도 죽일 수 있는 '비선택성' 제초제여서 농작물에는 잘 뿌리지 않았는데, 이 제초제를 견딜 수 있는 유전자변형작물(GMO)이 등장하면서 잡초를 죽이는 데 널리 쓰이게 된 것이다. 글리포세이트 사용량은 미국에서만 지난 40년간 250배 증가했고 전 세계적으로는 100배 늘었다. 2007년 자료만 봐도 미국에선 한 해 글리포세이트를 8만톤 이상 사용했다.

한국바이오안전성정보센터의 '식품용 GMO 수입 승인 현황'에 따르면, 우리나라는 지난해 GM 옥수수 111만 6,000톤, GM 콩 102만 9,000톤을 수입했다. 올해도 지난 4월까지 GM 옥수수 29만 톤, GM

콩 34만 9,000톤을 들여왔다. 이렇게 수입된 유전자변형작물 가운데 식용 콩은 99% 이상이 콩기름 제조에, 콩기름을 만들고 남은 콩깻묵은 간장 등 장류 가공용으로, 콩깻묵에서 단백질과 탄수화물 성분만을 추출해 만든 분리대두단백은 다양한 식품에 이용되고 있다. 옥수수는 전분과 전분으로 만든 감미료인 '전분당'에 사용된다. 빵, 과자, 아이스크림 등 전분당이 들어가는 식품은 무궁무진하다.

미국 노스캐롤라이나와 아이오와주에서 시행한 연구에 따르면, 글리포세이트는 혈액암의 하나인 비호지킨 림프종 발생 위험을 2.1배 증가시킨다. 캐나다 6개 주에서 이뤄진 연구를 보면 다발성 골수종 발생 위험을 2배 높이는 것으로 알려졌다.

국제암연구소는 글리포세이트를 발암추정물질로 지정하며 보고서에서 "글리포세이트가 사람에게 비호지킨림프종과 폐암을 일으킨다는 제한적인 증거가 있으며 실험용 쥐 등 동물에 대한 발암과 관련해서는 증거가 확실하다."고 설명했다. 연구공동체 '건강과 대안' 변혜진 상임연구원은 "글리포세이트에 계면활성제 등 다른 물질을 혼합해 제초제를 만들면 독성이 더 증가한다."고 말했다.

인류를 멸종시키고도 남을 록펠러가 만든 악마의 기업 몬산토사의 터미네이터 기술 개발자인 올리버는 "우리의 사명은 외국과의 식량 장악 경쟁에서 승리하는 것이지, 기아 문제를 해결하려는 것이 아니다."라고 말하여 기업의 본심을 드러냈다.

독성이 자체적으로 함유된 유전자 조작에 다량의 독성물질을 함유하고 있는 제초제까지 개발·사용하여 생산하는 농작물이 우리 인체에 이로울 리가 없다. 각종 공해로 질병에 시달리고 있는 인류에게 인류의 생명과 건강이 연관되어 있는 소중한 식량을 독약으로 도배하여 생산·판매하는, 돈 앞에 양심을 파는 몬산토와 같은 기업은 전 세계 인류의 적으로 반드시 퇴출되어야 한다. 우리나라에서도 GMO 작물로 사과와 감자, 콩, 토마토 등 14작물이 이미 재배 중이고 농진청에서는 GMO 벼를 비밀리에 시험 재배 중이라고 한다.

유럽의 국가들은 GMO 농작물 재배를 금지하고 식용 사용을 제한하며 그 생산과 가공, 소비를 억제하고 완전표시제를 실시하고 있다. 푸틴의 러시아 정부는 GMO의 생산·수입·판매를 테러범에 준하는 형벌로 다스린다는 국회 결의에 따라 푸틴 정부는 엄격히 GMO 추방 정책을 취하고 있고, 상당수의 동유럽 국가들도 같은 정책을 취하고 있다.

필리핀 대법원은 국민의 건강토양 및 환경생태계 보호를 위해 GMO 농산물 수입을 중단시키고 GMO 작물 실험도 못하게 하여 정부와 학계의 GMO 대기업 편들기에 종지부를 찍었다. 남미의 베네주엘라 의회도 새로운 종자법을 제정·공포하여 자국내 GMO 식품 종자 산업 침투를 원천적으로 봉쇄하였다. 대만의 민진당 정부는 학교급식에 GMO 작물이 포함된 어떤 식품도 어린 학생들에게 공급해서는 안 된다고 GMO 금지법을 제정·공포했다. 이웃 나라인 일본도 식품에 있어서는 GMO 사용을 최대한 억제하며 표시할 것을 지도하고 있고, 세계 64개국이 넘는 나라에서 유전자조작 종자와 식품 보급을 법적으로 규제하고 있는 중이다.

2016년 6월 27일 의학신문 보도에 의하면, 더불어민주당 김현권 의원 등 의원 37명은 지난 20일 "식약처 고시안이 간장, 식용유, 당류, 증류주에 대해서는 GMO 표시를 제외시킬 뿐만 아니라 민간이 자율적으로 운영하는 NON-GMO 표시를 차단시킨다."며 독소조항 삭제와 고시안 철회를 요구하는 의견서를 전달했다.

이들 의원들은 "식용유, 간장 등에도 GMO 표시가 이뤄져야 한다."고 주장했다. 의원들은 또 "정부 고시안의 NON-GMO 표시에 대한 규제 조항대로라면 우리나라에서 GMO를 팔지 않는 매장들은 어처구니없게도 단속 대상이 된다."며, "식약처는 작년 10월 28일부터 30일까지 서울시와 생협단체 등 식품판매업체가 공동 협약으로 추진하는 'GMO 식품판매 ZERO 추구 실천매장' 사업 참여 11개 업체를 단속하고 서울시의 'NON-GMO 매장' 사업을 강제로 중단시킨 사실을 확인했다."고 밝혔다.

김현권 의원은 "현행 제도하에서는 NON-GMO 매장을 단속할 법적 근거가 모호했는데, 이번 고시안에서 NON-GMO 매장을 처벌할 수 있는 근거를 담았다."고 비판했다. 이에 덧붙여 "해외 사례 조사 결과, 미국의 경우 2016년 6월 현재 2만 9,754개 품목 코드에 Non-GMO 상표를 부착하고 있는 것으로 나타났으며, 특히 GMO 식재료를 사용하지 않는 음식점도 Non-GMO 표시를 하고 있을 정도로 자율적이고 광범위하게 NON-GMO 표시가 이뤄지고 있었다."며, "민간 차원에서 자율적으로 시작된 NON-GMO 표시제를 우리 정부는 규제하고 NON-GMO 표시를 차단시키려 한다."고 지적했다. 의원들은 아울러 "국민이 건강한 밥상을 선택할 권리를 보장하기 위해서라도 이번 식약처 고시안은 철회해야 한다."고 촉구했다.

OECD 회원 국가 중 곡물자급률이 최하위권인 23%에 불과한 우리나라는 농민들에 대한 실질적인 대책도 없이 정부의 FTA 체결로 수입된 농·축산물이 홍수처럼 넘쳐나 가뜩이나 힘든 농어민들을 더 힘들게 하고 있다. 식량은 제2의 안보로 FTA로 내 집 안방까지 다 내주고 자연재해가 닥쳐서 식량 수급에 차질을 빚게 되면 식량주도권을 쥔 주도국에서 부르는 대로 비싼 값을 치를 수밖에 없다.

2016년 6월 25일 『여성소비자신문』에 보도된 전국농민회총연맹 주최로 열린 전국농민대회에서 참가자들은 밥쌀 수입을 반대하고 농산물

가격 보장, GMO 상용화 저지 등을 요구하며 20대 국회에 농정개혁에 나설 것을 촉구했다.

이들은 "농촌을 지켜 가야 할 농민들은 한 줄기 희망을 찾아 매년 땅을 일구지만, 정부의 농업정책은 절망만을 안겨 줄 뿐이다. 신자유주의 개방농정은 끝을 모르고 농민들의 목숨 줄을 죄고 있다. 마지막 남은 농업의 보루이자 근본인 쌀 농업을 파괴시키는 쌀 전면 개방에 이은 명분도 없고 필요 없는 밥쌀 수입이 계속되고 있다. 올해도 정부는 여지없이 기만적이게도 농번기를 이용해 밥쌀 수입 공매 절차를 밟았다. 지금 전국 곳곳에서 GMO 쌀을 비롯해 GMO 농산물들이 재배되고 있다. 국민의 안전한 밥상을 위협하는 GMO 농산물 재배를 중단해야 한다."고 촉구했다.

행사에 참석한 김현권 더불어민주당 의원·천정배 국민의당 공동대표·심상정 정의당 공동대표는 20대 국회에서 반드시 백남기 농민 청문회를 성사시켜 진상 규명과 책임자 처벌, 재발방지 대책이 이뤄질 수 있도록 하겠다고 약속했다.

예부터 몸과 태어난 땅은 하나라는 '신토불이(身土不二)'의 정신을 가진 농민들이 뙤약볕이 내리쬐는 한여름에 농사를 미루고 토종씨앗을 지키기 위해 유전자변형농작물(GMO) 반대집회에 발 벗고 나서고 있는데, 그분들의 분통하고 원통한 마음이 진한 아픔으로 전해져 온다.

이재명 성남시장은 자신의 페이스북을 통해 "밥을 굶어도 유전자변형농작물(GMO)은 먹고 싶지 않습니다. 미국산 콩 옥수수 등 농작물은 대개 GMO입니다. 우리나라는 GMO로 만든 식품인지 표시가 안 되어 있어 국민이 알 길이 없습니다. GMO 포함 여부를 반드시 식품에 표시하게 해야 합니다. 격려 방문해 주신 농민운동가 출신 김현권 더민주 국회의원께서 GMO 표시의무제를 적극 추진하신답니다. 우리 스스로도 모르게 먹는 발암물질로 목욕한, 존재를 알 수 없는 GMO를 식탁에서 추방합시다."라고 했다.

GMO 농작물은 식탁에 올려야 하는 것이 아니라 대체 에너지 자원으로 활용해야 한다. 성공을 위해 '선을 포기'한 사람이나 기업의 가치는 그들이 지향하는 대로 이루어진다. 선을 포기한 그들의 성공이 곧 인류의 재앙을 불러왔다. 이제는 성공을 위해 '선(善)을 포기'하는 사람의 시대가 아니라 '선(善)을 위해 성공'하는 사람의 시대가 되어야 한다.

아래는 GMO 추방 공동대책위원회(준)의 기자회견문과 요구사항과 결의문이다.

국민의 건강을 위협하는 "악마의 식품" GMO(유전자조작식품)를 대한민국에서 추방하자!

유전자를 조작해서 만들어 낸 악마의 식품, 자연의 섭리를 거스르는 GMO 식품들이 이 땅의 안전한 먹을거리를 심각하게 위협하고 있다. 한국이 식품 GMO 수입 세계 1위국인 점과 90년도 이후 20년간 불임증 20만 명 증가, 자폐증, 대장암, 유방암, 자살률, 당뇨병, 치매 환자의 증가율이 세계 최고라는 점은 우연의 일치가 아니다. GMO가 질병들을 일으키고 있다는 과학적 증거가 확립되고 있으며, 특히 어린이들이 가장 큰 피해를 보고 있다.

한국 정부는 단 한 번의 실험도 없이 식용 GMO를 세계에서 가장 많이 수입하고 있으며, 한국이 수입하는 대부분의 GMO는 세계에서 가장 악랄하다는 평판을 갖는 악마의 기업, "죽음의 다국적 공장"이라는 별명을 가지고 있는 몬산토의 제품이다.

유럽과 러시아 등에서는 GMO가 테러보다 더 위험한 적이라고 규정하고 있음에도 불구하고, 대한민국 정부는 유명무실한 GMO 표시제로 GMO가 함유된 식품을 구별할 수도 없게 만들었으며, 노골적으로 GMO를 비호하고 지원하려는 이상한 법령을 제정하려 하고 있다. 게다가 GMO 표시제를 강화하자는 국민들의 요구를 받아들이기는커녕, 오히려 Non-GMO(비유전자조작식품) 표시조차도 금지하겠다는 식약처의 발상을 보면, 한국 정부인지 몬산토의 앞잡이인지 구분하기 어려운 상황이다.

설상가상으로, 최근 우리는 농촌진흥청이 2015년 이후 완주, 상주, 원주 등 7개 지역에서 쌀을 포함한 10개 품목의 GMO 작물을 비밀리에 시험 재배해 왔다는 사실을 확인하였다. 농촌진흥청이 유전자 조작 벼를 제대로 된 격리 시설 없이 곡창지대 한가운데서 시험 재배함으로써, 민족의 생존이 달려 있는 토종 쌀마저 GMO로 오염될 위험을 눈앞에 두고 있다. 정부가 나서서 국민의 주식인 쌀을 안전검증도 하지 않은 채 GMO로 시험 재배하고 상용화하는 정책을 펴는 것은 세계에서 대한민국 정부가 유일하다.

이에, 우리나라 국민의 건강과 먹거리 문제를 고민하는 단체들, 어린이와 청소년의 건강한 성장을 위해 힘쓰고 계시는 교육단체, 환경단체, 급식단체, 청소년단체, 민족단체, 소비자단체, 노동단체, 농업단체들이 힘을 모아 다음과 같이 강력히 요구한다.

우리의 요구

하나. 대한민국 주식인 쌀을 식용으로 사용하지 않는다고 포장하며, 전북 완주에 대단위로 GM벼를 재배하고자 하는 농촌진흥청장과 농림축산식품부장관은 즉각 사퇴하라.

하나. 정부는 non-GMO (비유전자조작식품) 표기를 금지하는 시행령 제정을 즉각 중단하고 식품의약품안전처장은 즉각 사퇴하라.

하나. 세계인권선언문 제3조의 "모든 사람은 자기 생명을 지킬 권리, 자유를 누릴 권리, 그리고 자기 자신의 안전을 지킬 권리가 있다"라고 되어 있다. 이에 국회는 GMO로 국민의 건강을 위협하는 농림축산식품부장관과 농촌진흥청장과 식품의약품안전처장을 청문회에 세워 진실을 규명하고 국민에게 보고하라.

하나. 식품 가공 및 유통관련 기업들은 GMO 식자재의 수입과 유통 행위를 중단하라.

하나. 교육감과 시장·도지사들은 학교급식에서 GMO 식자재 사용을 중지할 특별 대책을 수립하라.

하나. 언론은 온 국민에게 GMO의 위험성과 유해성, 국제적인 반GMO 운동 소식을 명백하게 알리라.

하나. 국내외의 양심적인 학자와 연구자들은 GMO의 유해성과 대체 방안 연구에 매진하라.

우리의 결의

하나. 우리는 GMO 반대에 공감하는 단체 및 개인과 함께 GMO추방 공동대책위원회를 구성하겠다.

하나. 우리는 GMO추방공동대책위원회를 중심으로 GMO 없는 안전한 대한민국을 만들기 위한 모든 노력을 기울이겠다.

하나. 우리는 GMO 식품의 유해성을 온 국민에게 알리기 위해 SNS 등 모든 온오프라인의 수단을 강구할 것이다.

하나. 우리는 GMO 식재료를 대체할 건강한 먹거리를 생산, 유통, 소비하는 대안적 생태계 구축을 위해 노력할 것이다.

하나. 우리는 GMO 식품의 유해성을 밝히기 위한 국내의 연구 체제를 구축하고 세계적인 GMO 유해성 연구자들과 적극 연대하겠다.

2016. 6. 17.
GMO 추방 공동대책위원회(준)

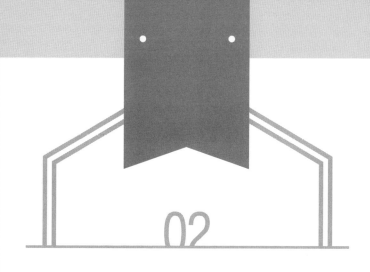

02

제 2 장

인자 그 번호 안 찍을껴

최영 장군과 캄바세스 왕의 정의

　고려 말, 나라가 혼란한 틈을 타서 상인들이 매점매석으로 폭리를 취하였다. 우왕 7년(1381년)에 개경에 물가폭등이 있었는데, 상인들이 폭리를 취하자 최영 장군은 이를 근심한 나머지 감찰기관인 경시서로 하여금 시중의 가격을 사정하고 세금을 내는 허가받은 품목에 한하여 매매를 허가하였다. 그리고 허가받지 않은 품목을 판매하는 자는 갈고리에 꿰어 달아매어 죽이게 하고, 큰 갈고리를 경시서 앞에 걸어 놓아 사람들에게 보이게 했더니, 상인들은 겁을 먹고 마침내 폭리를 취하지 않게 되었다고 한다.

　당시 최영은 "황금을 보기를 돌 같이 하라."는 부친의 유언을 받들어 몸소 실천한 분이다. 최영 장군은 청빈사상의 소유자로 집이 심히 누추하여도 편안하게 여겼으며, 비록 장상을 겸하여 오래 병권을 잡았으나 뇌물을 받지 않았으며, 불의를 몹시 미워하였다.

　기원전 529~522년 페르시아 제국의 왕 캄바세스 또한 부패한 재판관을 잔인하게 처벌했다고 한다. 재판관이었던 시삼네스가 돈을 받고 어긋나는 판결을 하자, 캄바세스 왕은 부정부패 척결의 의미로 그의 살가죽을 벗겨 재판관 의자에 깔도록 했다고 한다. 그리고 이 의자에 앉을 새 재판관으로 시삼네스의 아들인 오타네스를 임명했다.

명나라 때 주원장도 권력을 잡은 후에 부패한 관리의 살가죽을 벗겨 그 안에 짚을 넣어 관청의 꼭대기에 걸게 하였다고 한다. 조선시대에도 부패관리의 죄상을 적은 '장오인녹안'이 있었다고 하는데, 본인은 물론 자식들까지 벼슬길에 나가지 못하게 했다고 한다. 그런데 요즘 대한민국 사법부의 판결을 보면 사회적 지탄을 받는 범죄자들에게 국민의 상식과는 너무도 거리가 먼 어이없는 판결들이 많다.

서울시 도시관리국장이 재임 시 50만 원어치의 상품권과 놀이공원 자유이용권을 수수하여 단돈 1,000원만 받아도 징계할 수 있다는 서울시 공무원 행동강령인 일명 '박원순법'에 의해 해임되자, 송파구청장을 상대로 해임처분취소 소송을 제기하였다. 대법원이 서울시 공무원 강령인 '박원순법'이 재량권을 벗어난 가혹한 규정이라며 도시관리국장에게 승소 판결을 내렸다.

이에 대해 박원순 시장은 "대법원의 논리가 가당한가? 50만 원을 받고 올바른 결정을 할 수 있는가? 사법정의는 어디로 갔는가?"라며 강하게 항의했다. 덧붙여 박원순 시장은 "국민의 세금으로 월급을 받고 직을 보장받는 공직자는 공평무사해야 하고 청렴결백해야 한다. 공직사회에서 금품과 향응은 액수의 많고 적음이 아니라 주고받는 행위 자체를 근절하고 '무관용 원칙'으로 처벌해야 한다는 것이 서울시의 생각"이라고 강조했다.

이번 대법원의 판결에 대해 박원순 시장은 "작다고 소홀하게 넘어간다면 대한민국이 공정사회, 신뢰사회로 가는 길은 요원합니다. 작은 일부터 엄정하게 들여다보아야 세상의 변화가 만들어지는 것입니다. 박원순법은 이런 공직윤리 확립을 위해 만든 서울시의 원칙입니다. 강령적으로 법원의 판단과 다를 수 있다 해도 서울시 직원 모두가 엄정하게 지켜야 합니다. 서울시는 암묵적으로 이루어지고 있는 모든 부정청탁 관행과 비리는 엄하게 처벌할 것입니다. 법리적 다툼과 함께 필요하다면 의회를 통해 새로운 입법요구도 적극적으로 해 나가겠습니다."라고 자신의 소신을 밝혔다.

2014년 국제투명성 기구가 발표한 바에 따르면 대한민국은 부패인식지수 100점 만점에 55점, 청렴도 지수는 175개국 중 43위, OECD 가입 34개국 중 27위이다. 2016년 9월 26일부터 시행되는 '김영란법'은 공직자나 언론 종사자, 사립학교 임직원, 사학재단의 이사장과 이사는 직무 관련성이나 대가성에 상관없이 본인이나 배우자가 1회 100만 원(연 300만 원)을 수수하면 형사처벌(3년 이하의 징역 또는 5배 이하의 벌금)을 받는다.

그리고 공직자 등 직무와 관련 있는 사람으로부터 3만 원이 넘는 식사를 대접받으면 과태료를 물게 되고 선물 금액은 5만 원 이내, 경조사비는 10만 원 이내로 제한된다. 결국 단돈 1,000원만 받아도 징계를 받는 '박원순법'은 '김영란법' 제정에 앞서 제정된 강령으로, '김영란법'보다 부정부패 예방에 더 효과적인 강력한 규범인 것이다.

대한민국은 기업들의 접대비 지출이 2010년 7조 6,658억 원에서 2014년 9조 3,368억 원으로 점점 늘어나고 있다. 지금의 대한민국은 부정부패가 판을 치는 '뇌물공화국'이라 해도 과언이 아닐 만큼, 타인에게 고통과 불이익을 주더라도 돈만 벌면 된다는 심각한 도덕불감증에 걸려 있다.

비정상화를 정상화시키자고 주창했던 박근혜 대통령은 김영란법 시행을 앞두고 내수 위축을 우려해 국회에 김영란법을 재검토해 달라는 뜻을 밝혀 이를 전해 들은 국민들은 대한민국이 뇌물이 없으면 망하는 나라인가 비난을 하며 공분을 불러일으켰는데, 때마침 정치권 일각과 농·축·수산업계, 요식업 등 유통업계가 2조 6천억 원의 내수 위축을 주장하며 김영란법 시행령 내용을 완화시켜 줄 것을 강력 주장했다고 한다.

이에 대해 일반 국민들은 '내수소비 진작보다 부정부패 척결이 국가의 미래를 위해 더 중요하다'고 일갈하며 '공직자들이 굴비 한 두릅, 한우 갈비 한 상자 사 먹지 못할 정도로 살림이 궁핍한가?' 의문을 제기하였다.

현행 공무원행동강령 14조에는 "공무원은 직무 관련자로부터 금품을 받아서는 안 된다."라고 되어 있다. 이 의미는 10원짜리 동전 한 닢도 받으면 안 된다는 것과 똑같다. 미국은 한 번에 약 2만 원, 1년에 5만 원이 넘는 선물은 금지했고, 유럽선진국과 일본, 싱가 포르는 연간 3만 원에서 5만 원으로 제한했다. 세계에서 가장 가혹한 영국의 뇌물방지법은 직원이나 대리인, 자회사가 뇌물범죄를 저지른 경우, 회사가 이에 대한 충분한 예방 조치를 입증하지 못할 경우 기업은 형사처벌까지 받는다고 한다.

나라의 근간이 되는 법치를 바로 세우는 일은 예나 지금이나 가장 중요한 화두이다. 새로 출범한 20대 국회의 여야로 구성된 농림축산식품해양수산위원회는 김영란법 시행을 앞두고 현재 각각 3만 원과 5만 원으로 규정하고 있는 식사·선물 상한선을 5만 원과 10만 원으로 각각 올리는 안을 언급하며, 농축수산물을 '김영란법' 규제 대상에서 제외할 것을 검토 중이라고 한다.

'김영란법'은 현행 공무원행동강령 14조와 상반된 법으로, 한마디로 부정부패를 합법으로 인정해 주고 보호해 주는 법이므로 폐지되어야 한다. 부정부패의 극치를 보여 주고 있는 대한민국의 법치 현실을 생각하면 공무원강령14조를 살려내고, 단돈 1,000원만 받아도 징계할 수 있는 '박원순법'을 대한민국 헌법으로 제정하여 법으로 시행하면 좋겠다는 생각을 해 본다.

웃지 못할 이야기가 하나 생각난다. 어느 장의사가 오른팔을 앞으로 내민 채 뻣뻣하게 굳어 버린 시신을 관에 넣지 못해 고민하다가 목사를 찾아가 해결책을 구했다. 그러자 목사가 장의사에게 물었다.

"죽은 사람의 직업이 뭐였지요?"

"예, 정치가였습니다."

"오, 그래요? 그럼 간단합니다. 100만 원 한 다발을 그의 손에 쥐어 주세요. 그러면 내민 팔을 잽싸게 안으로 집어넣을 겁니다."

도적님들의 나라

　이 이야기는 정의사법구현단의 고문이신 이기래 대표님의 소송과 관련한 안타까운 이야기이다. 올해 88세가 되신 이기래 대표님은 부정한 사법부와 사기꾼들에 의해 자신의 소유 부동산인 점포를 강제로 빼앗기고, 억울함에 소송으로 약 40여 년간 법정을 오가며 기나긴 소송으로 극심한 정신적인 고통을 받으며 정상적인 삶을 살지 못하고 법정에서 쓸쓸한 말년을 보내고 계시다.

　이기래 대표님은 덕이 많으신 분으로, 서울대에 근무하던 시절 고아로 학비가 없어서 학업을 포기해야 하는 딱한 처지에 있던 학생에게 학비를 대주어 대학을 졸업시킨 이래 현재까지도 아름다운 인연을 이어가고 있는데, 이기래 대표님의 고난은 잘못된 인연자와의 결혼과 이혼에서 비롯되었다.

　46년 전 가정에 성실하지 않아 이혼을 한 전처인 A씨가 이기래 대표님의 모친 명의의 은행 약속어음을 도용하여 고리대금업자이자 폭력배 두목인 B씨에게 유통시킨 1,555만 원의 채권을 해결하겠다고 3인의 폭력배를 동원하여 이기래 대표님을 납치, 감금하였다. 그리고 이기래 대표 명의로 부동산 매매계약서와 부동산 채권과 15개 점포 임차인들의 임대보증금이 포함된 교환각서를 작성하고 2,600만 원을 일시불로 한다는 부동산 매매계약서와 부동산 목록을 작성하였다.

그런데 이 계약서는 부동산의 지번과도 맞지 않는 가공의 매매계약서로 부동산의 소유권을 주장할 수 없음에도 불구하고 B씨는 채권자의 권리를 주장하고 있다. 납치, 감금된 상태에서 본인의 동의 없이 작성한 매매계약서는 무효라는 이기래 대표의 고소로 그들은 폭력행위 처벌에 관한 법률위반죄로 징역 8월에 집행유예 1년을 선고 받았다.

이기래 대표님이 서명날인을 한 적이 없는 가짜 부동산 매매계약서와 목록은 이기래 대표님의 재산을 갈취하려는 사기꾼들에 의해 수십 년간 소송의 증거로 악용되었다. 이기래 대표님이 책임져야 할 1,555만 원의 채권은 복잡한 단계를 거치면서 2,000만 원이 되었고, 2,600만 원은 4,600만 원이 되었다.

단지 채권자일 뿐인 B씨는 이기래 대표님 소유의 부동산에 채권담보 행사를 하여 채권서류에 명시되어 4,600만 원의 금액보다 더 많은 금액의 임대료를 거두어 갔음에도 불구하고, 이기래 대표에게 부동산에 대한 권리를 돌려주지 않았다. B씨의 사후에는 상속인들이 대를 이어 이기래 대표님을 상대로 재산권을 빼앗으려 소송을 남발하고 있는 기막힌 현실이다.

부동산의 대지와 건물이 이기래 대표님의 소유임이 법으로 증명 되었음에도 불구하고 허위로 작성된 서류를 내밀며 남의 소유재산을 탐내는 사기꾼들의 손을 들어준 사법부로 인해 40여 년이 지나도록 사건이 종결되지 않고 있다. 억울한 마음에 이기래 대표는 사기꾼들을 상대로 130여 번이나 부당이득금 청구소송과 명도 소송을 하였다. 피고들은 현재까지 부당이득금과 업무방해 등을 계속한 자여서 불법행위에 따른 부동산을 이기래 대표에게 인도할 때까지의 월세 상당의 부당이득금을 원고에게 배상할 책임이 있다.

사기꾼들은 원인 무효인 2,600만 원의 부동산매매계약서와 81고단 2605 판결을 증거로 행사하여 1981년부터 현재까지 130여 차례의 소송 사기를 일삼아 1981년부터 현재까지 상가의 부동산 소유권 행사를 방해하고 피해자인 이기래 대표에게 여러 번의 억울한 옥살이와 가정 파탄, 자녀들의 학업 중단과 영업파산 등으로 피해를 준 금액이 약 20억 원에 이른다고 한다. 사기꾼들은 1982년 6월 1일부터 지금까지 월 498만 원의 임대료를 받아 가고 있다.

허위증거를 가지고 허위고소를 일삼은 사기꾼 편에 서서 사기꾼들에게 유리한 판결을 내려주어 억울한 피해자인 이기래 대표님을 구치소에서 징역 8개월의 실형을 살게 한 대한민국의 사법부이다. 이 사건을 담당했던 검사는 승승장구하여 대검 중수부장까지 지내고 현재는 변호사로 활동하고 있다. 이기래 대표님은 한심한 사법부의 행태에 기가 막혀 자신의 사건을 책자로 만들어 대한민국 사법부와 국회의원들에게 배포하기도 하였다.

이기래 대표님이 88세의 고령의 나이에도 불구하고 변호사를 선임하지 못하고 직접 재판을 하고 있는 이유는 약 40년간을 위 사건으로 재판을 하면서 명백한 증거가 있음에도 불구하고 수많은 불이익을 당해 변호사를 믿지 못하고 법관을 신뢰하지 않기 때문이라고 한다.

요즘 법조계 전관예우로 막대한 재산을 보유하여 세간의 화제가 된 A 변호사는 검사장 시절에 신고한 재산은 겨우 13억여 원에 불과했는데, 변호사가 된 이후 5년 동안 사건을 수임하면서 가족과 본인 명의의 오피스텔 123채 외에 빌딩을 포함하여 파악된 재산만 200억 원대에 이른다고 한다. 부장판사로 퇴임한 B변호사 역시 2건의 사건 수임료로 100억 원을 받은 것으로 밝혀졌는데, 자신은 정당하게 수임료를 받았다며 억울함을 호소하며 법원에 탄원서를 제출했다고 한다.

전관예우 사법부정과 관련하여 유시민 전 장관은 "법은 큰 고기만 빠져나가는 촘촘한 그물"로 표현했는데, "이건 법조 비리가 아니라 검찰 비리"라며 "전관예우 문제는 검찰이 경찰에 대한 수사지휘권, 직접 수사권, 기소권을 다 독점하고 있기 때문에 벌어진다."고 지적했다. 더불어 "제대로 된 수사가 이루어지려면 검찰청 앞에 단두대를 세워야 할 것"이라며 "절대 권력은 절대 부패한다."는 말로 검찰 조직의 권력 독점을 비판했다.

2016년 6월 25일 국회의원회관 제3세미나실에서 열린 '전관예우피해 사례발표와 전문가 좌담회'에서 정대택 씨는 "동업으로 150억 원대 건물에 투자한 후 50억 원대의 이익을 실현했지만 상대방이 검찰 고위직 출신 변호사를 앞세워 50%의 이익금을 나눠 주는 대신 '강요죄'로 고소해 관련 증거와 증인을 매수해 억울하게 2년형을 살게 했다. 이권이 개입되지 않은 사건은 대체로 헌법과 법률에 의해 수사하고 판결하나, 약간의 이권이 개입되면 굶주린 하이에나처럼 덤벼들어 사건을 조작하고 누명을 씌우는 사실을 알게 되었다. 더욱 슬픈 사실은 사법의 최후의 보루인 법원이 공판(변론)조서를 조작하고 증거를 조작하는 불법을 저지른다는 사실이고, 법관 자유심증주의는 정신질환을 앓는 환자에게 안전핀이 뽑힌 수류탄을 손에 쥐어 준 격"이라고 비판하며 "저와 같이 검찰이 성과 외화를 뇌물로 받고 누명을 씌우는 불공정한 수사와 법원은 '해가 서쪽에서 뜬다'는 판결로 옥살이를 시키는 기가 막힌 사연이 다시는 발생하지 않기를 바라는 마음에서 이 자리에 섰다. 전관예우는 현대판 호환이요 마마다."라고 말했다.

대한민국에서 '전관예우는 살아 숨 쉬는 로또'라고 한다. 대한민국에서 전관예우라는 그들만의 미풍양속(?)으로 인해 나라가 망해 가고 있는 것이다. 법은 국민의 일상과 직결되어 있기에 국민에게 있어 법은 우리가 매일 먹는 밥과 같다. 법은 우리가 다 함께 지켜야 할 공동의 약속이다. 한 나라의 법은 법관 개인이 사사로이 운용하는 전유물이 아니고 국가와 국민간의 반드시 지켜야 할 약속이다. 대한민국에서 소송의 승패가 뇌물과 청탁에 의해 진실이 거짓이 되고 거짓이 진실로 뒤바뀌는 현실은 국가와 사회가 혼탁해져 나라가 망해 가고 있다는 증거이다.

국가는 국민의 생명과 행복추구권과 재산권과 안전을 기본으로 지켜주어야 한다. 민주주의 시민학교에서 노무현 대통령은 "법치주의의 뜻은 사람의 지배가 아닌 법의 지배를 말하는 것이며 목적은 '국민의 자유와 권리의 보장'을 위한 것"이라고 말했다.

현재의 대한민국은 허가받은 도적님들의 나라이다. 민주주의 법치국가에서 법 위에 군림하려는 자들로 인해 법치가 무너져 재산권과 관련하여 국민이 납치와 감금과 폭행으로 억울한 삶을 살게 한다면 이게 나라인가?

몇이길 원하십니까?

1930년대 어느 해, 소비에트연방 국가계획위원회 고스플란(Gosplan)의 사무실에서 통계실장 채용을 위한 면접시험이 있었다. 면접관들이 첫 번째 후보에게 질문을 한다.

"동지, 2 더하기 2는 무엇이요?"

"5입니다."

면접관 중 가장 높은 간부가 너그러운 미소를 지으며 말한다.

"동지, 혁명적 열정은 높이 사오만, 이 자리는 셈을 할 줄 아는 사람이 필요하오."

후보는 정중하게 문밖으로 안내된다.

두 번째 후보의 답은 '3'이었다. 면접관 중 가장 어린 간부가 벌떡 일어나 소리쳤다.

"저놈을 체포하라! 혁명의 성과를 깎아내리다니! 이런 식의 반혁명적 선전 공세는 좌시할 수 없다!"

후보는 경비들에게 끌려 나갔다.

같은 질문을 접한 세 번째 후보의 답.

"물론 4입니다."

면접관 중 가장 학자 티가 나는 간부가 후보에게 형식 논리에 집착하는 부르주아적 과학의 한계에 대해 따끔하게 연설했다. 후보는 수치감으로 고개를 떨어뜨린 채 걸어 나갔다.

그 자리는 결국 네 번째 후보에게 돌아갔다. 그의 답이 무엇이었냐고?

"몇이길 원하십니까?"

위 내용은 『장하준의 경제학 강의』에 있는 내용입니다. 수리에서 2더하기 2는 4가 맞습니다. 권모술수에 능한 썩은 정치권에서 원하는 인물은 국민이 원하는 정답을 말하는 사람이 아니라, 수뇌부에 충성하고 권모술수에 능한 사람일 것입니다.

그러나 국민에게 필요한 정치인은 권모술수에 능한 사람이 아니라 국민의 눈높이에서 정답을 말할 수 있는 사람이어야 합니다. 위선과 조작이 판치는 대한민국에서 바른 정치를 이루어 낼 사람은 어떤 철학을 갖고 있는 사람이 되어야 할까요?

양아치

국어사전에 '양아치'의 뜻을 찾아보니 "하나. 거지를 속되게 이르는 말 둘. 품행이 천박하고 못된 짓을 일삼는 사람을 속되게 이르는 말"이라고 되어 있습니다. 그렇다면 대한민국에서 양아치는 어떤 사람들일까요?

대한민국 국회의원들의 세비는 1억 3,796만 원이라고 합니다. 해마다 각 국회의원실에 지급되는 정책 개발비는 약 2,900만 원으로 전체 300명에게 연간 86억 원이 지급되고 있다고 합니다. 국회의원들에게는 회기(會期) 중에 1일 3만 1,360원씩 특별활동비가 지급되는데, 특별활동비는 '회기 중 국회의원의 입법 활동을 특히 지원한다.'는 명목입니다. 본회의나 상임위 회의에 출석만 해도 지급되는 일종의 '회의 참석 수당'으로, 회기를 감안하면 연평균 300일, 총 940만 원(월평균 78만원) 정도 된다고 합니다.

국회의원의 회의 참석은 국사(國事)를 논의하고 입법 활동을 하는 의원들이 당연히 해야 할 일인데, 연간 900만 원이 넘는 수당을 별도로 주는 것은 옳지 않습니다. 국회의원들의 책무가 제대로 된 법안을 발의하여 제정하는 것입니다. 일반 기업에서 근무하는 직원들의 급여는 노동의 대가로 지급받습니다. 그렇다면 국회의원들의 높은 세비에 정책개발비, 특별활동비도 이미 포함되어 있는 것으로 보아야 합니다.

급여 외에 눈 먼 돈으로 간주되는 '정책개발비', '특별활동비'라는 명목으로 돈을 타내어 비서관의 옷을 사고, 밥 사 먹고, 기름 값에 사용하고 있다고 하니, 대한민국 최상위의 '지성인'이 되어야 할 대한민국의 국회의원들의 행태가 '양아치'와 다를 바가 없습니다.

국회의원은 수당·상여 같은 세비와 특별활동비 외에 연간 최대 9,200여만 원에 달하는 각종 지원금도 받고 있는데, 한 달에 차량 유지비로 35만여 원, 유류 지원비로 110만 원, 사무실 운영비로 50만 원, 사무실 공공요금 지원 명목으로 95만 원, 매식(買食)비 50만 원, 정책자료 발송료 24만 원, 정책홍보물 발송비 90만 원, 사무용품비 41만여 원을 추가로 받습니다. KTX나 국내선 항공권 비용으로 월평균 114만여 원까지 환급받을 수 있고, 8만 원의 택시비도 지원받을 수 있습니다. 국회의원들에 대한 대우는 차고도 넘칩니다.

대한민국 국회의원 회관에서는 1년 내내 시민단체와 학술단체에서 주관하는 각종 세미나와 토론회가 열립니다. 국회의원들이 돈들이지 않고 가장 손쉽게 정책을 입안할 수 있는 방법이 세미나와 토론회를 활용하는 것입니다. 세미나와 토론회의 안내석에 앉아 안내를 하다 보면 각 국회의원 보좌관들이 팸플릿과 유인물을 요청할 때가 있습니다. 저는 정책개발에 참고하라고 좋은 마음으로 내드렸는데, 아무도 활용하는 분이 없는 것 같습니다.

나라 살림이 가장 어려운 시대에 예산 부족을 이유로 국민들의 복지는 줄어들고 있는데, 자신의 책무도 다하지 못하면서 국민들의 혈세로 여전히 최상위 복지를 누리고 있는 대한민국 국회의원들은 정말로 양심이 없는 것 같습니다. 대다수 국민들의 의사에 반하는 '정책개발비'는 지금 당장이라도 폐지되어야 합니다.

그리고 박근혜 대통령이 언급한 성과연봉제는 대통령 본인과 대한민국 국회의원들에게 우선적으로 적용하는 것이 합당하다고 생각합니다. 근무성적 평점은 국민경제와 국가경제 성장률을 참고로 '성과평가'가 절대적이고 국민 '절대평가' 방식으로 해야 합니다.

국민제안

김문수 혁신 위원장님께

가문의 선조이신 다산 선조님께서 남기신『목민심서』에 "절약만 하고 쓰지 않으면 친척이 멀어진다. 기꺼이 베풂은 덕을 심는 근본이며 아껴 쓰는 일은 즐겨 베푸는 일의 근본이다."라고 하셨습니다.

대한민국은 가계와 정부부채를 합하여 3,400조 원의 빚을 지고 있고, 1년에 갚아야 하는 이자만 30조 원이 넘는다고 합니다. 이러한 현실에 중앙정부의 쓸데없는 예산 낭비가 있어 이를 바로잡아 주십사 김문수 혁신위원장님께 제안을 올립니다.

헌법에 "대한민국의 영토는 한반도와 그 부속도서로 한다."는 규정에 의거하여 이미 오래전부터 미수복지역인 이북5도청(함경북도청, 함경남도청, 평안북도청, 평안남도청, 황해도청)의 각 도지사와 시장, 구청장들을 임명하여 국민의 혈세로 연간 6억 원이 넘는 액수를 급여로 지급하고 있다고 합니다.

그러나 북한도 대한민국과 동등하게 유엔에서 인정한 개별 국가입니다. 그렇다면 실질 통수권자인 김정은 정권이 북한에서 각 도지사를 임명하여 통치를 하고 있을 것입니다.

통일을 대비하기 위한 전시성 행정이라면 북한지역의 각 도지사와 구청장, 시장 등은 무보수의 명예직으로 임명되어야 마땅하다고 생각합니다. 대한민국 중앙정부의 힘이 미치지 않는 치외법권 지역인 북한영토내의 지역까지 지방의 수령을 임명하여 실속이나 실익이 없이 국민혈세를 낭비하는 것은 전시성 행정으로 시급하게 폐지해 주실 것을 제안합니다.

치외법권 지역에 한 해 6억 원이 넘는 인건비 예산을 절감하여 막대한 국가부채를 갚는 일에 사용하든가 아니면 연애, 결혼, 출산을 포기하고 대인관계와 내 집 마련 포기에 꿈과 희망을 포기한 '7포 세대'라 불리고 있는 대한민국의 청년들을 위한 사업에 써 주시는 것이 효과적일 것이라 생각합니다.

김문수 혁신위원장님께서 제가 올리는 제안을 받아 주셔서 대한민국과 국민들에게 실익이 되지 않는 전시성 행정을 폐지하여 국민혈세가 적재적소에 가치 있게 쓰일 수 있도록 해 주시기를 (사)한국문화예술유권자총연맹 여성위원장의 직함으로 간곡히 청합니다.

김문수 혁신위원장님께서 주창하고 계신 청렴영생부패즉사의 정신이 대한민국 전역에 건강한 정신으로 되살아나길 기원합니다.

2015. 5. 11.
(사)한국문화예술유권자총연맹 여성 위원장
압해정씨 나주문화공파 42세손
정혜옥 올림

칠구와 반찬가게 사장님 이야기

일요일 〈동물농장〉에 방영된 이야기입니다. 자신이 기르던 개가 농업용 수로에 빠져나오지 못하고 주인이 넣어 주는 먹이로 7개월을 버틴 백구가 있었습니다. 주인은 백구를 구조하지 못해 애간장이 타는데, 태풍이 오고 있다는 소식에 놀란 주인은 수로에 갇힌 백구를 구해 낼 방법을 다각도로 연구한 끝에 수로까지 파게 되었습니다.

결국 백구는 구조되었고 건강검진 결과도 기생충에 감염된 것 외에는 건강이 양호하다는 진단을 받았습니다. 살뜰하게 보살펴 준 덕이 있는 주인을 만난 덕분이었습니다. 7개월 만에 수로에서 구조했다고 하여 개 이름도 '칠구'라고 지었다고 합니다.

제가 살고 있는 송림동에는 전통시장인 현대시장이 있습니다. 현대시장에는 오래된 반찬가게가 있는데 상호가 '믿음반찬'입니다. 그 반찬가게의 사장님은 현대시장에서 30년 가까이 반찬가게를 운영하고 계시는데, 반찬가게의 상호와 똑같이 믿음을 주는 상거래를 하고 계십니다.

불과 두 달도 채 되지 않았지만 전국이 가뭄으로 인해 야채 가격이 폭등하여 배추 한 단에 만 원을 호가하였습니다. 그야말로 김치가 금치가 된 셈이었지요. 그런데 사장님의 반찬가게에서는 야채 가격이 폭등하여도 사장님이 직접 담가 만들어 파시는 김치 가격은 1㎏에 5천 원으로 변동이 없었다고 합니다.

가장 좋은 재료를 엄선하여 정성으로 만들어 파시는 사장님의 장사 철학은 이용하는 고객들이 대부분 서민들이기 때문에 그분들의 주머니 사정을 감안하여 자신이 이익을 덜 보더라도 사시사철 가격 변동 없이 그대로 판매하고 계시다고 합니다.

조선의 거상 임상옥 선생님께서 상도(商道)와 관련하여 '과유불급(過猶不及)'이라는 명언을 남기셨지요. 임상옥 선생님께서 과욕을 경계로 삼고자 계영배라는 특별한 술잔을 갖고 계셨다고 하는데, 이 술잔에 술을 7할 이상 채우게 되면 술이 술잔 아래 구멍으로 모두 흘러내려 빈 잔이 되었다고 합니다.

임상옥 선생님은 장사와 관련하여 상인들에게 "장사에 이문을 남기려하지 말고 사람 남는 장사를 하라."라고 말씀하셨습니다. 인상이 맑으신 믿음반찬가게의 사장님을 뵐 때마다 임상옥 선생님을 떠올리게 됩니다. 거상 임상옥 선생님께서 장사꾼이 아닌 정치인이 되셨더라면 아마도 덕이 넘치는 명재상이 되시지 않으셨을까 생각해 봅니다.

정치인과 상인에게는 '정직과 신용'이 가장 으뜸이 되어야 한다고 생각합니다. 특히 정치인들에게 요구되는 덕성이 '정직과 신용'일 것입니다.

며칠 전 저는 대한민국에서 가장 비싼 주민세로 12,500원을 냈습니다. 작년에는 5천여 원에 불과했던 주민세가 지자체 재정난을 이유로 100% 인상되어 인천 시민들은 대한민국 지자체 중에서 가장 비싼 주민세를 내야 했습니다. 증세 없는 복지국가를 공약으로 내걸었던 정치인들은 대한민국의 최상류층에는 수십조 원의 세금을 법인세 감면으로 깎아 주면서 국민들에게는 인상된 세금으로 부족한 재정을 떠넘기고 있는 것입니다.

전기요금도 마찬가지입니다. 정부가 수출 가격경쟁력을 높인다는 이유로 2012년부터 지난 3년간 상위 20개 대기업에 정부가 원가 이하로 할인해 준 전기요금이 3조 5,000억 원이라고 합니다. 대기업에 전기요금 할인 혜택을 주어 발생한 원가손실액은 다수 일반 기업의 진기요금 인상을 통해 중소기업들에 전가하고 있습니다. 정부는 방만한 경영으로 부채가 쌓인 공기업을 개혁하는 방안으로 전기와 가스를 민영화하겠다고 합니다. 전기를 민영화한 미국과 영국에서는 전기요금이 과다하게 인상되어 국민들에게 요금폭탄이 되어 물가안정을 저해하는 요인이 되어 있습니다.

대한민국 공기업의 부실화 요인 중의 하나가 무능한 낙하산 인사에 있습니다. 공기업의 방만한 경영으로 부채가 쌓였다면 해법은 민영화가 아니라 개혁을 해야 합니다. 인상된 주민세와 공공요금의 인상을 통하여 복지국가와는 점점 더 요원해지고 있는 대한민국을 봅니다.

위기는 자신들의 능력을 발휘할 수 있는 기회입니다. 지금까지 밑바닥 정치의 진수를 보여 준 대한민국 정치인들이 위기에 직면해서도 개과천선(改過遷善)하여 능력을 보여 주지 못한다면 그것은 실수가 아니라 수준이자 실력일 것입니다.

7개월 만에 개를 구한 농민이나 전통시장의 반찬가게 사장님의 경영철학에도 못 미치는 인사들이 대한민국의 경영자들이고 정치인들이라는 것이 기가 막힌 대한민국의 현실입니다.

카피(copy) 전성시대 유감

'교취호탈(巧取豪奪)'이라는 말은 정당한 방법이 아닌 교묘한 수단으로 남의 귀한 것을 빼앗는다는 뜻입니다. 이 고사성어는 북송의 유명한 화가인 미불과 화가가 된 그의 아들 미우인에게서 비롯된 말입니다.

그 일화는 다음과 같습니다.

북송(北宋)에 서가(書家)이자 화가로 유명한 미불(米芾)이 있었다. 미불(米芾)은 운이 좋게도 중국 동진(東晉)의 서예가로 중국 고금(古今)의 첫째가는 서성(書聖)으로 존경받고 있는 왕희지(王羲之)에게 서(書)를 배웠으며 산수화를 잘했다.

그에게는 미우인(米友仁)이라는 아들이 있었는데, 아버지만큼이나 서화에 뛰어나 아버지에 비해 소미(小米)라 불렸다. 그는 옛 선배 화가들의 작품을 좋아하여 닥치는 대로 모았다.

어느 날 그가 배를 타고 가는데, 어떤 사람이 왕희지의 진품 서첩을 가지고 있는 것을 보고, 내심 쾌재를 불렀다. 그는 본래 남의 작품을 그대로 묘사할 수 있는 재주가 있었으므로 잠깐 동안이면 진품과 모사품을 거의 구분할 수 없을 정도로 쉽게 그릴 수 있었다. 어떤 경우는 서첩의 주인이 가지고 갈 때는 눈치를 채지 못하다가 얼마 후에 다시 찾아와 진품을 돌려 달라고 항의하는 경우도 많았다.

한번은 미우인이 당나라 화가의 진품과 똑같이 그림을 그려 모사품은 돌려주고 진품은 자기가 가졌는데, 며칠 후에 돌려 달라고 찾아왔다. 미우인은 그의 변별력에 놀라 어떻게 진품이 아니라는 것을 알았느냐고 물었다.

"내 그림에는 소의 눈동자에 목동이 그려져 있는데, 당신이 내게 준 그림에는 없습니다."

미우인은 고개를 끄덕이며, 다시 진품을 돌려줄 수밖에 없었다.

요즘 시대는 '카피(copy)의 전성시대'라고 해도 과언이 아닐 정도로 진품과 모조품을 거의 구별할 수 없을 만큼 정교한 카피(copy)가 홍수를 이루는 시대입니다. 세상이 이치대로 돌아가지 않는 이유 는 바로 가짜들이 판을 치고 있기 때문입니다.

대한민국도 대다수 국민들이 원하는 제대로 된 성치가 이루어지지 않으니, 그 민심을 이용하여 자신들이 국민들이 원하는 정치를 실현시켜 주겠다며 정치판에서는 또다시 민심을 팔고 가짜가 난립합니다. 시민단체도 마찬가지입니다.

북송의 시대에는 미불과 같은 모조가가 진품을 묘사하여 교취호탈(巧取豪奪)했다가 가짜로 판명되어 진품의 물건은 주인에게 다시 돌려주었다지만, 가짜 정치인들에게 속아 넘어간 순진한 대한민국 국민들에게 돌아온 것은 복지가 아니라 막대한 세금 폭탄일 뿐입니다.

가짜 정치인들은 순진한 국민들에게 말로는 복지국가를 만들어 주겠다며 순수한 국민들의 표심을 가로채어 국민들의 혈세로 온갖 특권 다 누리고, 호위호식을 누리다가 '기본소득제'로 대통령은 퇴임 후 평생 동안 재임 시의 월급 95%를 연금으로 받고, 국회의원들은 만 65세부터 월 120만 원의 연금을 받을 수 있는 그들만의 복지국가를 만들어 놓았습니다.

이것은 전적으로 진짜와 가짜를 구별할 수 없게 만든 대한민국 언론들의 잘못입니다. 이제는 후손들을 위해 헌법에 명시되어 있는 국민주권을 제대로 행사하여 썩은 정치인들이 교취호탈(巧取豪奪)할 수 없도록 가로챈 국민들의 혈세를 다시 환수 조치하는 제대로 된 법을 만들어 비어 있는 국고를 채워 놓아야 합니다.

혈세 낭비의 주범, 대한민국 법무부

　2011년부터 2014년까지 국민의 혈세로 지급된 형사보상금이 무려 2216억 원이라고 한다. 형사보상금제도는 검찰에서 수사를 무리하게 진행하여 기소했다가 나중에 무죄판결이 내려져 피해자에게 국가가 보상해 주어야 하는 제도이다.

　대한민국 법무부는 사상 최대의 형사보상금 빚 독촉에 시달리고 있다고 한다. 국가가 지급해야 하는 형사보상금과 관련하여 2015년 5월 18일 법무부에 발표에 의하면 2011년 226억 원, 2012년 532억 원, 2013년 577억 원, 2014년 881억 원이라고 한다. 2014년까지 지난 4년간 형사보상금 예산은 370억 5,200만 원 배정되었다. 그러나 실제로 사법 피해자들에게 지급된 형사보상금은 무려 2,216억 원에 달했다. 형사보상금으로 법무부에 배정된 예산의 6배가 넘는 돈이 보상금으로 지급되어 법무부는 무리한 '예산 돌려막기'를 거듭하고 있다.

　2014년에 법무부에 형사보상금으로 책정된 예산은 140억 원이었으나 연초인 1월 달에 소진되었고, 4월에 추가로 지급받은 405억 9,300만 원의 예산도 6월에 소진되었다고 한다. 법무부가 12월에 366억 원을 2차 예비비로 형사보상금을 지급하여 총 881억 원을 지급했지만,

56억 원은 지급하지 못했다고 한다. '억울한 옥살이'로 인해 해마다 형사보상금이 급증하여 국민복지에 쓰여야 할 혈세가 낭비되고 있는 것이다. 법무부는 해마다 급증하는 형사보상금을 지급해야 할 예산도 턱없이 부족한데다가 제때 지급하지 못한 피해보상금에 대해 이자까지 감당해야 하는 현실이다.

유죄판결을 받았다가 재심을 통해 무죄확정 판결을 받은 사법피해자들이 국가를 상대로 낸 소송에서 법무부는 "형사보상 신청 사건이 폭증하고 있어 국가 예산으로 감당하기 어렵다."고 하소연했지만 재판부는 "국가가 예산편성의 어려움을 들어 지연 이자 지급 의무를 피할 수는 없다."고 밝혔다. 법무부는 형사보상금 증가 원인으로 과거사 재심 사건의 무죄판결과 헌법재판소의 위헌결정에 따른 재심 무죄 급증, 도로법 위헌결정을 꼽고 있다. 이는 모두 검찰의 무리한 수사와 기소에 기인한 것이다.

2014년 10월 국정감사에서 밝혀진 검사의 잘못으로 인한 무죄사건이 2009년 633건, 2013년 1,448건이었다. 이에 대해 새정치민주연합의 이상민 법제사법위원회 위원장은 "법을 집행하는 검사는 무엇보다 정확하고 확실한 근거 아래 기소를 해야 하는데, 법리를 오해해 기소했다가 무죄를 받는다는 것은 검사의 기본 자질을 의심하게 하는 것"이라고 지적했다.

2015년도 법무부 형사보상금 예산은 2014년 대비 42.9%(60억 원) 증가한 200억 원이 책정되었다. 형사보상금 증가에 대한 대책이 전무한 법무부는 "최근 위헌 결정 등을 통한 재심사건 무죄 선고가 크게 증가했을 뿐 아니라, 형사보상금은 무죄판결이 확정된 후 당사자가 신청하는 제도이므로 그 규모를 예측하기 어렵다. 예산이 부족할 경우에는 예비비 확보 등을 통해 지급할 예정"이라고 말했다.

법무부는 헌법에 보장되어 있는 국민의 시위와 집회의 자유를 무시하고 세월호 사건을 비롯하여 대선 부정 등 각종 시위에 가담한 학생들에게 수백만 원의 벌금을 부과하고 있고, 심지어는 여고생이 버스 안에서 성추행을 당한 사건에 가해자에게 200만 원에서 1,000만 원의 벌금을 부과하여 국고에 수입으로 거두어들이고 있다.

부끄러운 법무부의 위상이 여기에 있다. 법무부가 정부의 모자라는 세금을 충당하기 위해 손쉽게 국민들에게 떠넘기는 방식으로 법을 이용하고 있는 것이 아니라면, 억울한 옥살이를 유발하는 검찰의 무리한 수사와 기소로 인해 막대한 형사보상금을 혈세로 지급해야 하는 잘못된 행태는 사라져야 한다.

대한민국은 부실경영으로 인해 한 해 국가가 이자로 지급해야 하는 금액만 30조 원에 육박한다. 법무부는 잘못된 법 집행으로 대한민국 부실 경영에 일조하지 말고 법무부부터 법치를 제대로 하여 나라를 바로 세워야 한다.

2015. 5. 22.
정혜옥 기자 [인천=연합신보]

무능한 중앙정부와 유능한 지방정부

성남에서 구한말 나라를 구하기 위해 의병활동을 하시다가 처형당하신 남상목 의병장은 광복 이후 수십 년 동안 성남 어느 곳에도 그분의 업적을 기리는 기념비나 표식조차 없었다고 한다. 이에 후손들이 할아버지의 희생을 기리기 위해 기념사업회를 만들고 의병장 기념탑을 건립하려 수십 년 동안 노력했으나 성사되지 않았는데, 2014년 성남시가 남상목 의병장 기념비를 세우기로 결정하여 유족들이 감격의 뜨거운 눈물을 흘렸다고 한다.

이재명 성남시장은 "국가나 공동체를 지키기 위한 노력을 귀히 여기고, 국가를 위해 희생한 분에게 상응하는 예우와 보상을 하고 후손들이 기억해 주어야 한다."고 국가유공자들에 대한 자신의 소신을 밝히고, 성남시는 실제로 전국 최고 수준의 보훈정책, 보상, 예우를 하고 있다.

'독립유공자 예우 및 지원 조례'를 제정하여 생존 독립유공자분들에게 매월 30만 원의 보훈 명예수당을 지원하고 있고, 만 65세 이상의 국가유공자에 대한 예우로 5만 원의 보훈 명예수당을 지급해 드리고 있으며, 생산적인 노후 여가 활동을 할 수 있도록 일자리도 지원하고 있다.

대한민국 전역에 있는 호국안보단체들은 국가안보를 기치로 내걸고 보수라 지칭하는 정치권에 안보를 가장한 비정상의 집회에 이용당하여 국민들로부터 지탄을 받기도 했는데, 성남시의 호국보훈단체들은 오히려 성남시가 시민들을 위해 추진하고 있는 사안들을 반대하는 중앙정부에 항의집회를 하고 있다.

비근한 예로 이재명 시장이 저출산 극복과 출산부담 경감을 위한 무상산후조리원 사업을 추진하자, 보건복지부가 지역 간의 심한 불균형을 초래한다는 이유로 막아서 성남시 재향군인회가 보건복지부에 항의하는 집회를 열었다. 이재명 시장과 성남시는 "부정부패 안 하고 세금을 아끼고, 세금 철저히 걷어서 한다는데 왜 막느냐?"고 보건복지부에 불만의 목소리를 높였다.

이재명 시장은 민선 6기 시정의 최우선 과제로 의료, 교육, 안전 등 3대 영역의 공공성 강화를 표명한 바 있다. 이재명 시장은 "산후조리원 정책은 여론 조사에서도 드러나듯 성남 시민뿐 아니라 국민 72%가 압도적으로 지지하는 정책이며 국가시책에 부합하는 자치단체의 출산장려시책을 권장해도 모자랄 보건복지부가 자체적으로 하겠다는 산후조리지원을 끝까지 막으면 '복지후퇴부'라는 오명을 쓰게 될 것"이라고 비난했다.

국민의 72%가 압도적으로 지지하는 정책을 전 국민 5천만 명을 총괄하는 중앙정부에서 추진하지 못하고, 백만 명의 일개 시민자치 지방정부에서 추진한다고 하면 중앙정부의 능력과 지자체 정부의 능력이 당연히 비교될 수밖에 없다. 국민의 입장에서는 지방정부에서 중앙정부보다 앞서 나가는 잘된 복지정책을 추진한다고 하면 그 정책이 성공할 수 있게 중앙정부에서 아낌없이 지원을 해 주어야 함이 마땅하고, 중앙정부에서 벤치마킹하여 대한민국 전역에 확대 실시해야 함이 마땅한데, 국민들에게 꼭 필요한 정책을 막아서는 것은 억지로 보인다.

서민의 삶을 경험해 보지 않은 사람들에게서는 서민들에게 꼭 필요한 정책이 나오지 않는다. 매의 흉내를 내는 닭이라는 뜻의 '치킨호크'라는 말이 있다. 치킨호크는 군대 경험이 없는 사람들이 실전은 경험해 보지 않은 채 국민에게만 안보를 강조하는 미국 내 매파를 뜻한다고 하는데, 대한민국의 현실도 별반 다르지 않다.

국민들이 감당해야 하는 세금은 늘어 가는 반면에 국민들의 복지는 예산 부족을 이유로 줄어들고 있고, 불쌍한 국민들의 세금만 탐하며 복지국가와는 점점 멀어지게 하는 치킨호크들이 판을 치고 있는 대한민국의 오늘이다.

대한민국(大韓民國)이 '개한민국', 국회의원(國會議員)이 '국해의원(國害議員)'으로 불리는 시대에 이제는 국민들의 혈세를 적재적소(適材適所)에 가치 있게 집행해 줄 능력 있는 지도자가 꼭 필요한 시대이다.

2015. 6. 25.

정혜옥 기자 [연합신보]

이중 잣대로 적용되는 대한민국의 법

대한민국에서 명예훼손죄는 살아 있는 사람과 사자(死者)에게 다르게 적용되고 있다. 명예훼손죄와 관련한 법을 살펴보면 다음과 같다.

> 형법 제307조(명예훼손) ① 공연히 사실을 적시하여 사람의 명예를 훼손한 자는 2년 이하의 징역이나 금고 또는 500만 원 이하의 벌금에 처한다.
> ② 공연히 허위의 사실을 적시하여 사람의 명예를 훼손한 자는 5년 이하의 징역, 10년 이하의 자격정지 또는 1천만 원 이하의 벌금에 처한다.

형법 제308조 공연히 허위의 사실을 적시하여 사자의 명예를 훼손한 자는 2년 이하의 징역이나 금고 또는 500만 원 이하의 벌금에 처한다.

살아 있는 사람에게 사실 적시의 공소시효는 5년이고, 허위사실 적시의 공소시효는 7년인데, 사자 명예훼손의 공소시효는 3년이다. 사자에게는 허위사실 적시에 대한 죄만 묻는 반면에, 살아 있는 사람에게는 사실의 적시와 허위사실 적시에 대하여 명예훼손죄를 적용하여 죄를 묻고 있다. 명예훼손죄는 산 자와 죽은 자 모두에게 법의 형평성에 맞게 똑같이 적용되어야 한다.

그리고 진실을 말하면 죄가 되는 법이 제대로 된 법인가? 이것은 국민의 입에 재갈을 물리는 법이다. 사실에 입각하여 남을 칭찬하여 명예를 높여 주는 것은 죄를 묻지 않는다. 그러나 사실에 입각하여 잘못된 것을 말하면 명예훼손으로 죄를 묻는다. 거짓을 말하면 벌을 받는 것은 당연한데, 사실을 말하면 벌을 받는다는 것은 도대체 이해하기가 힘들다. 307조 1항은 죄진 놈에게 유리한 법이다.

법은 형평성에 맞게 운용되어야 한다. 늘 국민을 기만하고 진실 너머(?)에 있는 정치인들이 제정한 이 법은 악법 중에 악법으로, 2015년 유엔으로부터 폐지 권고를 받은 형법 제 307조 1항은 당장 폐지되어야 함이 마땅하다.

빅 아이(Big I), 스몰 위(Small We), 대한민국 국회

대한민국 국회의원들이 얼마나 일을 잘하는지 서울대 행정대학원 정부경쟁력연구센터가 분석을 했다고 하는데, 그 결과가 기가 막히다. 대한민국 국회의원들은 1인당 국민소득의 5.27배에 달하는 보수를 받고 있는데 이는 일본, 노르웨이 다음으로 높은 보수 수준으로, 같은 OECD 회원국 34개국 가운데 3번째로 높다. 그런데 대한민국 국회가 능률면에서는 OECD 회원국 27개 국가 가운데 26위로 발표되었다. 한마디로 받는 보수에 비해 능률은 최하위권인 것이다.

대한민국 국회의원들은 이미 오래전부터 국민들에게 국회의원(國會議員)이 아닌 '국해의원(國害議員)'으로 혹은 '국개의원'으로 불리고 있다. 대한민국 정치인들은 선거철만 되면 입으로는 늘 자신들을 뽑아 주는 국민이 주인이고 자신들은 머슴이라며 국민을 잘 섬기겠다고 말한다. 선거와 관련하여 프랑스의 유명한 사상가 루소는 이렇게 말한다. "국민이 투표에 참여하는 날만 자유로워지고 투표가 끝나면 또다시 노예상태가 된다."

대한민국 헌법 제1조에 "대한민국의 주권은 국민에게 있고, 모든 권력은 국민으로부터 나온다."라고 명시되어 있는데 국방의 의무, 교육의 의무, 납세의 의무, 근로의 의무라는 4대 의무만 있고 권리는 없는 노예가 되어 버린 대한민국 국민들 입장에서는 이 같은 헌법 조항이 참으로 무색하기만 하다.

대한민국 국민들을 철저히 기만하고 있는 대한민국 국회의원들의 최소한의 의무를 규정하고 있는 헌법 제46조를 들여다보면, "① 국회의원은 청렴의 의무가 있다. ② 국회의원은 국가이익을 우선하여 양심에 따라 그 직무를 행한다. ③ 국회의원은 그 지위를 남용하여 국가, 공공단체 또는 기업체와의 계약이나 그 처분에 의하여 재산상의 권리, 이익 또는 직위를 취득하거나 타인을 위하여 그 취득을 알선할 수 없다."라고 되어 있지만 대한민국에서 국회의원의 의무를 제대로 이행하고 있는 국회의원은 정말 찾아보기가 힘들다. 결국 속아서 찍어 준 국민들만 가슴을 치며 '내 눈이 해태 눈이었다.'라고 자책하게 만든다.

인도의 수상이었던 마하트마 간디가 7가지 악덕으로 철학 없는 정치, 도덕 없는 경제, 노동 없는 부(富), 인격 없는 교육, 인간성 없는 과학, 윤리 없는 쾌락, 헌신 없는 종교를 언급하였는데, 지금의 대한민국 현실에 딱 들어맞는다.

미국의 긍정심리학자 마틴 샐리그만(Matin Saligman)은 '빅 아이, 스몰 위(Big I, Small We)'를 주창했다. '빅 아이(Big I)', 즉 내 자신을 크게 내세워야 성공이라고 생각하여 철저히 자기 이기주의적인 사리사욕(私利私慾)의 이익만을 추구하여 주변 사람 모두를 불행하게 만들고 작게 만드는 스몰 위(Small We) 사회가 이루어진다는 것이다.

빅 아이, 스몰 위(Big I, Small We)는 사회의 개념상 잘못된 개념이다. 사리사욕(私利私慾)도 공리공욕(公利公慾) 안에서 추구하면 모두가 편안한 사회가 이루어진다. 대한민국 국회의원들이 추구해야 할 긍정마인

드가 국민의 공복으로 나 자신을 낮추고 '너'도 '나'도 잘될 수 있는 빅 위, 스몰 아이(Big We, Small I)가 되어야 국민이 살고 나라가 산다.

대한민국 정치인들이여, 이제는 밥값 좀 제대로 하자!

D학점의 대한민국 국회

한나라당이 정치적 위기에 직면하여 15년 동안 사용해 온 당명을 버리고 새 당명을 공모했을 때 분노한 국민들의 냉소와 비아냥이 담긴 무려 8,000여 개의 공모 댓글이 달렸다고 한다. 그중에서 대표적인 공모 댓글을 열거하면 다음과 같다.

'뽑아주면또사기친당, 국민사기당, 국민삽질당, 국민개고생당, 국민잡쉬당, 국민사망당, 유신그네당, 쏘당, 국민조롱당, 닝기리뿡당' 등 ⋯⋯.

한나라당은 결국 '새누리당'이라는 이름으로 바뀌었는데, '새누리'라는 뜻은 '새 세상'을 뜻하는 순수한 우리말이다. 여당이 '새누리'라는 새로운 이름으로 당명을 바꾸고 어떤 정치가 이루어져 왔는지는 공모 댓글만 보아도 잘 알 수 있다.

야당인 새정치민주연합도 정치적인 위기에 직면하여 당명을 바꾸기로 하고 새 당명을 공모했다. 기사가 보도된 직후 제 역할을 다하지 못하고 있는 야당에 분노한 국민들의 냉소와 조롱이 담긴 공모 댓글이 수백 개에 달했다. 그 공모 댓글을 들여다보면 다음과 같다.

'닭쫓던개지붕쳐다본당, 국민부끄러워당명바꾼당, 새누리당2중대,

정치쓰레기연합, 어차피사라질당, 도로아미당, 우덜식혁명당, 숭구리당당숭당당, 전라도는우리밥이당, 만년야당, 헌정치뿔뿔이당, 국민들 약올리는당' 등 ……

새정치민주연합의 새 당명은 결국 '더불어민주당'이 되었다. 안철수 신당도 당명 공모에 14,289건이 공모했는데, 최종 심사에서 '국민의당'이 선정되었다. 선정위원회는 "대한민국의 비전은 국민 속에 있기 때문에 국민의 뜻을 잘 받들어 모든 국민이 행복한 대한민국을 이끄는 진정한 국민의 정당이 되겠다는 국민과의 약속을 표현하는 이름"이라고 설명했다.

10년 동안 집권하고도 야당에 발목이 잡혀 정치를 선진국 수준으로 끌어올리지 못하고 국민의 기대에 부응하지 못한 야당이나 오래도록 집권하고도 국민들의 기대를 저버리고 뒤로 가는 정치를 펴고 있는 여당 모두 반성할 일이다.

여당은 대한민국 국민들에게 1%의 재벌 편향 정치를 하는 당으로 인식되고 있고, 야당은 중산층 이상의 10%를 위한 정치를 지향하는 당으로 인식되고 있다. 현실 정치에서 여당이나 야당은 10%를 제외한 나머지 90%의 국민들이 바라는 정당들이 아니라는 데 문제가 있다.

여나 야나 정치적 위기에 직면하여 당리당략(黨利黨略)에 따라 이합집산(離合集散)을 일삼으며 당의 이름만 바꾼다고 해결될 문제가 아니라, 정치인들 스스로 '대국민 사기 정치'를 일삼아 온 것에 대해 철저히 반성하고 정치인들의 썩은 정신부터 바로 세우는 일이 선행되어야 한다. 선진국인 미국이나 영국, 프랑스 등은 오랜 세월 동안 정당의 이름이 바뀌지 않고 그대로 명맥이 이어져 오고 있지 않은가!

대한민국 국회의원들은 국민보다 우선하는 200가지의 특권을 아직도 내려놓지 않고 있다. 대한민국의 지역을 대변하는 전국구 국회의원으로 선출되어 지역 불균형 발전을 초래하는 지역구 쪽지예산이나 챙기는 정치인으로 자리매김하고 있는 한심함에다, 하는 일에 비해 과하게 높은 세비를 받으면서도 오래전부터 관행처럼 굳어져 온 보좌진들의 월급을 정기적으로 상납받아 아파트 관리비, 가스비 등 개인 용도로 사용하고 있다고 한다.

썩은 정치에 염증을 느낀 국민들이 정치에 등을 돌리면서 투표율도 해가 갈수록 낮아지고 있다. 그동안 여야가 합심하여 이루어 놓은 정치 결과가 대한민국 전체 근로자 대비 비정규직이 45%를 넘어서고 있고, 심각한 청년실업의 'N포 세대'에 이어 어렵게 구직에 성공했다하더라도 30대에 명퇴를 강요당하고 있는 실정이다. 평생을 독신으로 집도 없고 숨겨 놓은 재산도, 자식도 없이 여관방에서 쪽잠을 자며 막일로 생계를 이어 가는 70대 독거어르신조차 기초수급대상자 명단에서 탈락되는 현실이다.

대한민국의 정치인들은 자신의 이익과 관련하여서는 힘과 권력 앞에 줄서기는 제대로 하면서 국민과 약속한 복지공약은 도대체 지킬 줄을 모른다. 법률소비자연맹이 발표한 '제19대 국회 종합 의정활동 평가 결과'는 100점 만점에 D학점인 66점으로 겨우 꼴찌를 면한 성적이다.

새누리당이 2016년 4월 13일 총선을 앞두고 '정신 차리자 한순간 훅 간다.'는 문구가 담긴 배경판을 공개했다. 새누리당이 국민의 쓴소리를 듣겠다며 공모한 쓴소리 공모에 달린 댓글 중에 가장 아프게 와 닿는 문구는 '새누리당 없는 세상에서 살고 싶다'였다. 야당들도 새겨들어야 할 문구다. 이제는 여나 야나 '국민이 등 돌리는 당'이 되어서는 안 된다.

브라질의 '룰라' 대통령이 퇴임하면서 후임 대통령에게 이런 말을 남겼다고 한다. "심장에서 우러나오는 정치를 하라. 가난한 사람들을 돌보라. 최선을 다해 민주주의를 실현하라."

대한민국 정치인들이여, 상위 10%를 위한 정치는 이제 그만하고 90%의 국민들을 위한 정치를 하자.

2016. 3. 3.

인자 그 번호 안 찍을껴

요즘 총선에 출마하는 예비 후보자들의 선거사무소 개소식이 많습니다. 그런데 후보자들이 내놓은 공약들을 살펴보면, 대한민국 전 국민을 위해 일해야 하는 국회의원의 공약이 아니라 출마지역 개발 공약으로 마치 지자체의 구·시·군 의원을 뽑는 선거가 아닌가 하는 착각이 들 정도입니다.

대한민국 국민 모두가 행복해질 수 공약 개발이 힘든 걸까요? 국민의 눈높이에 맞는 정치를 이루는 것이 바로 왕도정치입니다. 진리는 높은 곳에 있는 것이 아니고 가장 낮은 곳에 있습니다. 성경에도 성령께서는 세상의 가장 낮은 곳에 임하신다는 말씀이 있습니다.

정치는 국민에 대한 봉사입니다. 국민이 바라는 것은 상식이 통하는 정치입니다. 국회의원 연금폐지, 200가지 특권 내려놓기, 국회의원 보좌관 수 줄이기, 국회의원 수 100명 줄이기, 비례대표제 폐지, 정당 국고보조금제 폐지, 노동악법 개정, 테러방지법 개정, 군 복무 중 소요비용 국가 부담, 군대 만기 제대자에게 사회복귀준비금 지급, 투표소 수개표 입법화, 유치원 과정부터 고교 무상의무교육 실현, 어린이집 국공립화, 누리과정 예산 중앙정부 부담, 기초수급생계비 물가연동 현실화 등 정치적으로 풀어내 주어야 할 국민 생활과 밀접한 사안들이 많습니다.

이번 4·13 총선에 출마하시는 분들은 특정 지역의 일꾼만을 자처하지 마시고 대한민국의 전 국민을 행복하게 만들어 줄 수 있는 능력 있는 대한민국의 복지사가 되어 주셨으면 좋겠습니다. 그리고 19대 총선 공약 이행률이 30%라는데, 18대에 들고 나왔던 공약들을 또다시 재활용하는 정치권은 순진한 대한민국 국민들을 상대로 한 보이스피싱 정치는 이제 그만합시다.

대한민국 국민들에게 인정받은 대한민국 헌법1조1항을 지켜 내고 싶다는 유승민 전 새누리당 대표에 대한 공천 배제나 더민주의 필리버스터 1호 김광진 국회의원과 투표소 수개표 입법화를 추진했던 강동원 국회의원, 새누리 저격수 정청래 국회의원에 대한 공천 불이익에, 함량 미달의 후보들을 공천하고 도덕적으로 검증이 이루어지지 않은 인사들을 비례대표로 추천한 정당들의 행태는 국민에 대한 믿음을 저버리고 배신의 정치를 추구하고 있다는 증거입니다. 계산에 따라 여당에서 야당으로, 야당에서 여당으로, 야당에서 야당으로 당적을 옮겨가는 철새 정치인들도 보입니다.

대한민국 청렴도는 경제협력개발기구(OECD) 가입 34개국 중 27위로 거의 꼴찌에 해당하는데, 여당 성향의 35% 콘크리트 지지층이 존재하는 대한민국에서 혁신의 정치를 지향해야 할 정치권이 이기적인 계산에 따라 이합집산을 일삼는 행태는 결국 보수는 부패로 망하고 진보는 분열로 망한다는 명언을 진리로 굳어지게 하고 있습니다.

공천과 관련하여 여야 정당수뇌부들의 어이없는 갑질에 이 꼴 저 꼴 다 보기 싫은 유권자 입장에서는 차라리 무소속의 건강한 후보들이 국회에 입성하면 좋겠다는 생각도 해 봅니다.

이번 총선에 국민 투표율이 45%이면 여당이 승리하고 55%이면 야당의 승리라고 합니다. 그런데 투표에 자유롭게 참여할 수 없는 비정규직도 많다고 하고, 지각없는 대학에서는 선거일에 MT도 예정되어 있다고 하니 예상되는 투표결과가 우울하기만 합니다. 참고로 선진국인 프랑스는 대학생 투표율이 83%이고, 대한민국의 대학생 투표율은 36%라고 합니다.

2016년 4·13 총선을 앞두고 정치 현실을 빗대어 인터넷상에는 투표를 독려하는 극약처방의 표어가 넘쳐나고 있습니다.

> "어머님 아버님, ○번 찍으면 IMF 시즌2가 옵니다.
> 어머님 아버님, ○번 찍으면 선거철마다 북한이 날뜁니다.
> 어머님 아버님, ○번 찍으면 4대강은 똥물이 됩니다.
> 어머님 아버님, ○번 찍으면 정규직은 계약직이 됩니다.
> 어머님 아버님, ○번 찍으면 자식이 결혼을 못합니다.
> 어머님 아버님, ○번 찍으면 손주를 못 보실 걸요?
> 어머님 아버님, ○번 찍으면 집안의 대가 끊깁니다.
> 어무이, 아부지, 맨날 찍는 거 쫌 인자 바까 주이소. 내 취
> 직 안 되가 죽것십니더."

고(故) 장준하 선생님을 추모하는 시민단체에서 선거를 앞두고 의미 있는 퍼포먼스를 주최하셨는데, 피켓 아래에 쓰여 있는 문구가 "인자 그 번호 안 찍을껴"였습니다. 이번 총선에 임하는 각 정당에 다음 총선에서는 "인자 그 번호 안 찍을껴"라는 문구에 해당되지 않기를 진심으로 소망합니다.

그리고 민주시민이라면 이번 4·13 총선에 적극적으로 투표에 참여

하여 자신의 권리를 제대로 행사하고 국민이 '갑'이 되는 대한민국을 구현합시다.

정혜옥 (사)한국유권자총연맹 여성위원장

파출소 앞 게시판에 국회의원 입후보자의 포스터가 붙어 있었다.

이를 본 술 취한 사람이 비틀거리며 경찰에게 물었다.

"경찰아저씨, 여기 붙어 있는 이놈들은 도대체 무슨 나쁜 짓을 한 놈들입니까?"

"여보세요, 이건 현상수배 사진이 아니라 선거용 포스터예요."

그러자, 술 취한 양반이 하는 말.

"아하~! 앞으로 나쁜 짓을 골라서 할 놈들이군!"

이제는 나쁜 짓을 하지 않을 성실한 정치인을 선택해야겠습니다.

페친 이야기

  '부산의 미래를 준비하는 사람들'(부미사)과 페이스북 '민주주의 시민 동맹'을 이끌고 계신 박희정 대표님과의 인연은 페북에서 '수개표 입법화 인증샷 릴레이'를 통해서였습니다.

  부산의 토박이이신 박희정 대표님께서 수년 동안 지속해 오신 '투표소에서 수개표 입법화' 운동에 동참해 달라는 메시지를 받고나서야 저도 '수개표 입법화운동'에 관심을 갖게 되었습니다.

  박희정 대표님은 투표소에서 수개표 필요성을 국민들에게 알리기 위해 2014년 구청장 지방선거에 출마하여 투표소에서 수개표해야 하는 당위성을 설명하기 시작했으며, 페이스북, 트위터, 카카오스토리, 아고라 등 온라인서명(11,564명 서명)과 투표소에서 수개표 인증샷 전국 릴레이, 현수막 홍보, 투표소에서 수개표 운동 동영상 제작 배포하고, 거리에서 직접 시민 지지서명 받기 및 홍보, 투표소에서 수개표를 위한 공직선거법 위헌 헌법재판소 심판청구 등을 해왔습니다.

  이러한 일련의 노력 끝에 이제는 전국의 많은 시민들께 투표소에서 수개표해야 하는 필요성이 전국적으로 많이 확산된 결과, 박희정 대표님과 시민단체들이 연대하여 2015년 11월 10일 '공직선거법 위헌 헌법

소원'에 연도흠 대표님과 함께 구국실천연대, 정의사법구현단의 일원으로 참여하였고, 12월에는 '기계장치, 전산조직 사용금지 가처분 청구' 소송에도 참여하게 되었습니다.

전국에서 투표소 수개표 입법화 운동은 송태경 대표님, 신상철 대표님, 문병진 목사님, 이진우 대표님, 류일렬 대표님, 정진빈 대표님, 변성용 대표님께서 시민들과 연대하여 전개하고 계십니다. 류일렬 대표님은 "진정한 해방은 민족의 평화적·민주적 자주적 통일이며, 한국이 정의롭고, 정상적이며 상식적인 나라가 되기 위해서는 단 한 장의 표 도둑이 없어야 하며, 그 출발은 투표소 손개표라고 생각합니다. 투표소손개표를 주장하는 분을 대통령으로 만듭시다.'라고 주장하고 계십니다.

부미사의 박희정 대표님께서 부산 지역에서 투표소 수개표 입법화 운동을 열성적으로 주도하신 결과, 전주에서는 이복규 선생님께서 단체를 결성하셨고, 이를 필두로 전국 각 지역에서도 투표소 수개표 입법화를 위한 단체가 자발적으로 결성되고 있습니다. 이는 대한민국을 진심으로 사랑하는 민주주의 국가를 지향한 시민들의 자발적인 참여로 이루어지고 있어, 어둡기만 하던 대한민국의 미래를 밝게 비추어 주고 있습니다. 대한민국의 민주주의는 투표소에서 수개표로 시작되어야 합니다.

곧고 강직한 성품을 타고나신 박희정 대표님은 2016년 4·13 총선에 부산진을 더민주당의 예비후보로 출마하셨다가 국회에서 수개표 입법화를 발의하고 대선부정 발언을 한 강동원 의원님과 정청래 의원님의 공천배제에 항의하여 더민주당의 예비후보직을 사퇴하셨습니다.

독일, 프랑스, 이탈리아, 스위스, 스웨덴, 스페인, 캐나다, 맥시고, 브라질, 필리핀, 대만, 볼리비아 등 많은 나라들이 '투표소 수개표'를 하고 있습니다. 투표소 개표는 개표 시간 단축으로 선거비용 예산을 절감할 수 있고, 개표 결과를 신속·정확하게 알 수 있으며, 전자개표기 사용으로 인한 오류로부터 부정선거를 예방할 수 있습니다.

현재 개표소에서 사용되고 있는 '전자 개표기'는 불법장비로 공직선거법 부칙 제5조에 "전자개표기는 오직 '보궐선거'에만 사용할 수 있고, 대통령·국회의원·시도지사 선거에는 사용할 수 없다."라고 법으로 금지되어 있는데, 선관위에서 집중개표를 하면서 개표 시간을 절약시킨다는 명분으로 '전자개표기'를 사용하고 있습니다.

전국에 13,542여 개의 투표소에는 평균 3,000여 명의 유권자들이 있는데, 60%의 투표율로 예상하면 1,800여 표에 불과하여 투표함을 옮기지 않고 투표소에서 곧바로 개표를 한다면 한두 시간 안에 개표를 종료할 수 있습니다. 국민주권을 올바르게 행사하고도 부정의 소지를 안고 있는 개표제도를 '투표소에서 수개표' 입법화하여 민주주의의 초석을 다지고 '민주주의의 꽃'인 투명한 선거가 이루어지게 해야 합니다.

1992년 3월 22일 선거부정과 관련하여 국가가 안정적이기 위해서는 여당인 기호 1번을 강제로 선택하게 한 군부재자 공개투표 부정행위를 고발한 이지문 중위님이 계셨습니다. 이지문 중위님은 고려대학교를 졸업하고 전역 후에 대기업 입사가 확정되어 있었던 미래가 보장된 젊은이였습니다. 그러나 군부재자 투표 부정선거와 관련한 양심선언을 통하여 대기업 입사도 취소되었고, 내부 고발자로 낙인 찍혀 이등병으로 강등되어 불명예제대를 해야 했습니다.

잘못된 군부재자투표 부정을 바로잡았지만, 행복이 보장되어 있던 미래는 물거품이 되어 버렸고 고난의 삶을 살아야 했습니다. 용기 있는 한 젊은이의 값진 희생이 대한민국의 민주주의 발전에 이바지 하였습니다. 이지문 중위님은 모든 것을 잃고도 "그래도 나는 올바른 일을 했습니다."라고 말했습니다.

지난 4월에 치러진 20대 총선에서 경남 진주갑 선거구에서 170명이 부재자투표를 했는데, 개표 과정에서 비례대표를 뽑는 정당 투표지가 177장으로 여당 몰표가 나온 데다가 7표가 더 많이 나와 진주시민단체에서 부정선거 의혹을 제기하였습니다.

대선부정 소송을 진행하고 계신 한영수 대표님과 김필원 대표님을 위시 전국에서 4,005명의 시민이 참여한 공직선거법 제70조 위헌 소송 및 선거 개표 시 사용하는 기계장치, 전산조직 사용금지 소송은 2016년 3월 31일 헌법재판소에서 기각판결이 내려졌습니다.

국정원 직원이 지난 대선에서 '좌익효수'라는 아이디로 특정 선거후보를 비하하는 댓글을 올려 불법 선거운동을 한 혐의에 대해 재판부가 무죄 판결을 내려 검찰에서 항소를 한다고 합니다. 국정원 직원들은 국정원법에 정치·선거활동이 금지되어 있다고 하는데, 국정원 직원들이 국정원법 때문에 정치적 자유를 침해받고 있다며 위헌법률심판을 제청했다가 기각 당했습니다. 재판부는 '직업상 특수성 등을 고려해 볼 때 국정원 직원의 정치활동을 금지하고 이를 어길 경우 징역형과 자격정지로 처벌하도록 한 법조항은 헌법에 위배되지 않는다.'라고 밝혔습니다. 공무원은 선거법에도 정치적 중립을 지켜야 한다고 명시되어 있는데, 공무원은 직위고하를 막론하고 선거와 관련한 정치활동에 개입하는 행위는 일절 금지시키는 것이 맞습니다.

선거법 제90조는 "누구든지 선거일 전 180일부터 선거일까지 선거에 영향을 미치게 하기 위한 화환·풍선·간판·현수막·애드벌룬·기구류 또는 선전탑, 그 밖의 광고물이나 광고시설을 설치·진열·게시·배부하는 행위를 금지한다. 후보자를 상징하는 인형·마스코트 등 상징물을 제작해서도 안 된다."고 명시하고 있으며, 선거법 93조는 "누구든지 선거일 전 180일부터 선거에 영향을 미치게 하는 정당의 명칭 또는 후보자의 성명을 나타내는 광고·문서·도화·인쇄물이나 녹음·녹화 테이프, 그 밖에 이와 유사한 것을 배부·첩부·살포·상영 또는 게시할 수 없다."라고 되어 있는데, 후보자의 과거 이력과 관련하여 사실을 알려도 불법으로 선거법에 위반됩니다.

헌법 제21조에는 "① 모든 국민은 언론 출판의 자유와 집회 결사의 자유를 가진다. ② 언론 출판에 대한 허가나 검열과 집회 결사에 대한 허가는 인정되지 아니한다."라고 명시되어 있습니다. 헌법에 명시되어 있는 국민들의 권리조차 선거법으로 금지시키는 것은 헌법에 보장된 국민의 권리를 침해하는 것으로, 바로잡혀야 할 것입니다.

대한민국에서 민주주의를 신봉하는 '대한민국의 미래를 준비하는 사람들'의 '민주주의 시민동맹'은 시대의 동행으로서 대한민국에 민주주의의 초석이 다져지는 그날까지 멈추지 않고 시대의 동행으로 함께할 것입니다. 아래는 소송을 주관하신 박희정 대표님의 성명서입니다.

대한민국을 사랑하는 국민 여러분!

안녕하세요? 투표소 수개표 운동 전국시민연대 박희정입니다.

해방 후 70년간 우리 민족은 선거 후, 심각한 분열과 갈등을 빚어 왔고, 최근 3년간에는 지난 18대 대선 정통성 시비가 계속되고 있습니다. 이러한 민족 간의 극심한 갈등과 정통성 시비를 종식시키고자, 전국의 애국시민들과 함께 선거문화의 일대 혁명적인 수준의 개혁캠페인을, 지난 2년간 하루도 빠짐없이 사이버공간에서, 거리에서 지속적으로 해왔습니다.

국민 여러분! 대한민국은 아시아에서 유일하게 산업화와 민주화를 모두 이룩한 선진국가로, 1만 년 역사문화 선진국이기도 합니다. 일본이 있지만 일본은 사실상 자민당 일당독점 국가 아닙니까?

하지만 우리 대한민국도 통진당 해체, 세월호 사태, 국정교과서 파동 등, 제2의 유신을 방불케 하는 독재국가로의 회귀 국면으로 급속히 빠져들고 있습니다. 이러한 일련의 사태들은 정치적 민주화조차도 이 땅에 확실히 뿌리내리지 못했음을 의미합니다. 적어도 정치적 민주화, 다시 말하면 절차적 민주화는 완성되었다고 국민들은 믿었지만 그렇지 못합니다. 이러한 원인은 어디에 있을까요?

4·19 혁명과 87년 6월 항쟁은 시민혁명으로 완성되지 못했습니다. 시민혁명 이후의 국가 사회, 경제 시스템의 민주적 개혁을 등한시한 결과, 오늘날 다시 과거 권위주의 시대의 역사가 되풀이되고 있습니다. 시급히 개혁해야 할 국가 사회, 경제 시스템 중의 하나가 선거 시스템입니다.

두 차례의 시민혁명이 완성되지 못한 것은 권위주의적인 군부독재 아성을 무너뜨렸지만, 독재정권을 걷어 내는 과정과 그 이후에 대한 준비가 없었다는 것입니다. 지금의 87년 체제가 수립된 선거 과정은 여전히 군부독재하의 선거관리 체제였던 것이죠.

현행 공직선거법에 규정된 투표지 분류기, 투표지 분류기 제어용 컴퓨터 및 '기계장치 또는 전산조직'을 사용하여 개표하는 방식은 "모든 권력은 국민으로부터 나온다."는 헌법 1조 제1항 등에 위반하는 것입니다. 국민들이 투표한 후 개표하는 과정이 국민들의 통제하에 있지 않기 때문에, 현행 공직선거법은 '투표소에서 수개표'가 가능하도록 개정되어야 할 것입니다.

그러므로 "개표와 관련된 기계장치와 전산조직 사용"은 20대 총선과 19대 대선에서의 사용은 금지되어야 마땅합니다. 권력이 심어 놓은 정치 세력들을 정치 현장에서 떠나게 하는 방안은 '투표한 현장에서 투표 후 즉시 개표'하여 권력이 인위적으로 주권을 훼손하지 못하게 하는 선거문화의 혁명을 위해, 선거제도의 개혁을 정치권에게 다음과 같이 요구합니다.

1. 중앙선거 관리위원회의 정권으로부터의 독립성 확보(중앙선관위장 직선제 실시 등).
2. 투표지분류기 및 전산조직 사용폐지 및 투표한 장소에서 수작업으로 개표.
3. 투표소 참관인 및 개표종사자 관리 국민의무제로 법제화.
4. 투표 및 개표 전 과정 cctv로 촬영, 20년간 보관.
5. 투표함 투명 아크릴 강화 유리소재 사용, 현행 플라스틱 투표함 폐지.
6. 투표 시 투표소 자동카운트 기기, 투표함 부착 사용.
7. 투표 시간 4시간 연장 및 투표일 일요일 실시.
8. 사전투표제 폐지 – 부재자 투표제로 최소화 실시.
9. 투표지 후보 기호 대신 사진 부착 유권자 선택.
10. 후보 사퇴자 투표용지 인쇄 제외 무효표 최소화.
11. 투표용지 일렬번호 인쇄된 내역과 사용된 투표용지 검증 제도화.
12. 투표지 대량 복제를 막는 동일도장 사용 대신 각자 기표하기.
13. 현행 19세 선거 연령 조정.

국민 여러분!

마지막으로 말씀드린 13개항 개혁조치가 정치권에서 수용되지 않으면, 선거문화 개혁과 관련된 개혁입법을 놓고, 국민투표 실시를 국민들과 함께 요구할 것입니다. 감사합니다.

2015. 11. 10.

투표소에서 수개표 운동 전국 시민단체연대

정의로운 대한민국을 위하여

국어사전에 '정의(定義·正義)'라는 사전적인 뜻풀이는 '사회나 공동체를 위한 옳고 바른 도리'라고 되어 있다. 아리스토텔레스가 말하는 철학적 정의는 평등이다. 플라톤의『국가론』에 등장하는 트라시마코스는 "정의란 강자의 이익 이외에 아무것도 아니다."라고 말했으며, 울피아누스는 "각자에게 그의 몫을 돌려주고자 하는 항구적인 의지"라고 표현했다. 플라톤은 "개인이나 국가에 있어 각 구성 요소가 조화를 이루어 기능을 발휘하는 것"이 정의라 했고, 니체는 "힘이 곧 정의다."라고 말했다.

지금 대한민국에는 정의라는 힘에 논리에 정치·경제·사회 전반에 걸쳐 불의와 부정이 횡행하고 있다. OECD에서 회원국을 조사 대상으로 한 대한민국 국민의 정부에 대한 신뢰도는 34%, 사법부 신뢰도는 27%라고 발표되었다.

무박 4일 동안 판문점에서 열린 북한의 지뢰·포격도발로 인한 긴장 고조 상황을 해소하기 위한 남북 고위급 협상이 오늘 타결되었다. 북한 측은 지뢰 폭발에 대해 사과가 아닌 유감을 표명했다. 지난 대선 당시 한나라당의 후보에게 유리한 상황이 연출되도록 하기 위해 대한민국 정치권은 국민 몰래 북한 정권에 적지 않은 돈뭉치를 건네며 도발을 주문했음이 드러났다.

권력을 유지하려는 불의한 정권이 정치적 위기에 직면하여 타개책으로 남과 북의 긴장 상황이 연출될 때마다 양치기 소년의 우화가 떠오른다. 요즘 남과 북의 긴장 상황에도 국민들은 평온한 일상을 즐기고 있다는 뉴스가 보도되었다. 한마디로 약발이 떨어졌다는 증거이다.

비무장 지대의 대한민국의 관할 구역에 북한군이 몰래(?) 넘어와서 지뢰를 매설하여 지뢰 폭발로 다리를 잃고 목숨을 잃은 대한의 아들들이 있다. 국방부와 정부는 틈만 나면 국방과 관련하여 최첨단 무기로 무장하여 개미 한 마리도 얼씬할 수 없다고 호언장담을 해왔지만, 북한 병사의 노크귀순과 같이 결과는 정반대로 돌아왔다. 이는 휴전선이 뚫려 있다는 증거이다.

북한의 1년 국방예산은 1조 원, 전시작전권도 없는 대한민국은 1년 37조 원의 천문학적인 국방예산을 투입하고도 국방 비리로 국민의 혈세가 낭비되고 있고, 남북문제에 있어서는 매년 똑같은 행태의 크고 작은 사태가 끊이지 않고 발생하고 있다. 북한군이 몰래 휴전선을 넘어와서 지뢰를 매설할 동안 우리 군은 무엇을 했다는 것인가?

내 집을 지켜야 하는 것은 우리의 의무이다. 그 의무를 게을리 하지 않고서야 어찌 이런 참담한 사태가 일어날 수 있겠는가! 북한군을 탓하기 이전에 위선과 공작정치에 능한 대한민국 정치권의 썩은 정신부터 도려내야 한다. 제대 3개월을 남겨 놓고 지뢰와 폭격도발로 초비상이 걸려 완전 군장을 하고 밥 먹고 군화를 신은 채로 자고 있다는 아들의 볼멘 전화에 어느 부모가 편안한 잠을 이룰 수 있겠는가?

정의를 가장한 불의한 집단이 권력을 유지하기 하기 위해 온갖 부정을 저지르는 통에 국민의 4대 의무를 성실하게 수행하고 있는 대한민국 국민들은 오늘도 불편한 잠을 청해야 한다. 권력을 탐하는 여당이나 야당은 진실 너머(?)의 정치를 이제 그만 끝내고 만민공회가 추구하는 국민 각자가 누려야 할 몫을 돌려주는 국민과 함께 진실 안에서 제대로 된 정의의 정치를 이루어 내 주기를 염원한다.

2015. 8. 15.

한 고등학교에서 한자 능력시험을 치렀다.
그런데 문제를 제대로 푼 학생은 한 명뿐!

[문제] 다음에 열거되어 있는 사자성어들을 하나로 통폐합하여 하나의 사자성어로 표현하면?

마이동풍(馬耳東風)	풍전등화(風前燈火)
우왕좌왕(右往左往)	유야무야(有耶無耶)
용두사미(龍頭蛇尾)	조령모개(朝令暮改)
일구이언(一口二言)	당동벌이(黨同伐異)
뇌물수수(賂物授受)	안면박대(顔面薄待)
후안무치(厚顔無恥)	책임회피(責任回避)
안하무인(眼下無人)	막무가내(莫無可奈)

[답] 국회의원(國會議員)

달맞이길에서 외침

현재 부경대학교 국제학부 교수이자 부정부패추방실천시민회의 오천만시민감시단 부단장이신 정성희 교수님이 집필한 『달맞이길에서 외치는 소리』를 읽어 보았다.

이 책은 재건축과 관련된 비리를 파헤친 내용으로, 재건축을 위해 설립된 조합의 장이 건설사와 결탁하여 조합원들에게 돌아가야 할 수익을 편법을 이용하여 갈취하고 하루아침에 벼락부자가 되어 이의 부당함을 바로잡아 조합들에게 되돌려 받을 수 있게 해달라는 정성희 교수님과 조합원들의 바람을 검찰과 정치권, 대한민국에서 가장 힘 있다는 시민단체마저도 철저하게 외면한 사건을 다루고 있다.

정교수님이 살고 계신 부산 해운대의 아파트는 2000년 5월부터 2002년 10월까지 재건축 되었는데, 재건축 준공 이후 재건축조합장의 재건축 비리 소문이 떠돌다가 150억 원대에 이르는 비리의 규모와 내용이 정성희 교수님이 동대표를 맡으시면서 2008년 3월에야 진실로 드러나기 시작했다. 불편한 세력들은 조합장의 비리를 파헤치고 있는 정 교수님의 집과 연구실에 불법으로 침입하여 비리와 관련된 증거서류와 자료들을 의도적으로 없앴다.

이에 신변의 위협을 느끼신 정 교수님은 위험에서 벗어날 수 있는 방법으로 조합장의 비리를 고발하여 공표하는 것이라 판단하고, 대한민국에서 시민들을 위해 가장 크고 힘이 있다고 생각한 A시민단체에 사건을 알리고 도움을 청했다. 그러나 사건을 접한 시민단체에서는 아무런 도움을 줄 수 없다는 답변만 돌아왔다.

정 교수님은 이 사건을 부정부패추방실천시민회에 고발하고 재건축조합원이었던 입주민들을 대표하여 2008년 12월 17일 처음으로 조합장의 비리 고발을 시작으로 경찰과 검찰과 법원에 수십 통의 고소와 항고와 항소, 진정서를 내면서 5년째 힘든 싸움을 벌이고 있다. 그러나 검찰에서는 7년의 공소시효를 적용하여 사건이 종결된 것으로 간주하고 있다.

재건축으로 하루아침에 막대한 부를 축적해 놓은 조합장의 비리와 관련하여 검찰에서 번번이 무혐의 판결을 내린 것은 오로지 통장 거래 내역을 추적하여 조합장과 가족들에게 돈이 흘러 들어간 흔적이 없다는 이유였다. 사건에 대한 조사도 형식적으로 이루어졌고, 담당했던 검사들조차 입증 증거서류들을 고의적으로 누락시키기도 했다고 한다.

분명히 재개발과 관련하여 조합들에게 돌아가야 할 수익을 조합장이 사사로이 갈취한 병원 건물 및 상가 부동산이 장물의 증거로 존재하고 있다고 한다. 그렇다면 검찰에서 사건을 해결하기 위해 해야 할 일은 거꾸로 조합장에게 상가 부동산 구입자금의 출처를 명확하게 밝히도록 하면 된다. 아무것도 없는 조합장이 어느 날 갑자기 벼락부자가 되었다면, 이는 로또복권 1등에 열 번 당첨되지 않는 한 있을 수 없는 일이다.

우리나라 전역에 재개발이라는 명분으로 자행되는 재건축에는 조합원들에게 불합리한 제도가 내 땅을 건설사에 내주고 아파트에 입주할 때는 막대한 입주비를 내야 한다는 것이다. 예를 들어 내 땅에 20층의 고층 아파트가 들어섰다면, 건설회사에서는 내게 배정된 아파트 한 채외에 19개 층의 아파트를 분양하여 벌어들이는 수입은 그야말로 천문학적일 것이다. 그렇다면 건설회사는 땅을 소유하고 있는 조합원들에게 아파트 서너 채를 거저 주어도 남는 장사인데, 땅을 내어준 조합원들에게 무상이 아닌 유상으로 평당 일정 금액을 부과하여 받고 있으니, 조합원 입장에서는 불합리한 일이다.

또한 입주비가 없는 주민들에게는 토지보상이 현재 거래 가격이 아닌 공시지가의 1.3배로 산정하여 준다고 한다. 정부 공시지가와 실제 거래 가격 차이는 평당 수백만 원에 이른다고 한다. 결국 손해를 보는 것은 힘없는 서민들이다. 대부분의 주민들은 이 보상금으로는 살 집을 구할 수가 없어 더 낮은 곳으로 갈 수밖에 없다고 한다.

건설사에서 이왕 보상해 줄 바에는 자신들에게 돌아올 이익 중에서 일부를 적절히 보상하여 돌려주는 것이 합당한 처사다. 재개발 지역의 토지보상과 관련하여 끝까지 이주를 거부하며 건설회사에 저항을 한 지역민의 속마음이 이해가 된다.

재개발이나 재건축은 결국 부조리한 조합과 건설사만 배불리는 일이다. 차후 재개발. 재건축과 관련하여 조합원들이 손해를 보지 않게 건축 관련법을 제정해야 한다. 이 나라 대한민국에서 재개발이나 재건축을 통하여 건설사와 야합하여 조합들에게 돌아가야 할 이익을 갈취하는 부조리하고 양심 없는 조합도 사라져야 하고, 비리로 부당한 이익을 챙기기 위해 부실시공을 일삼는 건설사도 영원히 사라져야 한다. 재건축이나 재개발은 국영기업인 LH로 하여금 합리적인 비용으로 재건축을 전담하게 하면 좋겠다는 생각이다.

부산의 재건축 비리 사건을 통하여 이 나라 대한민국에는 정의를 바로 세울 대통령도, 국회의원도, 검찰도, 시민단체도 없다는 것을 명확하게 알려 준 셈이다. 부정부패추방실천시민회의 박흥식 대표님은 정성희 교수님께서 고발한 재건축 사건을 홈피에 게재하고 논평을 내셨고, 이 사건을 바로잡기 위해 법적인 방안을 모색해 나가고, 피해자인 약자를 위한 제대로 된 사법감시센터 건립을 목표로 하고 계시다.

2013. 5. 8.

정혜옥 부추실 오천만시민감시단 부단장 / 시민기자

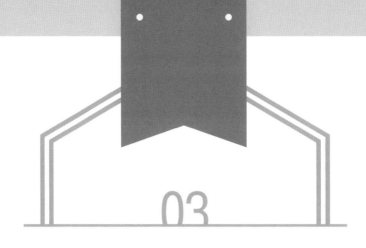

03

제 3 장

궤변론자들의 시대

청년들을 위하여

　구직자들을 상대로 잡코리아에서 설문조사를 한 결과, 76.1%가 이민을 떠나고 싶다는 의사를 표시했는데, 그 이유로는 빈부격차와 나쁜 복지정책과 심각한 실업을 꼽았습니다.

　지금 대한민국은 청년들이 꿈을 꿀 수 없는 사회가 되어 있습니다. 대한민국 100만 명의 젊은이들이 자신들의 꿈을 펼칠 직업을 구하지 못한 '실업자 신용불량' 청년실업으로 인해 '청년실신시대'로 불리고 있습니다. 이것은 전적으로 정치가 잘못되었기 때문입니다.

　근시안적인 정·재계가 결탁하여 기업의 이윤을 인건비에서 절감하려고 하다 보니 정규직 임금의 60%를 받는 비정규직을 양산하여 100인 이하 기업에서는 비정규직을 88.8%까지 고용하고 있습니다. 이렇게 비정규직이 늘어나다 보니 저임금으로 소비가 위축되어 기업의 영업이익이 감소하고, 영업이익의 감소로 인해 기업은 계속 비정규직을 선호할 수밖에 없습니다. 이에 반해 선진국에서는 소비를 촉진시키기 위해 최저임금을 인상하였습니다.

　지속적인 비정규직 양산은 꿈과 희망을 잃은 젊은이들의 결혼 포기로 결국 저출산율로 이어져 인구 감소로 인해 국가의 존립조차 위태롭게 하고 있습니다. 지금 대한민국의 청년실업률은 11.1%로 100만 명에 육박하고, 청년 취업자 5명 중 1명은 단기 계약직이고 비정규직 근로자의 정규직 전환은 11%입니다.

결국 정부에서 추진한 '기업하기 좋은 나라'는 결국 청년의 비정규직화로 불안한 사회를 만들어 놓았고, 청년들은 현재 구직과 관련하여 꿈, 적성 운운하면 '철없고 배부른 소리'로 핀잔을 듣는 시대가 되었습니다. 10년 전 '88만 원 세대'라고 한탄했던 30대들이 대한민국의 암울한 경제 현실과 맞물려 연애·결혼·출산을 포기한 '3포 세대'로 전락했고, 꿈을 잃어버린 20대는 스스로를 쓸모없는 '잉여세대'라 칭하며 그저 일만 시켜 달라는 '열정 노예세대'라고 자조하고 있습니다.

취업이 어려워 아르바이트로 생활해 오던 30대 남매가 생활이 어려워지자 아버지의 4억 원대의 재산을 노리고 살해하려다가 경찰에 구속되었다는 뉴스도 보도되었습니다. 언제부터인가 대한민국의 부모들에게 세 가지 병신은 모든 재산을 자식에게 주고 병든 사람, 부인이나 남편에게 재산을 다 주고 타 쓰는 사람, 재산이 아까워서 쓰지 못하고 죽은 사람이라고 합니다.

몇 달 전 『녹색평론』에 서강대 A교수가 서울시에 거주하는 대학생들을 상대로 "아버지에게 원하는 것이 무엇인가?" 하는 설문조사를 한 결과, 설문에 참여한 40%의 학생들이 "돈을 원한다."라고 답했다고 합니다. 또 "부모가 언제쯤 죽으면 가장 적절할 것 같은가?" 하는 설문 조사에서는 "63세"라고 답한 학생이 가장 많았다고 합니다. 그 이유는 은퇴한 직후 퇴직금을 남겨 놓고 사망하는 것이 가장 이상적이기 때문이라고 합니다. 장기적인 실업과 고용 불안이 건강한 대한민국 젊은이들의 가치관마저 비이성적으로 바꾸어 놓고 있는 것입니다.

대한민국은 기업에 이로운 노동정책으로 인해 비정규직이 70%를 차지하는 것이 노동시장의 현실입니다. 이로 인해 '3포 세대'에서 '청년 실신시대', '열정노예의 시대'에 이어 연애, 결혼, 출산, 인간관계, 주택 구입, 희망, 꿈을 포기한 이른바 '7포 세대'라는 신조어 까지 등장했습니다.

대기업들은 글로벌 기업으로 발돋움하겠다는 명분으로 인건비가 저렴한 제3국으로 이전하여 국내에서는 일자리가 계속 감소하고 있는 추세입니다. 결국 경제학 박사에서부터 명문대 출신의 은행, 증권, 전자, 해운사 등에 근무하는 엘리트들은 복지선진국인 북유럽 국가로 이민을 가기 위해 어려운 일반이민보다는 영주권을 쉽게 얻을 수 있는 기술이민을 가기 위해 자동차정비 기능사, 기사, 용접공 자격증 취득을 위해 학원에 다닌다고 합니다. 이렇게 명문대 출신의 젊은 부모들이 선진국으로 이민가려는 이유는 잘못된 정치로 인해 양육비와 교육비 문제, 연금혜택 축소, 높은 주택 가격과 높은 실업률로 한국에서의 삶이 갈수록 자식들 세대에게 점점 불리해지고 있기 때문이라고 합니다.

노무현·이명박의 전 정권에 이어 박근혜 정부도 기업이 잘되어야 중산층·서민이 잘 살 수 있게 된다는 논리로 기업에 과다한 혜택을 주며 성장우선 정책을 펼쳐 온 결과, 대한민국은 경제협력개발기구(OECD) 회원국 중에 성장률이 가장 높은 나라 중의 하나로 꼽혔습니다.

그러나 기업들은 정부정책을 역이용하여 정규직 임금의 54%를 받는 비정규직을 채용하여 인건비 부문의 지출을 줄여서 사상 최대의 사내유보금 500조 원을 쌓아 놓았고, 중산층·서민들이 바라는 잘 사는 세상은 오지 않았습니다. 오히려 반대로 대한민국이 임금소득 불평등으로 인해 빈부격차가 심해져 OECD 국가 중에서 네 번째로 임금이 가장 불평등한 나라 중의 하나가 되었습니다.

대한민국 상위 10%가 전체 소득의 48%를 가져가고 나머지 90%가

52%의 소득을 나누어 가져야 하는 상황입니다. 덴마크는 상위 10%가 전체 소득의 27%를 가져간다고 합니다. 대한민국은 미국 다음으로 저임금 노동자의 비율이 높고, 고용불안이 극심한 비정규직 노동자의 비율도 세 번째로 높은 나라가 되었습니다. 이는 정규직과 비정규직 간의 임금 격차가 심화된 것이 주요 원인입니다.

오랜 세월 동안 능력 없는 정치인들이 엉망진창으로 국정을 농단한 결과, 대한민국이 외환위기(IMF)를 겪으며 알짜배기 기업들과 금융권이 헐값에 외국자본으로 넘어가 한국 경제의 8할 이상이 외국자본에 좌지우지되고 있는 현실에 고용불안까지 겹쳐 있습니다. 대한민국은 1997년에 닥친 외환위기부터 2015년까지 기업들에 투입된 국민혈세는 총 168조 원으로, 이 중 60조원 이 미회수된 상태입니다.

그런데 이렇게 막대한 국민혈세 투입으로 살아남은 기업들이 인건비를 줄여서 이익을 보겠다고 해외로 일자리를 빼돌리고 있습니다. 현대자동차는 2008년까지 국내에서 60%를 생산하고 해외에서 40% 생산했고, 2015년에는 국내에서 37%를 생산하고 해외에서 63%를 생산하고 있습니다. 삼성 역시 10만 개의 일자리가 창출되는 휴대폰 생산기지를 베트남으로 옮겨 가 2014년부터 베트남에서 휴대폰 절반을 생산하고 있습니다.

대한민국 헌법 32조에 "① 모든 국민은 근로의 권리를 가진다. 국가는 사회적 · 경제적 방법으로 근로자의 고용의 증진과 적정 임금의 보장에 노력하여야 하며, 법률이 정하는 바에 의하여 최저 임금제를 시행하여야 한다. ② 모든 국민은 근로의 의무를 진다. 국가는 근로의 의무의 내용과 조건을 민주주의 원칙에 따라 법률로 정한다."라고 명시되어 있습니다.

현재 100인 이하 기업에서 비정규직을 88.8%까지 고용하고 있다고 합니다. 선진국인 덴마크의 비정규직은 10% 정도이고, 대부분 파트타임직이라고 하는데, 동일노동·동일임금을 적용하는 법이 있어 비정규직의 임금이 정규직에 비해 최고 3배가량 많다고 합니다.

　대한민국도 국가의 존립 자체를 위태롭게 하는 중규직 고용법을 폐지하고 비정규직 고용을 20% 이내로 제한하는 법을 제정하여 대한민국의 젊은이들에게 잃어버린 꿈과 희망을 되찾아주고, 헌법에 명시되어 있는 국민의 근로의 권리와 의무를 이행할 수 있게 하여 민생안정을 도모하고 대한민국이 안정적인 사회가 이루어질 수 있게 해 주십사 정치권에 제안합니다.

2015. 7. 15.
구국실천연대 부정부패척결 성토대회에서
정혜옥 정의사법구현단 운영위원

새총의 위력

　2009년 경영상의 위기를 이유로 구조조정 과정에서 발생했던 해고 노동자들에 대해 쌍용차 노사는 2015년 말 정리해고자의 단계적 복직을 골자로 한 합의를 타결하여 해고된 조합원들이 2016년 2월부터 회사에 다시 출근했다는 따뜻한 소식이 보도되었다.

　쌍용자동차 해고 노동자 문제는 지난해 대법원에서 패소판결까지 받은 사건이었다. 지난 7년 동안 부당한 해고에 맞서 회사와 힘겨운 싸움을 벌여 온 150명의 노동자들 중 생활고에 시달리다 25명이 자살로 생을 마감했다.

　쌍용자동차 해고 노동자와 관련하여 가족의 생존권이 달려 있는 사회적인 문제에 대해 여야는 합심하여 해결해 줄 적극적인 노력을 하지 않았다. 이 나라의 높은 직위에 앉아 있는 분들은 자신들의 소망을 이루기 위해 절과 교회와 성당에 나가 기도를 하면서 자신들의 하늘인 국민들의 간절한 소망을 저버리고 있었다.

　절에 가면 살아 있는 부처님은 계시지 않고 불상만 자리를 차지하고 있듯이 교회 역시 살아 있는 성령은 계시지 않고 예수님이 못 박혀 있는 십자가만 벽에 매달려 있다. 우상이 무엇인가! 우리가 섬겨야 할 대상이 바로 내 부모와 자식이다.

내 가정이 성령께서 원하시는 성전으로 그 성전을 지켜 주어야 하는데, 국민들을 상대로 정치 사기극을 벌인 정치인들과 재벌들의 썩은 정신으로 인해 부당한 정리해고로 하느님의 성전의 기본이 되는 가정이 파괴되고 있다. 가족의 생존권이 걸려 있는 사안마저도 이 나라의 소위 지도층이라는 보수 지식인을 가장한 인사들은 철저하게 외면하며 노동자들을 좌파로 매도하였다. 이 나라 대한민국에서 진짜 좌파는 국민과 국익에 반하는 행위를 일삼는 집단이나 개인으로, 나라 안 곳곳이 썩은 냄새로 진동하고 있어도 애써 눈감고 외면하여 회생불가능 상태가 되도록 방치한 사이비 언론과 정치권이다.

해고된 노동자들은 그저 회사가 시키는 대로 열심히 일한 것밖에 없는 한 가정의 평범한 가장들이었다. 회사의 경영 위기를 이유로 억울하게 노동자들을 해고한 것은 살인과 다름없었다. 해고된 노동자들은 그 어느 회사에서도 받아 줄 곳이 없기 때문이다.

아직까지도 대한민국에서 가족의 생계가 달려 있는 노동자의 생존권과 관련하여 회사 측의 부당한 정리해고에 맞서 복직을 요구하는 일이 좌파적 행위로 매도되고 있는 일은 가슴 아픈 일이 아닐 수 없다. 대한민국의 보수 우파가 나서야 할 이 사안에 대해 정작 보수우파라는 인사들은 뒷짐을 지고 있었다.

약자에게 해롭고 자신에게 이로우면 선이요, 약자에게 이롭고 자신에게 해로우면 악이 되는 논리는 바로 대한민국 정치권만의 좌파와 우파를 나누는 논리의 핵심이다. 힘없고 억울한 약자의 입장에 서면 좌파와 우파의 논리가 명확해지는데, 모두 자신이 속한 단체와 자신의 이익과 관련한 입장에서 생각하기 때문에 자칫하면 자기모순에 빠질 수밖에 없는 것이다. 대한민국의 재벌들은 상생의 차원에서 자신들의 욕심을 채우기 위해 과다한 노동자의 희생을 강요하는 악마의 공급경제학 논리를 추종하는 시대는 이제 끝내야 한다.

대법원의 판결과는 상관없이 노사합의를 통하여 상생의 차원에서 부당하게 정리 해고당한 노동자들을 복직시켜 위기의 가정을 구해 주시고, 온 가족들이 편안한 마음으로 따뜻한 밥상을 마주할 수 있게 해 준 것에 대해 진심으로 감사드린다.

그런데 복직할 날만을 손꼽아 기다리고 있는 해고 노동자들에게 날벼락과 같은 소식이 전해졌다. 2016년 6월 4일자 오마이뉴스 보도에 의하면, 2016년 5월 17일 쌍용차 파업에 대한 국가손해배상소송 2심판결이 있었는데, 2009년 여름 파업진압을 위해 투입한 경찰헬기에 노동자들이 문방구에서 파는 새총을 쏘아 조종석 앞 유리와 날개가 파손되고 3대의 크레인이 파손되었다는 이유로 노동자들에게 총 11억 6천7백 6십만 원을 손해배상 청구금액으로 판결했다.

법원은 노동자들이 새총으로 헬기를 부줬다는 경찰의 의견을 그대로 반영해서 손해배상청구금액으로 판결한 깃이다. 쌍용차 평택 공장에 경찰이 폭포처럼 쏘아댄 이 최루액은 몸에 닿기만 해도 수포가 생겼다고 하는데, 경찰이 헬기로 무차별 분사한 최루액은 경찰이 보유한 십 년 치 양이라고 한다.

2심 재판부는 가장 큰 액수(7억 4천만 원)를 차지하는 크레인 3대 파손을 전부 인정한 1심과는 달리, 경찰의 무리한 장비조작을 인정한다면서 5억 9,440만 원(80%)을 배상하라는 판결을 내렸다. 파업진압에 사용되었던 헬기(3대) 손해(6억 8천만 원가량) 배상 관련해서는 1심에서 관련 없는 수리비용으로 본 7천만 원을 감액했고, 여기에 더하여 로터블레이드(주 날개, 꼬리날개) 감가상각액 9천만 원 감액, 중고로터블레이드 처분액 4백만 원을 감액하여 총 5억 2,050만 원을 인정하였다. 크레인과 헬기 수리비는 전체 손배금액 중 95.5%를 차지했다. 나머지 경찰 위자료 3,870만 원, 경찰 치료비로 1,080만 원, 기타 차량피해, 진압장비, 무전기 피해에 대하여 320만 원을 합하여 총 11억 6,760만 원을 판결했다.

여기에 덧붙여 판결 이전은 연이자 5%, 판결 이후에는 연이자 20%로 책정되었다. 그래서 현재까지 이자를 포함하면 15억 정도가 손해배상청구금액으로 책정되었고 이후로는 하루에 62만 원의 지연 이자를 내라고 판결했다.

당시 이명박 정부는 노사문제에 대해 개입할 수도 없고 개입해서도 안 된다면서도 '오죽하면 기업이 직원을 해고하겠냐', '귀족노조의 배부른 파업이다'라고 노조 때리기에만 열을 올렸다. 쌍용차 구조조정사태가 왜 일어났는지, 경영상의 위기는 누구의 잘못으로 진행된 것인지 낱낱이 밝혀야 할 책임을 외면하곤 불법파업을 그만두라 으름장을 놓다 결국 경찰특공대를 포함한 1만여 명의 경찰들을 진압작전에 투입했다.

더욱이 쌍용차 공장점거파업은 노동자들의 자주적인 판단과 적법한 방법으로 진행된 파업이었다. 정부가 나서서 헌법에 보장된 노동 3권을 부정하고 파업을 깨기 위해 공권력을 투입하는 것 자체가 일방적인 폭력이었고 불법행위였다.

쌍용차 정리해고로 인해 7년간 28명의 희생자가 발생했다. 그 과정에서 경영상의 위기를 불러온 경영진들, 파업을 깨기 위해 폭력을 저지른 관리자들과 용역깡패들, 불법적인 공무집행을 하고 집단폭력을 자행했던 경찰들은 누구도 처벌되지 않았다. 오로지 쌍용차 해고자들만이 불법폭력 파업으로 낙인찍힌 범죄자가 되거나 사실상의 죽임을 당했다. 어렵게 노사 합의로 쌍용차 문제가 해결되어 가는 마당에 국가와 법원이 나서서 이런 사기 같은 판결을 내린 저의가 궁금하다.

손해배상 판결이 내려진 직후 검찰청에서 해고 노동자들에게 DNA 채취 출석 요구서를 보내왔다는데, 검찰청에 문의하니 담당 직원은 강력범죄를 저지른 이들에게만 보내는 건데 마음 많이 상하지 말라며 위로를 건넸다고 한다. DNA 채취 출석 요구서를 받은 희망 퇴직한 동료에게서 전화가 왔다.

"해도 해도 너무한다. 이제 어떻게 하냐?"

노동을 천시하고 불법으로 내몰고 끝내 죽이는 이 사회가 이제 어떻게 할지 답할 차례다. 공권력이 무리하게 장비운용을 하고도 파업에 대한 모든 배상책임을 당국에서 불법무기로 인정한 새총으로 대항한 힘 없는 해고 노동자들에게 전가한 것이다. 참으로 대단한 새총의 위력이다. 대한민국 만세다.

미친 전세가와 리터루족

　시부모님을 모시고 살던 시절 명절을 며칠 앞둔 어느 날 낯선 중년의 신사 한 분이 아버님을 뵙겠다고 찾아오셨다. 나중에 알고 보니 그분은 아버님 집에 세 들어 살았던 세입자라고 하셨다.

　큰 집을 소유하셨던 아버님은 세입자가 집을 사서 나갈 때까지 전세금이나 월세금을 올려 받지 않으셨다고 한다. 아버님 덕에 집을 장만하여 나간 세입자분들께서 아버님께 감사한 마음을 전하기 위해 찾아뵈었노라고 하면, 아버님은 집주인이 살림이 어려운 세입자들에게 응당 해야 할 일을 했을 뿐이라고 하셨다.

　요즘 낮은 은행금리로 인해 전세가와 월세가 감당할 수 없을 만큼 너무 많이 올라 독립했던 자녀들이 높은 주거비 부담으로 인해 연로하신 부모님께 얹혀사는 '리터루족'이 늘었다고 한다. 전세가는 보통 거래되는 집값의 90%에 육박한다고 하는데, 집값 하락에다 집주인이 신용불량이 되어 집이 경매에 넘어가게 되면 깡통주택으로 전락하여 세입자는 전세보증금도 돌려받지 못할 수 있다고 하니 걱정이 아닐 수 없다.

　20대 총선에서 야당이 '전월세 상한제'를 공약으로 들고 나왔는데, 내가 생각하기에 깡통주택으로 전락할 것을 대비하여 전세가는 거래되는 집값의 60%선에서 정했으면 좋겠다는 생각을 한다. 재계약을 할 경우에는 전세가의 10% 이상 올리지 못하도록 법으로 제정하면 세입자들에게 큰 도움이 될 것이다. 더불어 나라에서 신혼부부나 젊은이들에게 높은 주거비 부담을 덜어 주기 위해 저렴한 임대주택을 많이 지어 공급해 준다면 결혼을 미루는 젊은이들도, 출산을 꺼려하는 신혼부부들도 줄어들 것으로 생각한다.

2016년 3월 국민은행의 발표에 따르면 서울 아파트 평균 전세가격은 4억244만 원으로 2014년 2월 3억 원에 비해 2년 1개월 동안 1억 원이 오른 것으로 밝혀졌다. 서민들이 아무리 아끼고 아껴 저축을 한다 해도 2년 동안 1억 원을 모으는 것은 불가능에 가깝다.

지난 2014년 국토교통부가 국회의 요청으로 주거 실태 조사를 실시한 결과, 수도권 임대 거주자의 평균 소득에서 주거비 부담률은 27%에 달했고, 저소득층의 부담률은 무려 34%에 달했다. 20대 총선에서 더민주당이 국민연금을 재원으로 공공임대주택 공급을 활성화하는 공약을 내걸었는데, 전 국민의 43%가 세입자인 점을 감안하면 현실성 있는 공약이라 생각한다.

국민연금을 관리하는 국민연금공단에서 국·내외를 가리지 않고 무분별하게 연기금을 투자하여 막대한 손실을 초래했다고 하는데, 연기금을 국민들에게 꼭 필요한 공공임대주택의 재원으로 활용한다면 안정적인 운용이 이루어질 수 있을 것이다. 전세난민으로 인해 20대 총선에서 여당이 참패했다는 분석이 나오고 있는데, 여당은 시민단체나 야당에서 해결책으로 제시하고 있는 '전월세 상한제'에 대해 여전히 소극적인 모습을 보이고 있다.

대한민국이 주택사업에 있어 이익만을 추구하는 민간 아파트에 의존하고 있는 반면, 인구가 4백만 명도 되지 않는 싱가포르는 주택개발청에서 전체 주택의 80% 이상을 공공주택으로 건설하여 관장하고 있다. 주택개발청은 수요자의 소득수준에 맞는 주택을 공급하고 언제든지 소득 수준이 상승하면 그 수준에 맞는 새로운 아파트를 구입할 수 있도록 해 준다.

현재 대한민국에서 가장 높은 수익을 내고 있는 주택 임대사업과 관련하여 82%가 미등록 임대사업자인 점을 감안하면, 세금이 탈루되고 있다는 증거이므로 신고의무제를 도입하고 과세해야 한다. 나라의 근간을 뒤흔드는 주택 임대사업, 부동산 투기가 우리 경제와 사회에 얼마나 큰 해악을 끼치고 있는지 증명되고 있는 지금, 과다한 이익을 거둘 수 있는 토지와 주택을 투자 대상으로 삼아 사회불안을 야기하고 있으니, 주택 임대사업과 관련한 투명한 과세법이 제정되어야 한다.

대한민국에서 좀 더 많이 가진 사람들이 좀 더 많은 수익을 거두려고만 하여 약자인 청년들과 서민들의 희망을 죽이고 포기와 절망의 사회를 만들려 하지 말고, 가진 사람들이 이익을 낮추어 서민들에게 덕으로 베풀어서 희망을 키우게 도와주어야 한다.

요즘 미친 전세가와 관련한 기사를 대하다 보니 큰 부자는 아니었어도 집주인으로서 약자인 세입자들에게 보증금을 올리지 않고 자립하여 나갈 수 있도록 배려하신 아버님과 같이 덕을 베푸는 집주인이 그리운 세상이다.

세계 평화를 책임지는 위대한 '헬조선, 망한민국'

2015년 9월 26일, 유엔개발 정상회의에 참석한 박근혜 대통령은 개발도상국 소녀들의 보건·교육을 위해 앞으로 5년간 2억 달러(2,388억 원)를 지원하겠다고 했다. 또한 개도국 직업학교와 고등기술학교 건립 지원을 약속하고 북한의 도발을 억지 피력하며 유엔평화활동(PKO) 공병부대 추가 파견 등을 약속했다.

정부가 발표한 2016년 예산안에서 국내총생산(GDP) 대비 국가채무 비율이 40%로, 감당해야 할 1년 이자만 30조 원에 이른다. 국가부채 비율 40%는 재정건전성을 지키는 마지노선이라고 한다. 지자체의 파산 기준이 되는 채무비율도 40%라고 한다. 지자체나 국가나 채무비율이 40%이면 이는 곧 파산을 의미한다.

미국의 컨설팅 회사인 맥킨지(Mckinsey)는 우리나라를 '세계 7대 가계부채 위험국'으로 꼽았다. 대한민국은 가계부채비율이 163%로 미국의 113%, 스페인의 130%를 능가하며 가계부채가 늘어나는 속도가 세계 최고 수준이라고 한다. 영국 옥스퍼드 대학의 경제 연구기관인 옥스퍼드 이코노믹스(Oxford Economics)도 한국은 성장엔진이 작동을 멈추고 있는데 가계부채만 폭증하고 있으며, 그 부채 규모도 아시아 최대 규모로, 가계부채 위험이 가장 심각한 나라라고 꼽았다.

대한민국의 부채는 2016년 현재 1,287조 원이라고 한다. 경제협력개발기구(OECD) 또한, 한국은 가계가 빚을 갚느라 소비를 줄일 정도로 부채 악화가 심각하며, 이로 인해 앞으로 경기침체가 찾아올 가능성이 매우 커졌다고 경고했다. 국내총생산 대비 가계부채 비율이 10% 포인트 늘어나면 한국 경제가 경기침체에 빠질 가능성이 10%에서 40%로 늘어날 것이라고 전망했다.

현재 대한민국은 최저임금에 못 미치는 국민이 전체 근로자의 33%를 차지하고 있다. '헬조선, 망한민국, N포 세대, 88만 원 세대'라 불리는 청년 실업률은 8%라고 하지만 체감 실업률은 20%가 넘는다. 이러한 상황에 대한민국 유리지갑 국민들이 내는 세금은 피와 땀의 결과이다.

대한민국은 유일무이(唯一無二)한 분단국으로 종전(終戰)이 아닌 휴전(休戰)중으로 남북한이 위험한 군사대치를 하고 있는 상황에서 막대한 국가부채를 지고 있는 대한민국이 국민들의 피와 땀으로 이루어진 국민 혈세로 세계 평화를 지킨다는 명분으로 치안 유지에 필요한 공병을 파견한다는 것은 어불성설(語不成說)이다.

대한민국에는 대한민국 정부로부터 매년 1조 원에 가까운 과도한 방위비분담금을 지원받으며, 대한민국의 평화유지를 이유로 미군은 살상무기인 살아 있는 탄저균과 같이 생화학 관련 프로젝트인 '주피터 프로젝트'를 주한미군 기지 내에서 위험한 실험을 강행하면서 한국은 생화학 실험하기 좋은 나라라고 홍보까지 하며 주둔하고 있다.

대한민국 국민들의 혈세로 지원받은 방위비 분담금으로 주한미군은 1조 3천억 원을 쌓아 놓고 있고, 이자만 3,000억 원이 넘는다고 한다. 게다가 미국 공화당의 대선 후보인 트럼프는 한국과 일본, 독일이 미국에 엄청나게 빚을 지고 있다며 한국을 포함한 동맹국들의 안보무임

승차론을 제기하며 방위비 분담 비용을 올려야 한다고 주장하고 있다.

미·소 냉전시대가 종결된 후, 구소련이 해체되고 러시아연방공화국으로 거듭나면서 국제적으로 정치적 영향력이 약화되었는데, 미국은 정치적·군사적으로 무리하게 영향력을 행사하려는 행태를 멈추지 않고 있다. 그 결과 미국은 남북 간의 긴장 완화를 원하지 않고 있으며, 북한과 대치하고 있다는 특수한 상황을 최대한 이용하여 미국에서 생산한 최첨단 무기 구매를 부추기고 있고, 실제로 대한민국은 연간 구매하는 무기의 80%를 미국에서 들여오고 있으며, 그 금액은 무려 8조 원에 이른다. 미국은 세계 각국에 평화유지를 위해 노력한다고 하면서 실제로는 무기 판매로 자국의 이익을 실현하기 위해 불필요한 긴장을 조성하고 있는 것이다.

대한민국의 2016년도 국방 예산은 38조 7,995억 원이다. 천문학적인 국방예산을 투입하고도 끊이지 않는 국방 비리로 안보는 늘 제자리걸음이고, 빠진 당나라 군대에 비유된다. 국가 안보가치 3천만 원에 해당하는 병역의무를 하는 군인들에게 대통령은 12억 원을 들여 멸치 7마리의 특식을 지원하고, 군복무기간 동안 겨우 십 몇 만 원의 월급을 받는 군인들에게 교통비 할인 등 각종 혜택을 폐지하는 대한민국이다.

연간 1조 5천억 원의 예산을 가지고 100만 명의 성남 시민들에게 필요한 청년배당과 공공산후조리원과 교복지원 등 3대 무상복지를 실현하고 있는 이재명 시장님이 계시다. 남과 북이 통일을 이루어 국방에 소요되는 막대한 예산을 국민복지비용으로 전환한다면, 대한민국은 선진복지국가의 상위그룹으로 올라설 것이다.

지난 9월 11일 세계 112개국에 무상원조사업을 실행하고 있는 정부 무상원조 전담기관인 한국국제협력단(코이카)이 서울지방조달청에서 조달청과 연간 2,000억 원 규모의 대외무상원조 사업의 조달업무 협력을 위한 업무협조약정(MOU)을 체결했다는 보도가 있었다. 자국민을 위해 써야 할 국민들의 혈세를 임시직 정치인들이 해외에 나가 마치 제 주머닛돈인 것처럼 큰 금액을 선심 쓰듯 지원하겠다고 하는 것은 국민 정서에도 맞지 않고, 나라 재정 형편에도 맞지 않는 처사이다.

앞으로 정치인들이 국제적인 지원을 하려거든 국민의 혈세가 아닌 자신들의 사비로 지원하기 바란다.

2016. 6.

도화경 정혜옥 <small>만민공회 운영위원</small>

흙수저를 물고 나온 '불쌍한 영구' 이야기

대한민국에서 영구 임대 아파트에 사는 서민의 아이들을 자신의 이름으로 아파트를 소유한 사람들이 '영구'라는 별명을 붙여 주고 '영구'라고 부른다고 한다. 게다가 주변에 임대 아파트가 세워지면 자신들이 살고 있는 아파트 가격이 떨어진다고 극심하게 꺼려하며 자신의 자녀들과 임대아파트에 사는 자녀들이 함께 어울려 노는 것조차 꺼려하여 자녀들을 다른 학교로 전학 보내는 일이 전국적으로 벌어진다고 한다.

해당 지역 교육청 홈페이지에는 '학교 배정 바꿔 달라, 임대 아파트 아이들과 섞이고 싶지 않다, 같은 학교에 다니면 임대 아파트 아이들이 위화감을 느낄 것이다.'라고 억지민원의 글이 올라올 정도라고 한다. 어느 아파트에서는 임대 아파트에 사는 아이들이 등하굣길에 지나다니지 못하도록 철제담장을 설치했다고도 하고, 공유 놀이터에서조차도 함께 놀지 못하도록 일일이 신원확인도 했다고 하니 기가 막힐 노릇이다.

임대 아파트가 들어서면 집값이 하락할 거라고 우려한 서울의 한 아파트 주민들이 서울시와 구청, 재개발조합, 건설회사를 상대로 소송을 제기했다. 이 말도 안 되는 소송에 대해 2010년 1월 27일 서울중앙지법 민사 14부는 다음과 같은 판결을 내렸다.

"임대주택은 도심지역의 재개발 사업과 함께 반드시 건설되어야 하는 것으로 그 공익적 성격이 매우 높다. 기존 거주자들이 어느 정도 불편함을 느낀다거나 경제적 손실이 수반된다 하더라도 사회의 구성원으로서 당연히 감수해야 하며, 따라서 그 어떤 이유를 들어서라도 그로 인한 주장이 정당화될 수 없다."

민주주의의 핵심은 다양한 공동체의 삶을 일원화시키는 것이다. 그런데 요즘 젊은 청춘들이 SNS상에서 다소 자학적인 금·은·동·흙수저 빙고 게임이 열풍을 일으키고 있다고 한다. SNS에 떠도는 기준표에 따르면, 금수저는 자산 20억 원 이상에 연간 수입 2억 원 이상, 총인구 중 상위 1%, 은수저는 자산 10억 원에 연간 수입 8,000만 원으로 상위 3%, 동수저는 자산 5억 원으로 연간 수입 5,500만 원 이상 상위 7.5%, 놋수저는 자산 1억 원, 플라스틱 수저는 5,000만 원 이상이고, 흙수저는 5,000만 원 이하 연 수입 2,000만 원 이하라고 한다.

대한민국은 부모의 경제적 능력에 따라 자식의 사회적 등급이 매겨지는 사회가 되어 있다. 그런데 능력 있는 부모 만나 금수저를 물고 나온 자식들은 부모에게 재산을 증여받고도 부양의무를 제대로 이행하지 않아 자식들에게 증여받은 재산을 반환하도록 하는 '불효자식 방지법'이 국회에 발의되었다고 한다.

잘못된 정치가 양산해 낸 것이 바로 대한민국에서 흙수저를 물고 태어난 세대가 되어 버린 지금의 청년층이다. 대한민국에서 '불쌍한 영구'가 '흙수저'이다. 아무리 노오~오력을 해도 계층 간의 이동이 불가능해야 하는 것이 아니라 노력에 따라 성취할 수 있는 사회가 이루어져야 한다. 노력마저 포기하게 만든 불쌍한 영구들을 위하여 대한민국에서 참된 정치가 하루 빨리 이루어지길 소망한다.

스프링벅(Springbok), 대한민국(大韓民國)

아프리카 초원에서 수백 마리의 무리를 형성하고 풀을 뜯으며 서식하고 있는 스프링벅이 어느 날 집단 떼죽음을 당했다. 아프리카의 과학자들이 스프링벅의 떼죽음 현상을 밝혀내기 위해 그들의 습성을 연구·분석한 결과, 놀라운 사실을 발견했다.

무리를 지어 사는 스프링벅은 먹이 경쟁이 치열하여 더 많은 풀을 먹기 위해 수백 마리가 사력을 다해 먹이를 향해 동료보다 앞서 달려 나가다 보니 초원이 끝나는 강이나 절벽을 만나게 되면 앞뒤 분간하지 못한 채 그들의 습성대로 뛰어든다. 그저 먹이에 대한 단순한 목적 하나만을 맹목적으로 추구하다가 죽음에 이른 것이다. 결국 '스프링벅 현상'은 너도 나도 함께 망하는 공멸현상이다.

현재 '스프링벅 현상'을 보이고 있는 대한민국을 보면 정치인과 결탁한 부자들이 도를 넘어서고 있다. 부자들은 자신들의 재산을 가족들에게 상속하는 데 있어 국가에 한 푼이라도 세금을 덜 내기 위해 정치인들과 결탁하여 상속세 0%에 도전하고 있다. 1997년까지 1억 원이었던 가업상속공제액이 이명박 정부가 집권한 5년 동안 3차례에 걸쳐 개정되어 300억 원으로 늘어났고, 박근혜 정부 출범 후에는 500억 원으로 늘어났다.

특히 가업상속은 카지노 업종만 제외하고 자동차 판매업, 백화점, 대형마트, 음식점, 건설업 외에 주택임대관리업까지 포함하고 있어 '조물주 위에 건물주'라는 유행어까지 나돌고 있다. 2014년 12월 강석훈 등 새누리당 의원 11명은 가업상속공제대상 기업을 현행 연매출 3천억 원에서 5천억 원으로 확대하고 공제액도 500억 원에서 1,000억 원으로 늘리는 개정 법안을 발의했다.

현행 세법상 상속재산이 10억 원 이하면 배우자나 자녀들은 각종 공제혜택을 통해 상속세를 한 푼도 내지 않는다. 상속액이 30억 원을 초과해야만 최고 50%의 상속세율을 적용한다. 결국 부자들에게 감세를 해 주어 세금이 덜 걷히게 되면, 국가 경영이 어려워진다. 국가 경영이 어려워지면 국민들에게 돌아가는 각종 복지혜택이 줄어들게 됨은 물론, 모자란 세원을 충당하기 위해 국민들에게 갖은 명목으로 세금을 부담시킬 수밖에 없기 때문이다.

결국 부자들이 내지 않는 세금은 힘없고 가난한 국민들에게 간접세로 고스란히 전가되어 고물가로 국민들의 삶을 더 피폐하게 만든다. 그 결과, 꿈을 잃고 출산과 결혼을 포기한 N포 세대의 청년 실업층이 늘어나고 있다. 부자들의 세금 도둑질이 나라를 망하게 하고 있는 것이다.

반면 선진국인 미국에서는 상위 1%에 해당하는 디즈니나 록펠러 등 백만장자인 뉴욕의 갑부 51명이 주지사와 주의회에 소득 상위 1%에 대해 세금을 올려 달라고 제안했다. 이유는 뉴욕이 아동 빈곤율이 50%가 넘고 노숙자가 8만 명이 넘는 부끄러운 도시가 되어 있어 경제적으로 막대한 이득을 본 자신들이 기업가 정신에 입각하여 세금을 더 많이 낼 책임과 의무가 있다는 것이었다. 부정부패로 망해 가고 있는 대한민국의 국민들에게는 신선한 충격이 아닐 수 없다.

전 세계에서 1억 달러, 즉 1조 원의 재산을 가진 억만장자 1,926명 가운데 자수성가형은 1,191명에 이르는데, 각 나라별로 노력하면 성공할 수 있는 자수성가율을 보면 중국 97%, 영국 80%, 일본 73%, 캐나다·호주 70%, 미국 63%, 필리핀 53%, 태국 40%, 대한민국은 23%로 아무리 노력을 해도 성공하기 어려운 수치로 나와 있다.

대한민국 청년들의 국방의 의무는 1년 3천만 원의 가치에 해당되는데, 박근혜 정부에서 군복무 기간 동안 제공되었던 각종 복지혜택을 축소 내지는 폐지하여 칫솔과 치약, 세탁비 등 국방의무에 소요되는 사소한 비용들을 되레 청년들과 가족들에게 부담시키고 있다. 국방부에서 책정한 군 복지예산 또한 장교 이상의 계층에서 95.7%를 전용하고 있고, 사병들에게는 겨우 4.3%의 예산이 돌아간다고 하니, 나라 돌아가는 사정이 기강해이로 망한 '당나라 군대'를 떠올리게 한다.

국방부는 최첨단 나노기술을 이용하여 고성능의 '액정방탄복'을 개발해 놓고도 부패기업과 결탁하여 최전방의 군사들에게 뚫리는 방탄복을 지급하는 부정부패를 저지르고, 무기구매 방산비리로 국민혈세 수십억 원, 수백억 원 아니 그 이상의 혈세가 개인 주머니로 착복되고 있어도 '생계형 비리'로 따뜻하게 감싸 주는 수뇌부도 있다. 세금 내는 국민들은 그야말로 등골이 시리다.

거기에다 '묻지 마 예산'으로 영수증도 필요 없고 사용 내역에 대한 검증 없이 총액 결산만 이루어지는 2016년도 청와대, 국회, 국정원, 경찰청 등 주요 부처 특수 활동비 총예산이 역대 최고치인 8,891억 700만 원이 책정되었다고 한다.

이 예산들은 투명한 대한민국 경영을 위해 집행되는 돈이 아니라 '검은 권력'으로 치부되며 대한민국 각계각층을 썩게 만드는 좀비로 쓰이는 예산이다. 민주주의 국가에서 투명하게 집행되어야 할 국민혈세를 국민의 공복이라 자처하는 자들이 사사로이 주머닛돈으로 유용하는 허가 낸 세금 도둑질이 여기에 있다.

대한민국 정치인들을 이름하여 '교도소 담장 위를 걷는 사람들'이라고 한다. 재수가 없어서 교도소 담장 안으로 떨어지게 되면 불법 도둑질로 범죄자가 되고, 재수가 좋아서 담장 밖으로 떨어지게 되면 도둑질이 합법으로 인정받아 면죄부를 받는다는 뜻이다.

지금 대한민국에 만연하는 모든 현상들이 대한민국을 망하게 하는 지름길로, 이름하여 '대한민국 스프링벅 현상'이다. 재벌과 정치권은 공멸(攻滅)과 공생(共生) 중 어느 쪽을 향하고 있는지 심각하게 고민해 봐야 할 시점이다.

2016. 3. 24.

익숙한 절망, 불편한 희망

『익숙한 절망, 불편한 희망』은 '이코노미스트'의 서울 특파원을 지낸 다니엘 튜더가 대한민국의 정치와 민주주의 현실 등을 비판한 책입니다. 외국인 특파원으로 세월호 참사에 대하여 그는 "역대 한국정부는 하나같이 안보의 중요성은 외치면서 안전은 외면해 왔다. 하지만 안전이야말로 정부 존립의 핵심이다. 정부가 자국민을 보호하지 않는다면 정부의 존재 이유가 과연 어디에 있는가?"라고 묻고 있습니다.

한국 정치에 대하여 그는 "우파도 좌파도 없다. 표면적으로 새누리당과 새정치민주연합을 구별할 수는 있지만 두 당의 정책과 이를 뒷받침하는 사고방식은 본질적으로 다르지 않다."고 평가했습니다. 또 한국 정치의 진보에 대하여 "진보는 유권자들에게 청사진을 제시하고 희망을 보여 주어야 사람들을 투표장으로 유인할 수 있는데, 한국의 야권은 주야장천 돌 던지는 저격수 역할에만 충실하여 만년야당에 머물수밖에 없다."고 훈수를 두었습니다. 보수당으로 지칭되는 새누리당에 대하여는 다른 나라의 보수당과 비교했을 때, 새누리당의 사고방식이나 전통에 대한 태도 등에서 도덕적으로 보수적인 관점을 찾아볼 수 없다고 했습니다.

복지정책에 대한 비판도 날카롭습니다. 안타깝게도 한국에서는 복지를 확대하려는 사람들조차 그릇된 방식으로 복지를 제시하는 실수를 저지르고 있다고 지적하고 있습니다. 복지에 대한 궁극적 메시지는 "복지는 정부가 여러분에게 투자하는 것입니다. 투자를 통해 여러분이 꿈을 이룰 수 있도록 지원하겠습니다. 나중에 세금을 많이 낼 수 있을 만큼 성공해서 돌려주십시오."라고 전달되어야 한다고 주장하고 있습니다. 또한 그는 부분별한 무상복지에 대해서도 경계할 것을 주문했습니다.

한국 경제에 대해서는 "재벌의 부패와 가격 담합에 눈감아 줄 것이 아니라 부패한 재벌 총수를 처벌해야 한국 경제에 도움이 된다."라고 충고하고 있습니다. 더불어 한국 제조업의 미래에 대해서는 자동차 산업 기지를 신흥국가에 내준 미국 디트로이트에 대규모 실업, 범죄, 사회 분열 등을 야기하는 암울한 제조업의 몰락이 있었고, 이 같은 사태가 한국에서도 야기될 수 있음을 우려하고 있습니다.

이미 정치적으로나 경제적으로 앞선 선진국의 예를 참고로 한다면 대한민국이 실패할 이유가 없습니다. 그런데 이러한 예는 모두 간과하고 대한민국 정치인들은 사리사욕(私利私慾)만을 탐하는 정치를 추구하여 국민들에게 '익숙한 절망, 불편한 희망'을 주는 나라를 만들어 놓았습니다.

대한민국이 국민들에게 희망을 주는 나라로 다시 세워지기를 간절히 소망해 봅니다.

2015. 6. 11.

궤변론자들의 시대

세계 경제를 장악하고 있는 록펠러 재단을 세운 록펠러에게 아버지 윌리엄은 "사업이란 정당하든 그렇지 않든 어떤 방법을 써서라도 반드시 상대방을 이겨야 하는 치열한 싸움"이라고 말하며 돈의 철학을 주입했다고 합니다.

아버지의 잘못된 가르침으로 인해 록펠러는 재산을 모으는 데 있어 온갖 편법을 동원하여 정부살인까지 마다하지 않았습니다. 제대로 된 아버지라면 돈을 버는 데 있어서 정당한 방법으로 해야 한다고 가르쳤어야 합니다.

미국에서 남북전쟁이 끝나고 재물을 추종하는 목사들은 "부(副)는 신의 은총의 징표이며 가난은 신의 저주의 징표"라고 가르쳤다고 합니다. 16세기 유럽의 종교개혁을 주도했던 칼뱅은 "구원은 신의 은총이고 천벌은 신의 정의"라고 했는데 잘못된 청교도들이 시대정신을 제멋대로 바꾸어 버린 것입니다.

칼뱅은 교황과 성직자들의 호화로운 생활과 수도승의 무직업을 반대하고 값비싼 그림이나 화려한 장식, 거대한 오르간이 없는 소박한 교회를 주장했습니다. 그에게 부(副)는 단지 신앙생활을 영위하는 데 필요한 수단이었습니다. 또 그는 저서 『기독교 강요』에서 "교회 수입 중 적어도 절반 이상은 가난한 자를 위해 쓰여야 한다."라고 주장했습니다.

미국의 '맘몬교'는 노동자와 수공업자인 대중은 오로지 가난한 상태에서만 신에게 복종한다는 논리 아래 '노동자들은 가난에 내몰려야만 노동을 하고 신에게 기도를 하며, 따라서 낮은 임금만이 생산성을 높인다.'는 경제 원리로 바꾸어버 렸다고 합니다.

목사의 아들로 태어난 허버트 스펜서는 1882년 미국을 방문하여 그의 저서인 『사회 역학』에서 적자생존을 강조하며 취약계층을 지원하면 병약자들이 살아남아 인종의 생존 조건을 약화시키기 때문에 자연의 근본 질서에 역행하는 것이라고 주장했다고 합니다. "병에 걸려 해고당한 노동자가 궁핍을 견뎌야 하는 것이나, 과부와 고아들이 굶주림에 헤매는 것이 가혹해 보일지 모르지만 보편적인 인류의 이익을 위해선 은혜. 인간은 자유롭기 때문에 자유의 대가로 다가오는 어떠한 고통도 스스로 해결해야 하며 해결 능력이 없는 사람은 도태되어야 한다."라고 했다고 합니다.

배우 출신으로 캘리포니아 주지사를 지내고 1981년에 미국 대통령으로 선출된 로널드 레이건은 부자들이 부(富)를 더 많이 축적하면 더 많은 소비가 일어나고 일자리가 늘어나 사람들에게 더 많은 수입이 증가할 것이라는 공급경제학 논리를 펴며 부자들의 세금을 대폭 깎아 주고 가난한 사람들에게는 보조금을 삭감하고 최소임금을 동결하면서 더 열심히 일할 동기를 부여하기 위한 것이라고 했습니다.

1875년 알렉시스 드 토크빌이 출간한 『미국의 민주주의』에서 미국의 현실을 파헤친 그는 "돈에 대한 숭배가 인간에 대한 애정을 압도하는 나라를 나는 미국 이외의 어느 곳에서도 본 적이 없다. 또한 흑백 간의 갈등은 영원히 아메리칸드림을 괴롭힐 것이다."라고 꼬집으며 종교까지도 왜곡시키면서 계급·인종 간의 엄청난 격차를 능력주의로 정당화하는 미국식 사고를 경고했습니다.

대한민국에서 사기로 하루아침에 최하층민이 되어 버린 내 자신과 정사단에 판사의 억울한 판결을 호소하시는 분들을 보면, 현재의 대한민국에 백여 년 전의 썩은 미국식 사고가 판을 치고 있다는 것을 사회 곳곳에서 절감합니다. OECD 회원국 중에 거의 꼴찌에 해당하는 대한민국이 되어 있는데도 모 정치인은 과잉복지는 국민을 게으르고 나태하게 만든다며 경계할 것을 주문하기도 했습니다.

대한민국에서 과잉복지로 게으르고 나태해진 정치인들을 봅니다. 대한민국은 성경에 가난한 이웃들에게 자선을 베풀라는 하느님의 말씀이 살아나는 세상이 아니라, 가난한 이웃, 불행을 당한 이웃에 대해 배려가 없는 세상이 되어 있습니다.

대한민국의 부채가 1,287조 원에 달하고 1년 이자만 40조 원에 육박한다고 하는데, 지금 대한민국이 부담하고 있는 막대한 부채와 이자들이 가난한 사람들 때문에 지게 된 걸일까요? 유감스럽게도 대한민국에서 가장 많이 배우고 가장 능력 있다는 분들이 서로 가진 권력으로 나눠 먹기를 하다 보니 대한민국은 JUNK BOND가 되어 버린 것입니다.

대한민국에서 법에 관한 상식이 무지하여 사기로 가난한 사람이 되었다는 사실이 자랑은 아닙니다. 그러나 정치인들이 잘못된 사기정치를 일삼아 사기로 가난한 국민을 만들고 가난한 대한민국을 만들었다면, 재벌이 정당한 방법이 아닌 편법과 부정한 방법으로 부자가 되었다면, 그것은 정말로 부끄러워해야 할 일입니다.

사기와 관련하여 대한민국은 제대로 된 법도 없는데다가 "법관은 헌법과 법률에 의하여 그 양심에 따라 독립하여 심판한다."는 대한민국 헌법 103조를 등에 업고 억울한 판결로 국민에게 사기를 치는 판사가 도처에 널려 있습니다. 이제부터라도 사기꾼을 단죄하는 제대로 된 법도 만들어야 하고, 사기로 가난해진 사람을 구제하는 법도 만들어야 하는 것이 대한민국 정치인들이 해야 할 일입니다.

사기를 근절시킬 수 있는 공소시효법을 폐지하고 법치(法治)가 바로 서야 대한민국이 바로 설 수 있습니다.

"정치가 썩었다고 등을 돌리지 마십시오.
썩은 정치를 바른 정치로 바꾸는 힘은 국민 여러분께 있습니다."

– 고(故) 노무현 대통령

지방재정 개편안 유감

　중앙정부의 불합리한 지방재정개편안과 관련하여 지방재정에 막대한 타격을 받게 된 불교부단체인 경기도 지자체의 장들과 이재명 시장이 10일이 넘는 단식투쟁을 강행하여 지방재정 개편안의 공론화를 이루어 냈다.

　우리나라의 지방자치제도는 고려시대나 이조시대에 향직제도나 향약제도로 존재했다. 근대적 의미의 첫 지방자치제는 고종(32년인 1895년)이 실시한 향회제도가 있는데, 이는 지방관리 선임에 주민의 의사를 반영하고, 필요한 경비는 주민들이 갹출하여 충당하였으며, 주민들이 지방 공공사무에 참여할 수 있게 하였다.

　일제시대에 일제는 지방에 대한 식민지 통치력을 강화하고 민족을 분열시키기 위한 방편으로 조선의 지식층과 재력가들을 앞세워 지방자치제도를 시행했는데, 주로 강제 징병이나 정신대 차출에 이용하였다.

　1945년 해방 직후 전국 13개도와 145개 지역 시·군에 건국준비위원회 지방지부와 지방인민위원회가 조직되어 지역 사정에 밝은 지도자들이 주민들에 의해 선출되었다. 이들은 치안 유지와 식량 통제, 소작물 조정, 인구 조사, 학교 운영 등에 관여하였다. 그러나 미국은 자국의 정치적·경제적 이익 극대화에 전혀 도움이 되지 않는 대한민국의 지방자치제도의 성장과 번영을 원하지 않았고, 결국 미군에 의하여 지방자치제는 좌절되었다. 미국은 중앙집권적 국가와 자국의 이익을 실현해 줄 강력한 지도자를 원했고, 미국이 원하는 조건에 부합하는 인사로 이승만이 집권하면서 치안 불안정을 이유로 헌법에 명시되어 있는 지방선거 실시를 보류하였고, 지방자제도 자체를 무의미하게 만들었다.

이후 이승만은 자신의 정치적 야욕을 달성하기 위해 지방자치제법을 악용하였다. 자신을 막아서는 야당을 견제하고, 야당인사의 당선을 최소화하기 위한 방안으로 지방자치제도를 개정하여 지방자치단체장을 대통령 임명제를 도입하여 지방자치제도 자체를 유명무실하게 만들고, 강력한 중앙집권통치체제를 구축한 것이다.

1960년 4·19혁명으로 이승만 정권이 붕괴되면서 새로운 완전한 지방자치와 지방분권시대가 열리는가 싶더니, 박정희가 일으킨 5·16 군사정변으로 전국 지방의회가 해산되었고, 강력한 중앙집권 독재체제가 구축되었다. 박정희의 뒤를 이은 전두환 군사정권 또한 일사불란한 강력한 통치체제를 선호하여 지방자치제도를 철저히 외면하였다.

그러나 1985년 2월 12대 총선에서 야당이 약진하자, 여당에서 노태우 대통령 후보를 내세우며 선거공약으로 지방자치제 전면실시를 내걸어 대통령에 당선되었다. 그렇지만 정부와 여당은 여전히 자신들에게 불리한 지방자치제 전면실시에 미온적인 태도로 일관하였다. 이에 평화민주당 김대중 총재가 지방자치 실시를 요구하며 20일 동안 단식투쟁을 단행했다.

이때 야당에서 여당으로 옮겨 간 김영삼 민자당 최고위원이 김대중 총재를 문병차 방문했다가 김대중 총재로부터 의회정치와 지자체를 외면하는 것에 대한 거센 항의를 받고 지방자치에 대한 최종 합의를 이루어 5·16쿠데타로 중단되었던 지방자치제도가 다시 실시되었다. 1992년 12월 14대 대통령에 김영삼이 당선되었고, 94년 3월 단체장 선거를 포함한 4대 지방선거를 실시한다는 지방자치법이 국회에서 통과되고 공포되었다.

김영삼 대통령의 임기가 끝나 갈 무렵 외환위기인 IMF가 디져 경제위기에 직면하여 출범한 김대중 대통령과 국민의 정부는 지방분권을 위한 제도적 장치로 '중앙행정권한의 지방이양 촉진 등에 관한 법률'을 제정하여 중앙부처 업무를 대폭 지방에 이양하여 자리 기반을 확대했다. 지역 차별의 희생자였던 김대중 대통령은 중앙정부의 시·도 예산 배분에 각 지방자치단체의 불만이 없도록 모든 지방자치 관계자가 참석한 가운데 처리했다. 김대중 대통령의 임기 내에 이루어진 지자체를 통하여 대한민국은 풀뿌리 민주주의가 정착되고 주권의식을 고취시켰다.

김대중 대통령의 뒤를 이어 당선된 노무현 대통령은 원외 시절에 지방분권시대를 대비하여 '지방자치실무연구소'를 설립하여 10여 명의 연구원들로 하여금 각종 정책과 현안을 연구하게 하였고, 민주주의 지방자치 실현을 위해 노무현 시민학교를 운영하였다. 좀 더 나은 지방자치 연구를 위해 독일 에베르트 재단과 미국 델라웨어 주립대학에 연수를 보내는 프로그램도 만들었다.

대통령에 당선된 후에는 지방자치에 대한 신념과 정책을 행동으로 옮겨 중앙정부의 실무와 권한을 대폭 지방정부에 이양했다. 그는 "권력은 쪼갤수록 투명해진다."는 신념을 갖고 있었으며 국가 균형발전과 지방분권을 자신의 정책에 가장 큰 중심으로 삼고 실천했다. 그가 대표적으로 추진한 '세종시 사업'이 바로 그것이다. 과거 중앙부서에서만 발급했던 각종 민원서류 발급을 각 지방자치 단체의 업무로 이관하여 국민들의 삶이 한결 편리해졌다.

대한민국에 본격적인 지방자치가 실시된 지 20여 년이 지났는데, 미처 준비가 되어 있지 않았던 탓에 부작용도 만만치 않다. 능력이 검증되지 않은 인사들이 무리한 공약을 내걸고 지자체장으로 당선되는 바람에 부실하고 방만한 경영으로 대부분의 지자체는 막대한 빚더미에 올라 있고, 중앙정부에서 책임져야 할 기초노령연금, 누리과정, 기초생활보장급여 비용 등을 지자체에 떠넘겨 빚은 눈덩이처럼 커져 가고 있다.

현재 대한민국에서 행해지고 있는 지자체의 폐해는 정책 실행에 있어 맥이 끊긴다는 것이다. 능력 있는 정치인이 지역민들에게 꼭 필요한 정책을 내걸고 당선되어 임기 동안 정책을 실행했다 하더라도 후임자에게 승계되지 않는다는 것이다. 경쟁 관계에 있는 정당 출신이 당선되면 아무리 좋은 정책이라도 전임자가 이루어 놓은 것을 폐지하고 자신의 새로운 정책을 실행하려고 하기 때문에 유권자의 입장에서 보면 매번 지었다 부수는 모래성과 같아 보인다. 낭비되는 예산은 지역민이 내는 세금이다.

중앙에서 이루어지는 정치도 마찬가지이다. 수년 전 무상급식과 관련하여 선거가 이루어졌을 때 여당 출신의 시장이 직위에서 내려오는 사태까지 야기되었는데, 무상급식이 보편복지의 한 축으로 판명되었으면 전국에서 시행되어야 하는데, 지역마다 소속지자체장에 따라 달라진다.

정책 입안과 실행에 있어 야당에서 시작되었다 하더라도 온 국민이 바라는 꼭 필요한 정책이라면 후임인 여당 인사도 그대로 승계하여 든든한 정책으로 자리 잡게 해야 한다. 국민들이 바라는 꼭 필요한 정책들을 주도권을 잡는 소속 정당에 따라 매번 갈아엎는 행태는 국민들 입장에서 이해하기 어렵다. 언제까지 지었다 부수기만 반복할 것인가?

시민이 행복한 성남, 성남이 하면 대한민국의 표준이 된다는 말과 '대한민국은 못해도 성남은 합니다'라는 문구가 참 마음에 드는 요즘이다.

지방자치제도에 있어 가장 큰 걸림돌이 열악한 재정문제이다.

현재 서울특별시와 인천광역시, 울산광역시 등을 제외하고 지자체들의 재정자립도는 50%를 넘지 못하고 있다. 우리나라는 세금의 대부분이 국세로 지정되어 있고, 지방세 항목이 많지 않아 재정 면에서 중앙정부에서 배분하는 교부세와 보조금에 의지할 수밖에 없다. 지방자치제도를 안정적으로 시행하려면 대부분 중앙정부로 가는 국세가 일정 부분 지방세로 전환되어야 한다.

정부의 불합리한 지방재정개편안과 관련하여 남경필 지사는 11일 경기도의회 본회의 도정질문 답변에서 "새로운 재원을 마련하지 않고 (추진하는 방안이기에) 윗돌 빼서 아랫돌 괴는 식의 하향평준화"라고 비판했다. 이어 "교부금 제도를 개선한 지 1년밖에 안 됐는데 바꾼다는 데 문제가 있고, 도와 시·군과 소통도 없이 진행되고 있다."며 "형식적으로도 맞지 않는 소탐대실 정책"이라고 덧붙였다.

정부의 지방재성 개편안은 재성 형편이 양호해 성부로부터 지방교부세를 받지 않는 지자체(불교부 단체)에서 세금을 더 거둬, 형편이 덜 양호한 지자체에 나눠 주자는 정책이다. 추진 방법은, 조정교부금 배분 방식을 변경해 재정 여력이 낮은 시군에 더 많은 재원이 가도록 하고, 현재 시·군에서 걷고 있는 법인세 일부를 광역자치단체인 도에서 걷는 공동세로 전환, 각 시군에 균등 배분하는 것이다.

조정교부금은 광역시·도가 기초자치단체의 재정균형을 맞추기 위해 주는 돈이다. 법인 지방소득세는 기초자치단체가 기업으로부터 걷는 세금이다.

막대한 빚더미에 올라앉아 모라토리엄까지 선언했던 성남시는 이재명 시장 취임 이후 합리적인 경영으로 빚을 갚아 나가면서 복지사업을 병행하여 모범적인 지방자치를 이끌어 우수지자체로 대상을 수상하기도 했다. 그러나 정부의 무리한 지방재정개편안으로 재정이 1,000억 원이 줄어들게 되어 성남시에서 추진해 온 공공산후조리원 등 여성, 장애인, 보육 및 가족 등 복지정책을 포기할 수밖에 없는 결과를 만들게 된다는 우려가 대두되었다.

정부가 추진하는 지방재정개편안은 하향평준화가 이루어질 수밖에 없다. 중앙정부는 누리과정과 노인기초노령연금 등의 재원을 지자체에 떠넘겨 4조 7,000억 원을 지자체에 돌려주겠다고 약속하고도 지금까지 약속을 지키지 않고 있다.

경기도 27개(총 31개) 시·군은 지난 4일 지방재정 개편안을 강력하게 비판하는 공동 성명을 발표했는데, 성명에서 "중앙정부와 지방정부의 조세 수입 비율이 8:2로 매우 후진적이며 자치분권을 강화하는 지방세제 개혁을 추진하라."고 촉구했다. 세금 걷을 권한을 지방정부에 더 많이 줘서 스스로 재정을 확충할 수 있게 하라는 것이다.

대대로 정권을 잡았던 영남 출신들이 국토의 균형 발전을 외면하고 자신의 고향과 텃밭에만 편파적인 예산을 지원하여 영남과 호남은 그야말로 지역 발전에 있어 극과 극을 이루고 있다. 열 손가락을 깨물어 아프지 않은 손가락은 없다. 통치권자들이 부모의 마음으로 열손가락에 해당하는 전국의 지자체를 각 지역의 특색에 맞게 균형·발전시켜 놓더라면 오늘날과 같이 지방자치 시대에 낮은 재정자립도로 인해 지자체제도가 무색해질 정도로 중앙정부에 의존해야 하는 일은 없었을 것이다. 통치권자는 지자체의 재정문제를 하향평준화시키는 손쉬운 방법을 택하기보다는 어버이의 마음으로 열 손가락에 해당하는 지자체들이 특색 있는 지역 균형 발전을 이룰 수 있도록 깊이 고민하고 해결 방안을 모색해야 한다.

이재명 성남시장님께서 "김대중 대통령이 살리고, 노무현 대통령이 키우고, 박근혜 대통령이 죽이는 지방자치를 지키겠습니다."라고 말씀하셨는데, 국민과의 약속 꼭 지켜 주시길 바란다. 마지막으로 노무현 대통령의 세 가지 국정 목표를 떠올려 본다.

첫 번째, 국민과 함께하는 민주주의
두 번째, 더불어 사는 균형 발전 사회
세 번째, 평화와 번영의 동북아 시대

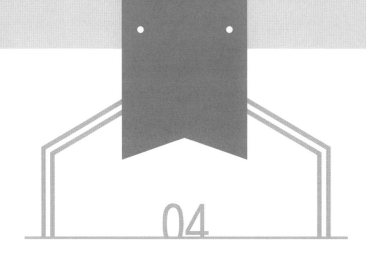

04

제 4 장

쉰들러의 후예

나비가 된 소녀

　13살의 어린 나이에 위안부로 끌려가 감당할 수 없는 고통을 겪으신 황금자 할머님은 2014년 1월 90세로 한 많은 생을 마감하셨는데, 평생 동안 위안부에 대한 상처와 후유증으로 온전한 가정을 꾸리지 못하고 외롭게 사셔야 했다.

　빈 병과 폐지를 주워 팔아 생계를 이어 오며 정부에서 주는 보조금을 아껴 쓰며 어렵게 모은 1억 7,000만 원을 경제적으로 어려운 학생들이 마음 놓고 학업에 매진할 수 있도록 어려운 이웃들을 위해 강서구 장학회에 기부하여 나눔의 삶을 실천하시고 소천하셨다.

　최근 일본 구마모토 현에서 발생한 강진으로 극심한 고통을 당하고 있는 일본인들을 위해 위안부로 피해를 당하신 할머니들께서 자발적으로 성금을 내시고 모금활동에 나서고 계시다. 일본은 제2차 세계대전을 일으키고 일본군의 성적 욕구를 해소시키기 위하여 일본이 점령한 조선과 중국, 필리핀, 타이, 베트남, 말레이시아, 인도네시아 등에서 나이를 불문하고 여성들을 강제 징집하였다.

　일본군의 성노예로 강제 징집되어 피해를 당한 여성은 대략 4만 명에서 20만 명으로 추산되고 있다. 이들은 성에 굶주린 일본군을 하루에 적게는 20~30명, 많게는 하루에 60명으로부터 강제로 강간을 당하여 성기가 짓물러 흐르는 피고름을 솜으로 닦아 내면서까지 고통을 참아 내야 했다고 한다.

2016년 3월 26일자 뉴스타파 유튜브 채널에 영상으로 제작하여 공개한 위안부 피해자로 북한에 거주하는 정옥순 할미니가 털어놓은 일본군의 만행은 믿을 수 없을 만큼 끔찍하다. 함경남도 풍산군에 살던 정 할머니는 14살이라는 어린 나이에 서슬 퍼런 일본군에게 끌려갔다. 일본군은 "남자를 하룻밤에 백 명 상대할 수 있는 사람 손들라."고 지시했고, 두려움에 떨던 아이들은 손을 들었다. 하지만 손을 들지 않은 소녀들도 있었다. 그 아이들은 "우리가 무슨 죄가 있어 남자를 백 명이나 상대해야 하냐?"고 물었고, 그들은 곧 이루 말로 할 수 없는 고문형에 처해지게 됐다.

일본군은 반항한 소녀의 옷을 벗긴 채 못이 촘촘히 박힌 판 위에 눕혔다. 그러고는 머리채를 쥐고 몸을 돌려 가며 끌고 갔다. 정 할머니는 당시 상황에 대해 "살에 난 촘촘한 구멍을 통해 피가 뿜어져 나왔다."고 회상했다. 일본군은 그렇게 아이들을 죽인 것도 부족해 살아남은 소녀들이 보는 앞에서 칼로 목까지 쳤다. 일본군은 "말 안 듣는 계집을 죽이는 것은 개를 죽이는 것보다 아깝지 않다."며 "죄인들은 변소에 처넣으라."고 지시했고 이를 본 소녀들이 울자 "고기를 못 먹어서 그런다."며 죽은 소녀들을 삶아 고기로 만들어 먹으라고 지시했다.

지금까지 알려진 것보다 끔찍한 일본군의 만행을 폭로한 정 할머니는 "내가 피눈물이 난다."며 눈물을 훔쳤다. 성노리개로 괴롭힘을 당하면서 그들이 성병 예방 명목으로 수은 주사와 수은 증기를 질에 쏘여 많은 '위안부'들은 불임으로 고통을 당해야 했고, 육체적 고통과 정신적인 괴로움으로 병사 또는 자살하는 사람도 많았다고 한다.

위안부들은 일본이 전쟁에 패한 후 위안소에 버려졌다가 미국의 포로로 조사와 심문을 받고, 다수는 자격지심으로 고향에 돌아오는 것을 포기하고 위안소가 있던 지역 등에 그대로 남기도 했다. 설령 어렵게 귀향을 했다 하더라도 주위의 외면과 차가운 시선 때문에 정착하지 못하고 떠돌다 외롭게 생을 마감하는 사람이 많았다고 한다.

일본은 점령국가의 여성들을 강제로 납치하여 성노예로 삼고, 점령국의 국민들에게 인권유린을 자행하며 강제로 노동을 착취하는 등 국제조약을 위반하였다. 위안부와 관련하여 미국 델라웨어주립대 스테츠 교수는 뉴욕타임스에 보낸 편지에서 "배에 화물 짝처럼 실려 아시아 전선으로 실려가 매일 강간을 당했던 소녀들은 초경을 하지 않은 13~14세의 어린이들이었습니다. 이들을 상대로 한 일본의 행위는 전쟁범죄일 뿐만 아니라 어린이에 대한 '인신매매'와 '아동성밀매범죄'입니다." 라고 밝혔다.

일본은 패전 후 성노예로 희생당한 위안부 문제와 관련하여 1993년 고노 관방장관이 '위안부' 동원에 강제성이 있었음을 인정하고 사죄하는 담화를 발표하였으나, "도덕적 책임은 있지만 법적인 책임은 없다." 라고 주장하였다. 또 한국인 '위안부'에 대해서는 "1965년 한일 기본 조약 청구권 협정을 통해 모든 보상 문제는 해결되었기 때문에 한국인이 일본 정부를 상대로 보상을 청구할 수 없다."라고 주장했다.

이러한 일본 정부와 박근혜 정부가 2015년 12월 배상금 10억 엔(약 102억 원)을 받는 조건으로 향후 아무런 이의제기를 하지 않겠다는 최종적이고 불가역적의 위안부 협상을 타결했다고 한다. 교도통신은 위안부 합의 직후 "(소녀상)철거를 자금 거출의 조건으로 제시한 것은 아베 신조 수상의 '강한 의사'를 반영한 것"이라며 소녀상 철거가 위안부 합의의 조건이었다고 보도했다. 게다가 2016년 2월 16일 스위스 제네바에서 열린 유엔 여성차별철폐위원회(CEDAW)에서 스기야마신스케 외무성 외무심의관은 "위안부는 성노예가 아니며 일본군에 의한 위안부 강제연행은 완전한 날조"라고 주장했다.

민주사회를 위한 변호사모임(민변)은 한국 정부가 일본 정부의 법적 책임을 물으려는 청구인들을 배제한 채 일본 정부와 합의했고, 합의 내용도 제대로 설명하지 않아 절차적 참여권과 알 권리를 침해했다며 일본군 위안부 피해자들을 대리해 헌법소원을 청구했다.

중국은 2015년 1월 아시아 최대의 위안부가 있었던 난징에 3천 제곱미터 규모의 피해자들의 눈물로 형상화한 위안부기념관을 개관했는데, 기념관에는 천 6백여 점의 전시물과 680여 장의 사진 등이 진열돼 일제의 만행을 고발하고 있다. 이는 일본이 세계 제2차 대전 중 아시아 각국 부녀자들을 강제로 끌고 가 욕구 배출의 도구로 사용한 피눈물 나는 역사를 교훈으로 삼기 위해서라고 한다. 진열관 입구에 전시된 만삭의 위안부 조각상은 위안부로 끌려와 모진 수모를 겪었던 북한의 박영심 할머니가 모델이라고 한다.

이처럼 중국은 뻔뻔한 일본의 역사 왜곡에 맞서 한국과 함께 일본군 위안부 자료를 유네스코 세계기록유산에 등재하는 방안을 검토하는 등 일본에 적극적인 공세를 취하고 있다. 이에 반해 대한민국은 참여정부가 독립기념관 내에 위안부 기념관을 건립하기로 한 것을 이명박 정부 출범 직후인 2008년 12월 발표한 3차 계획 수정판에서 기념관 건립사업을 아예 제외시켰다.

2014년 2월 박완주·박민수·박홍근 더불어민주당 의원은 위안부 피해자 기림일 지정과 '일제하 일본군위안부 피해자에 대한 생활안정지원 및 기념사업 등에 관한 법률안'을 개정 발의하였다. 개정 발의한 이 법안에는 국가와 지방자치단체는 민간단체가 위안부 문제 해결을 위한 국제적 활동에 필요한 행정적·재정적 지원을 할 수 있고, 국가가 사망한 위안부 피해자를 위한 추도 공간 설립 및 위령사업을 시행하고 사료관·박물관 비용을 지원하도록 명시하였다. 그러나 이 법안은 19대 국회 임기가 다되어 가도록 정부 여당 측의 미온적인 태도로 제대로 된 심사가 이루어지지 못하고 있다.

박근혜 정부에서는 군사반란을 일으켜 정권을 잡았던 아버지인 고(故) 박정희 대통령 기념사업에는 천억 원이 넘는 예산을 집행하고 있으면서 뼈아픈 역사와 관련하여 아직까지도 제대로 된 위안부 기념관 하나 없는 것이 대한민국의 현실이다. 게다가 국가에서 주도해야 할 기념행사 비용마저 예산 부족을 핑계로 민간에 떠넘기려 하는 정부가 되어 있다.

2016년 1월 22일자 팩트TV 보도에 의하면, 경북 구미시는 '박정희 생가' 복원에 286억 원을 투입했고, 생가 옆에 65억 원을 들여 '민족중흥관'이라는 별도 기념관을 건립하였다. 서울중구청은 박정희 전 대통령이 5·16 군사반란을 모의한 곳과 주변을 포함한 930평의 '박정희 공원'을 조성하는 데 297억 원의 예산을 편성하였는데, 이는 중구청 복지예산의 3분의 1에 해당하는 금액으로 비판이 일자 '동화동 역사문화공원 및 주차장 확충계획'으로 이름을 바꾸어 사업을 재추진하고 있다.

마포구 상암동에는 208억 원을 들여 '박정희 기념도서관'을 건립하였는데, 공공도서관으로서 시민들이 읽을 일반도서도 없어, 박정희 찬양 일색으로 치장된 도서관은 결국 문을 닫았다고 한다. 박정희가 사단장을 지낸 양구의 공관 건물 복원비로 1억 6천만 원, 박정희가 전역했던 철원에는 40억 원을 들여 공원을 조성하고, 박정희가 하숙을 살았던 하숙집 옆에도 17억 원을 들여 사당과 기념관 건립, 박정희가 하룻밤을 묵었던 울릉도에 12억 원을 들여 기념관 건립, 구미시 새마을운동 테마

공원 조성에 785억 원, 포항시는 42억 원, 청도군은 95억 원 투입, 박정희 탄신 100주년 뮤지컬 제작비 28억 원 등 박정희와 관련된 사업에 총 1,900억 원의 세금이 집행되는 것으로 파악되었다.

참고로 전직 대통령 기념사업에 투입된 비용을 살펴보면, 이승만 · 윤보선 · 최규하 전 대통령은 5억~50억 원, 김영삼 · 노무현 대통령은 100억 원 안팎으로 사용되었고, 김대중 전 대통령은 360억 정도 사용된 것으로 파악되었다. 지방선거에 출마했던 모인사는 구미시를 '박정희시'로의 개명을 주장하기도 했으며, 심지어 구미시의 상모동 171 도로명은 '박정희로 107'로 바뀌었다.

장기간 지속된 경제 한파로 국민들의 삶이 피폐해지고 있는 요즘, 가치 있게 쓰여야 할 국민의 혈세가 시대에 역행하여 박정희를 신격화한 추모 사업에 막대한 예산을 투입하고 있으니, 새마을운동 정신에 맞게 주민복지 예산으로 사용하는 것이 오히려 시대정신에 부합할 것이다.

세월호 참사 진상규명, 역사교과서 국정화, 한일 일본군 위안부 합의 등 사회적으로 민감한 사안들에 대해 정부와 여당을 대변하는 목소리를 내왔던 어버이연합에는 청와대가 특정성향의 집회를 열어 줄 것을 지시했다는 정황과 집회비용을 차명으로 지원했다는 의혹이 제기되고 있다.

나라가 힘이 없어 지켜 주지 못했던 어린 소녀들이 위안부로 끌려가 모진 고초를 당하고, 조국에 돌아와서도 사람다운 대접을 받지 못하고 영세민으로 힘겨운 삶을 살고 있음에도 그분들에게 지방정부에서 지원하는 알량한 생계비마저 중단할 것을 요구하는 정부가 되어 있다.

이런 현실 속에서 위안부와 관련하여 시민들이 자발적으로 십시일반 모금을 통하여 '평화의 소녀상'을 만들어 전범 당사자인 일본 대사관 앞에 세웠다. 이 소녀상마저도 정부는 일본과 협상을 통해 다른 지역으로 이전을 검토하겠다고 약속하여 분노한 대한민국의 젊은 대학생들이 소녀상이 불법으로 철거당할 것을 염려하여 한겨울 맹추위 속에서도 밤샘을 하며 '소녀상 지킴이'로 나서기도 했다.

2016년 6월 21일자 JTBC의 보도에 의하면, 국민의당 박주선 의원실이 받은 내년도 여성가족부 예산안에서 유네스코 세계기록유산 등재 사업 예산 4억 4천만 원이 전액 삭감된 것으로 확인됐다. 일본군 위안부 관련 기록물의 세계기록유산 등재 사업은 위안부 피해자의 참상을 국제사회에 알리고, 일본 정부가 개입해 강제했는지 여부를 둘러싼 논쟁을 끝내기 위해 여성가족부가 2013년부터 주도적으로 추진해 온 사업이었다.

이와 관련하여 조윤선 당시 여성가족부 장관은 2014년 업무보고에서 "위안부 관련 기록 사료를 국가기록물로 계속 발굴하여 지정하고 유네스코 세계기록유산 등재도 추진하겠다."며 박근혜 대통령에게 보고했다. 그러나 지난해 12·28 한일 정부 간 위안부 문제 합의 이후 여가부는 해당 사업에 소극적인 모습을 보였고 급기야 내년도 예산을 전액 삭감한 것이다. 이에 대해 여가부 관계자는 "(그동안은) 민간단체에서 미흡한 부분이 있어서 지원을 한 것이지, 우리가 주도적으로 했던 것은 아니다."고 해명했다고 JTBC는 전했다.

역사와 관련한 문제는 민간이 주도가 되어야 하는 것이 아니라 국가가 나서서 주도해야 할 중대한 사안이다. 특히 위안부 문제는 일본이 전범국으로 저지른 중범죄로 유네스코에 등재시켜야 할 중대 사안인데, 국가는 힘없는 민간단체에 떠넘기는 것도 모자라 예산지원까지 전면 중단한 것은 국가의 의무를 저버린 행태로 이런 정부가 대한민국 국민에게 필요한 존재인가 묻지 않을 수 없다.

반역자로 5·16 군사혁명을 일으켜 장기 집권한 독재자 박정희의 새

마을 운동 기록물이 2013년에 유네스코에 등재된 것에 비하면 위안부의 역사적 의미는 세계사적으로 그보다 훨씬 의미가 크다. 한국정신대문제대책협의회(정대협)은 12·28 졸속 합의와 일본 정부가 10억엔을 출연하는 위안부 피해자 지원 재단 설립 강행에 반발해 2014년부터 지원되고 있는 정부의 쉼터 운영비 지원금을 전액 반납했다.

박원순 서울시장은 지난 23일 밤 자신의 페이스북 SNS 방송 '원순씨의 X파일'에서 "얼마 전 정부가 예산까지 세웠는데, 이것을 불용하고 지원하지 않겠다고 선언했다. 위안부 관련 기록물은 반드시 보전하고 유네스코 세계기록유산에 등재해야 한다고 생각한다. 이에는 큰돈이 들어가는 것이 아니라고 생각한다. 당연히 정부가 해야 할 일인데, 하지 않는다고 하니 서울시라도 나서서 해야 하지 않겠느냐."고 말했다.

더불어 그는 "서울시는 현재 위안부 피해자 할머니 육성 녹음, 영상 기록, 사료, 자료를 모두 수집해 정리하는 군 위안부 기록물 관리 사업을 진행하고 있다. 정부가 하지 않는 유네스코 세계기록유산 등재사업을 할 것"이라고 덧붙였다. 또 현재 추진 중인 '일본군 위안부 기억의 터'에 대해 "남산 조선 통감부 관저 터에 '일본군 위안부 기억의 터'를 곧 조성해 위안부 피해자들의 명예를 회복하고 후대에 진실을 알리는 교육 현장으로 만들겠다."고 했다.

'기억의 터'는 한·일 강제합병조약이 체결된 장소로 위안부 피해 할머니들을 기억하고 추모하는 공간으로 서울시 공무원들은 지난 4월 '기억의 터' 조성을 위해 4,000만 원을 모아 기부했다. 박원순 시장은 위안부 기록물의 유네스코 세계유산문제와 관련하여 "기록해야 반복되지 않는다. 왜곡되지 않는다. 왜 자꾸 정부가 갈등을 만들고, 국민과 싸우려고 하는지……."라고 비판했다.

일본 정부가 위안부 피해자 지원을 위한 단체인 '화해. 치유재단'에 예산 10억엔을 출연하기로 결정한 데 대해 애국국민운동대연합 오천도 대표님은 광복 71주년을 맞아 일본 규탄 및 역사 왜곡 기자회견을 열어 "일본은 10억엔으로 조롱하지 말고 사죄와 반성부터 해야 한다. 10억 엔으로 관속의 슬픈 역사를 다 덮어선 안된다. 관에 못질하지 마라. 관 짝 뚜껑을 덮지 마라. 한 맺힌 슬픈 역사가 있다. 화해. 치유재단은 해 체하라"고 규탄했다.

대한민국 최고 통치권자는 뚜렷한 역사관과 국가관을 가지고 있어야 한다. 위안부 문제와 관련하여 중국과 대조적인 모습을 보이고 있는 대 한민국의 통치권자들은 국가관과 역사관이 흐린 자들로 애초부터 나라 를 바로 세울 생각이 없는 위정자들이다.

윗물이 맑아야 아랫물이 맑다. 윗물이 탁하니 나라를 팔아먹어도 매 번 특정한 번호를 찍겠다는 특정 지역의 사람들이 있고, 피눈물 나는 뼈 아픈 희생자들인 위안부 문제와 관련하여 자신의 딸도 자발적으로 위안 부로 보내겠다는 어이없는 엄마들이 존재하는 대한민국이 되어 있다.

천주님! 이제는 제발 자식들과 후손들을 위해 제대로 된 건강한 부모 의 역할을 할 수 있게 도와주시고, 대한민국을 위해 희생하신 수호령님 들께서도 대한민국이 건강한 나라로 바로 설 수 있도록 도와주시기를 두 손 모아 비손합니다.

레고랜드와 바꾼 고조선 유적지

한민족의 과거와 현재 사이에 존재하는 것이 조상들이 후손들에게 남겨 주고 간 유물과 유적지이다. 고대문화의 발상지로 뒷받침하는 유적인 세계 고인돌의 40% 이상이 우리나라 한반도에서 발견되었다.

춘천 중도에서는 가장 오래된 고조선의 유물과 유적지가 발견되었다. 그런데 춘천시는 억만금을 주고도 사지 못할 세계 최고의 고조선 중도유적지를 영국의 레고랜드 코리아가 5천 11억 원을 들여 놀이공원으로 건설하도록 허가를 내주었다고 한다. 이는 사이비문화재전문가와 해외개발업자가 한통속이 되어 벌인 희대의 사건으로, 무식한 후손이 조상을 팔아먹는 행위와 다름이 없다. '문화대국'이라는 영국이 대한민국의 고대 유적지를 한낱 놀이동산으로 개발하겠다는 것은 비이성적이고 몰상식한 행태다.

문화재를 소홀하게 취급하는 문화재청과 식민사학에 물든 주류학계 또한 중도유적지와 관련하여 자국에서 출토된 유물들을 경시하는 풍조를 보였고, 과소평가하는 태도를 보이면서 자국의 역사로 날조하려는 중국과 일본, 서구의 주장을 옹호하는 태도를 보였다.

이에 역사적으로 큰 의미가 있는 중도의 유물 유적지를 잃어버릴 위기에 처한 뜻있는 학자들과 시민들이 개발에 제동을 걸고 '춘천중도 고조선 유적지 보존 및 개발저지 범국민운동본부'를 결성하고 중도 유적지 살리기에 나서 '한강 중도문명 유네스코 등재 추진위'를 구성하고 춘천지검에 '발굴중지 가처분신청'을 했다. 또 '중도 고인돌 방문단'도 결성하고 유물 보존과 유적지로의 개발을 요구하며 정부와 지자체를 상대로 항의하고 시민공청회도 열고, 서명운동도 벌이면서 바로 잡아줄 것을 요구하고 있다.

춘천 중도 유적지는 구석기 시대부터 초기 철기시대에 이르는 유물과 역사를 간직한 유적지로, 세계사적으로도 큰 의미가 있는 유적지이다. 이러한 유적지를 한낱 놀이공원으로 개발하여 유적지를 망가뜨리고 영구히 폐쇄하는 일은 민족의 유구한 역사의 맥을 끊어 버리는 일이 될 것이다. 현재 고인돌 유적은 건설사에 의해 원상태가 훼손된 상태로 돌무더기처럼 보관되고 있다고 한다.

세계적으로 문화적 가치가 있는 유네스코에 등재된 유적지들은 잘 보수하고 관리하여 관광객들을 꾸준하게 유치하고 있다. 영국에는 유네스코에 문화유산으로 등재된 선사시대 유적지로 고인돌로 불리는 거석들이 세워져 있는 '스톤헨지'가 있다. 춘천의 중도 고조선 유적지는 영국의 스톤헨지와는 비교할 수도 없을 만큼 가치가 있는 유물들이 묻혀 있는 유적지이다.

중국을 대표하는 홍산문화유적 우하량 국가고고유적공원은 신석기와 청동기 시대의 유물이 출토된 유적지로 중국은 문화대국의 기치를 내걸고 일상생활 속에서 역사의식을 고취하기 위해 유물이 출토되는 유적지에 박물관을 지어 국민들에게 무료로 개방하고, 주요 유적지들을 원형 그대로 보존하고 있으며 유네스코에 문화유산 등재를 추진하고 있다.

우리가 중도고조선 유적지를 반드시 지켜 내야 하는 이유는 단군세기에 기록되어 있는 3조선 역사의 하나인 막조선의 역사 현장인 중도를 역사유적지로 밝혀내지 못하면 단군조선의 역사는 중국에 고스란히 빼앗기게 되기 때문이다.

 세계적으로 대표할 수 있는 중요한 우리 민족의 뿌리가 담겨 있는 대한민국의 고인돌 유적지인 중도는 고대역사문화 유적을 파괴하는 영국 레고랜드 코리아의 놀이공원으로 건설해야 하는 것이 아니라, 세계적인 문화유적지로 유네스코문화재로 반드시 등록을 하여야 하고, 대한민국의 문화보고로 세계 관광자원이 되어야 한다.

 대한민국의 역사와 문화를 부정하는 불의한 권력집단에 의해 역사와 문화가 퇴보하고 있는 대한민국의 현실이 미래 세대에게 참으로 민망하고 부끄럽고 미안한 일이다.

을미역사 반란

역사는 늘 승자의 편에서 기록되어 사실과 다르게 왜곡되어 기록된 부분이 많다고 한다. 박근혜 정부에서 검인정 역사교과서를 '종북교과서'라 지칭하며 통일을 대비하여 역사교과서 국정화를 추진한다고 밝혔다. 이름하여 '을미역사 반란'이다.

여당의 모 최고위원은 "(국정교과서) 반대하면 대한민국 국민이 아니다."라고 하는가 하면, 현재 대한민국 청년들이 처해 있는 현실을 표현한 '헬조선'이라는 말에 대해 나라를 탓하는 청년들을 잉여인간 취급하며 '너희가 노력하지 않아서 혹은 교육이 잘못되어서'라고 탓한다. 민주주의 국가에서 역사교과서가 검인정으로 발행되고 있는 점을 감안하면, 역사교과서 국정화 추진은 민주주의를 역행하는 처사로 독재정권이 아닌 이상 있을 수 없는 일이다.

그러나 대한민국에서 국정을 좌지우지하고 있는 힘을 가진 사람들이 대부분 매국노 친일파의 후손들임을 감안하면 당연히 예고된 일이다. 친일파 매국노 후손들의 입장에서 역사 속에서 자자손손 부끄러운 조상의 과오가 목에 걸린 가시와 같아 어떻게든 조상의 과오를 지워 내고 싶어 하는 것이다.

그러나 역사는 자신들이 불편하다고 하여 함부로 지워 낼 수 있는 것이 아니다. 역사는 어디까지나 진실을 바탕으로 기록되어야 하고 이는 후대에 귀감으로 삼기 위한 것이다. 역사는 있는 사실을 가감 없이 기록하여 후대로 하여금 똑같은 과오를 되풀이하지 않게 하기 위함으로, 판단은 어디까지나 역사를 읽는 후대 사람들의 몫이다. 친일파 후손들의 잘못된 효심의 발로가 역사교과서 국정화를 이끌어 낸 것이다.

대한민국 학생들이 배우는 역사책은 개인의 족보가 아니다. 왕의 일거수일투족이 기록된 『조선왕조실록』은 1,893권 888책에 이르는데, 「태조실록」부터 철종까지만을 포함하고 일제 침략하에서 일본인의 지시로 편찬된 「고종실록」과 「순종실록」은 왜곡된 역사로 제외하고 있다.

사초와 관련하여 세종과 맹사성의 유명한 일화가 있다. 「태종실록」이 완성되었다는 소식에 세종이 실록을 보고 싶어 했다. 이에 맹사성이 세종에게 "실록이란 것은 모두 당시의 모든 일을 사실대로 기록했다가 후세에 보이기 위하여 만든 것입니다. 이제 전하께서 만일 이를 보고 고치시면 후세의 임금이 이를 본받아 행할 것이요, 그러면 사관들이 두려워서 제대로 기록하지 못할 것이니 이 점을 굽어살피시옵소서."라고 만류하여 수용했다고 한다.

여당 인사들 중에 맹사성과 같은 인물들이 많아야 한다. 무덤 속에 있는 친일파 조상들이 욕을 더 먹는 이유는 조상들의 과오를 바로잡을 힘을 가지고 있음에도 불구하고 끊임없이 잘못된 선택을 하는 후손들의 잘못된 행태에 있다. 박정희 전 대통령 일가와 관련하여서는 일일이 열거하기 힘든 일제치하 부역은 차치하고서라도 5·16 군사쿠데타 이후 공권력에 의해 강제로 이루어진 현정수장학회의 전신인 부일장학회, 부산일보 주식 100%, 부산문화방송주식 100%, 서울문화방송주식 100%, 영남대의 전신 대구대학 등을 강탈하였는데, 이제는 원소유

주나 후손들에게 진심으로 사과하고 돌려주어야 한다.

더불어 미군기지와 관련하여 국가에서 특별 관리를 해온 기지촌 여성들에게 '달러를 벌어 애국하는 진정한 애국자'들이라 치켜세우며 인권을 유린한 사건도 인정하고 보상해 주어야 한다. 조상의 과오를 왜곡된 역사로 지워 내려 하기보다는 잘못된 과오를 바로잡고 덕이 있는 정치를 이루어 내어 후손으로서의 도리를 다하는 것이 진정한 효도가 아닌가 생각한다.

정부가 발 벗고 나서서 해야 할 일을 2014년 서울시의회에서 여야 만장일치로 가결한 일선 학교에의 친일인명사전 배포에 대해 교육부에서 배포 절차를 문제 삼아 제동을 걸고, 여당 편향의 보수를 표방한 어용 단체에서는 일제 침탈에 대한 규명이나 반성도 없이 정치 편향과 국론 분열을 이유로 반대하고 있다.

법무부는 청소년들을 위해 제작한 동영상에서 대표적인 독립운동가로 윤치호를 소개했는데, 윤치호는 친일반민족행위진상규명위원회가 뽑은 중대한 친일반민족행위자 1,006명 중 한 명으로 일제 강점기 이완용과 함께 대표적인 친일파이다. 그리고 국방부가 '한미동맹상'을 만들고 명예원수로 초대하려는 백선엽은 일제 침략전쟁에 협력한 친일 군인 출신으로 친일반민족행위진상규명위원회가 결정한 친일반민족행위자 중 한 명이다. 이처럼 나라를 팔아넘긴 민족반역자들을 정부에서조차 나라를 빛낸 위인으로 선정하여 적극 옹호하는 것은 진정한 애국이 아니다.

초등학교 사회 교과서에 실린 내용들을 살펴보니 조선근대화 편에 식량수탈과 관련하여서는 "조선에서 생산된 쌀은 총독부가 강제로 빼앗아 간 것이 아닌 시장경제의 무역을 통해 일본으로 수출됐다. 조선인은 쌀 무역을 통해 큰 이익을 얻었다. 일제 통치 기간 동안 조선은 연평균 3.6%의 획기적인 경제 성장을 이루었다."라고 기술되어 있고, DJ 문민정부와 관련하여서는 "김대중 정부의 포퓰리즘과 선동정치로 인해 대한민국은 IMF라는 최악의 상황을 맞이하게 됐다. 노무현 대통령은 NLL을 북괴에게 갖다 바치는 매국외교로 대한민국을 혼란에 빠뜨렸다."라고 되어 있다.

이에 반해 대한민국 재정에 수십조 원의 막대한 손실을 끼친 4대강 사업과 관련하여서는 "이명박 대통령의 4대강 사업은 전 국토에 천지개벽을 일으켰다. 이명박 대통령의 4대강 사업으로 강의 자정 능력이 높아져서 녹조현상이 완화되었다."라고 되어 있다. 이러한 시점에 국정교과서에 맞서 서울의 중학교 333개교와 고교 218개 등 551개교에 민족문제연구소가 편찬한 친일인명사전을 배포한 것은 그나마 얼마나 다행인가?

교육부에서 석연치 않은 이유로 딴지를 걸기도 했지만 이왕이면 친일인명사전이 대한민국 전국의 학교에 배포되면 좋겠다는 생각이다. 친일인명사전은 일제 강점기 일제에 동조해 친일행위를 벌인 4,389명의 행적을 수록한 사전으로, 국정화 역사교과서와 일일이 대조하며 공부를 한다면 역사 교육에 큰 도움이 될 것이라 생각한다.

20대 국회 더불어민주당 이찬열 의원이 '국정교과서 퇴출법(초.중등교육법 개정안)'을 발의하며 "정부는 헌법의 가치를 부정하고, 반대 단체를 사찰했으며, 국회 몰래 예산까지 편성해 가며 국정교과서를 강행했다. 이는 민주주의에 대한 모욕이자, 역사의 흐름에 대한 역주행이다. 위대한 지도자는 역사를 바꾸지만, 편협한 권력자는 역사책을 바꾼다는 말이 있다. 야당과 수많은 시민단체, 학계 등의 반대와 우려에도 밀실에서 강행된 정권맞춤형 교과서를 아이들에게 가르칠 수 없다."라고 법안 발의 취지를 설명했다.

옛말에 1년을 위해서는 농사를 짓고, 10년을 위해서는 나무를 심고, 100년을 위해서는 인재를 양성하라는 말이 있다. 대한민국의 100년을 준비하는 인재 양성은 왜곡된 역사가 아닌 바른 역사를 바탕으로 이루어져야 한다.

쉰들러의 후예

아래 이야기는 구국실천연대의 공동대표이신 장재설 대표님의 부친에 관한 이야기입니다.

2013년 7월 26일자 『연합뉴스』 보도 자료와 장용갑 선생님의 막내 아드님이신 장재설 대표님의 말씀에 의하면, 장용갑 선생님은 일본의 침략야욕이 병합으로 구체화되던 한일강제병합 이듬해인 1911년 6월 27일 홍성군 서부면 판교리에서 태어나 내포지역 유일한 공업계 학교인 한밭대학교의 전신인 '홍성공업전수학교'를 졸업하셨습니다.

홍성군 상이복지회 회장을 역임하신 장용갑 선생님은 강직한 성품으로 암울한 현실을 체험하면서 판교리에서 문맹퇴치 운동 등을 전개하셨고, 졸업 전 '광주학생의거사건'이 일어나자 민족적 분개한 뜻을 시로 적어 배부한 일로 왜경에 체포되어 고문을 당하셨고, '만보산 사건' 때에는 학내 데모 주동자로 배외투쟁을 하다가 왜경에 피검되어 일주일간 구금되었고, 경남선(장항선) 철도사장이 일제와 결탁 운영하는 결성 금광 사건에 항의로 서부면민 1천여 명 강제징용반대서명운동을 펼쳐 총독부와 4년간 투쟁하셨다고 합니다.

장용갑 선생님은 최고의 수재로서 결성향교에 몸담아 향교 장을 하시며 유림들과 함께 지내 왔고 면암 최익현, 만해 한용운, 백야 김좌진 장군 등 선열들의 애국충절의 얼을 항상 가슴에 담고 민족정신을 이어받아 투철한 국가관과 사명감으로 국내에서 의열운동과 민족운동을 함께 하셨습니다. 김구 주석공실 비서 신현상 선생과 8·15 광복 직후의 국내 정세 상황을 논하고, 국내의 암울한 정세에 나라를 걱정하셨던 진정한 민족운동가이십니다.

장용갑 선생님이 일제시대 민족주의자이자 독립운동가로 활동했던 증거로 65년 동안 소중하게 보관해 온 '대한민국 28년(1946년) 2월 16일 주석판공실 비서 신현상'이라 쓰고 뚜렷한 관인이 찍힌 답장 서신이 있습니다. 일연 신현상 선생은 상해에서 활동하신 백범 김구선생의 비서실장으로, 1930년 위조환증으로 호서은행에서 독립자금 5만 8,000원의 거금을 인출했던 항일의사였고, 윤봉길·이봉창·백정기 의사 유해 국내봉안을 주도했던 인물이었습니다. 편지를 통해 겨레와 나라의 진로를 걱정하고 자주 주권국을 염원했던 이웃 홍성에 사는 장용갑 같은 인물이 있다는 것에 신현상 선생은 든든한 애국동지로 생각했습니다.

장용갑 선생이 서신을 교류하던 이때는 상해에서 백범 일행이 환국 후 3개월도 안 돼 국가 정세가 미군정 아래 좌우익 간의 대립으로 국내 사정은 한 치 앞도 내다볼 수 없게 험악하게 돌아갈 때였습니다. 신현상 선생이 장용갑 선생에게 보내온 서신에 적힌 "선생의 귀한 뜻을 주석께 전달했으며 함께 새 나라 건설에 공동분투하고 …… 좌우병력진전이 매우 다행스럽다."는 내용으로 볼 때, 장용갑 선생이 백범에게 민족적 큰 틀 속에서 남북분단을 막아 내고 좌우익 갈등을 해소하여 독립국가 건설을 위해 노력했던 충정심이 배어 있음을 알 수 있습니다.

장용갑 선생님은 6·25때 충남 홍성군 은하면에서 민선으로 인민위원장에 선출되었습니다. 장용갑 선생님은 인민위원장을 역임하면서 공산

만행의 살생부에 기록된 경찰서장, 해경총장, 국회의원출마자, 우익인사와 선량 등 1백여 명이 전국 3천여 개 면 중에서 단 1명도 시대적인 정치적 이데올로기에 휘말려 억울한 죽임을 당하지 않도록 지혜와 지도력을 발휘하신 분입니다.

그러나 6·25 전쟁이 끝난 후 김용갑 선생님은 부역자라는 오명을 쓰게 되어 전란 중에 구해 낸 1백여 명의 공적도 빛을 보지 못하게 될 위기에 처하게 되었습니다. 장용갑 선생님이 죽음의 문턱에 이르렀을 때, 자신들의 목숨을 구해 준 장용갑 선생의 은공을 잊지 못한 군민 우익 수많은 저명인사들의 혈서로 장용갑 선생을 구제하려는 보증을 받고, 홍성경찰서에서 풀려나게 되었습니다.

이 감동적인 사건에서 영화 〈쉰들러〉의 한 장면을 떠올리게 됩니다. 나치 치하에서 기업가로 인정받고 있었던 쉰들러가 아우슈비츠로 끌려갈 유대인 1,200여 명을 구해 내고 전쟁이 끝나는 순간에 전범자의 신분으로 바뀝니다. 자신이 구해 준 유대인들이 전범자 도망자의 신분으로 바뀐 쉰들러를 위해 전원이 서명하여 구명장을 만들어 주었고, 작은 반지에는 기도문을 새겨 선물로 주었습니다.

이 선물을 받아든 쉰들러는 자신이 타고 떠나야 할 자동차를 가리키며 자동차 한 대면 유대인 10명의 목숨을 더 구할 수 있었고, 자신이 달고 있는 나치의 상징인 그 금배지 하나로 최소한 두 명의 목숨은 더 구할 수 있었을 거라며 한 명이라도 더 구해 내지 못했음을 후회하며 뜨거운 눈물을 흘립니다. 유대인 민족에게 있어서 진정한 구원의 메시아는 2천 년의 예수가 아니라 바로 쉰들러였습니다.

6·25가 끝나고 반공을 국시로 삼는 군사정권에 이르기까지 이미 예비검속자로 분류된 김용갑 선생님에게 '빨갱이'란 올가미 딱지 오랫동안 따라다녔습니다. 급기야 1975년 민주열사 고문 탄압과 인권유린의

대명사인 '긴급조치법9호' 위반으로 5년형을 받고 고법에서 집행정지로 9개월 만에 출옥 복권되었습니다. 출옥 후 선생은 자신의 삶은 "사심 없는 순수한 애국심에서 감행되었다."고 울분으로 호소했지만, 선생의 공적을 인정하지 않으려는 사람들의 후문은 그리 관대하지 않았습니다.

장용갑 선생님의 아드님이신 장재설 장로님은 홍성에서 지역민들에게 하늘이 내린 선한 봉사자로 돌아가신 아버지의 신원 회복을 위해 모든 삶을 버리고 평생 땀 흘린 결과, 법원으로부터 38년 만에 아버지 김용갑 선생님에 대한 '긴급조치' 위반 무죄 판결을 받아 가슴에 사무친 한을 풀었습니다.

장용갑 선생님은 반일운동, 반중운동에 앞장서신 민족주의자이신데 6·25 당시 민선으로 인민위원장을 역임했다고 빨갱이 공산주의자로 매도하며 감옥에 가두고 가족들까지 연좌제로 엮어 국가에서 탄압했습니다.

근현대사를 돌아보면 이 민족이 일제의 침략으로 암울한 시기에 들어있을 때, 오히려 침략자의 편에 서서 감투를 쓰고 민족을 말살시키고 동족을 유린하는 일에 앞장섰던 인물들이 6·25가 끝난 후에는 미국을 등에 업고 권력을 쥔 통치권자로 변모하여 권력을 유지하기 위해 민주주의의 발전을 저해하는 세력으로 부상하였습니다. 그 후유증은 지금까지도 이어지고 있습니다.

항일운동에 앞장 서셨던 장용갑 선생은 나라의 정신을 대변하는 예산역사연구소, 홍주향토문화연구소 등에서도 독립유공자 명단에 반드시 신속히 올라야 한다고 강조하고 있습니다. 정치적으로 혼란스러웠던 대한민국 격동의 근현대사에서 치열하게 살다 간 많은 열사들의 이야기가 전해지고 있는 가운데 발굴되어 알려진 인물은 그나마 보훈의 혜택을 받지만, 의당 받아야 할 인물은 이념의 벽으로 재단되는 바람에 그늘 속에 묻혀 있는 분들은 아직도 많습니다.

장용갑 선생님은 반일사상으로 독립·민족운동가로 공산당이 아닌 보훈의 대상입니다. 아버지의 필적 등 오랜 역사적 유품을 간직해 온 효심이 깊은 장용갑 선생님의 막내아들인 장재설 장로님이 국가의 부당한 대우로 사회에서 많은 고난과 역경을 이겨 나가며 구국실천연대의 공동대표로서 굳건히 아버지의 고귀한 뜻을 이어 가고 있습니다.

천하의 잡놈 이야기

오래전의 일이다. 자동차 충돌 사고로 척추를 심하게 다친 남편이 다녔던 외과의 원장님 이야기이다.

원장님은 남편의 초등학교 대선배로 대한민국의 명문대 의대를 졸업하신 실력 있는 인정받으신 분으로, 그 당시에 K대 외과 교수를 겸임하고 계셨다. 원장님의 아내 또한 같은 명문대를 졸업하고 대학의 교수로 근무하고 있었다.

원장님에게는 외동아들이 하나 있었는데, 맞벌이를 하는 원장님 부부의 바람과는 반대로 유치원 시절부터 속을 썩이는 악동이었다고 한다. 원장님은 매번 문제를 일으키는 정이 가지 않는 이 아들을 엄하게 훈육했다고 하는데, 매번 반발이 심하여 초등학교에 진학하면서부터는 학교에도 잘 나가지 않는 문제아가 되었다고 한다. 집에서 늘 혼자 있는 시간이 많았던 아들이 망가지는 데 불을 지핀 것은 초등학교 시절부터 컴퓨터에서 접하게 된 포르노 영상이었다고 한다.

이 아들이 우여곡절 끝에 고등학교 진학을 앞두고 학부모 면담이 있었는데, 학교에 불려 간 아내가 담임 선생님으로부터 서울 외곽의 고등학교 진학도 어렵겠다는 말을 듣고 심하게 충격을 받으셨다고 한다.

대한민국 최고의 명문대를 졸업하고 사회적으로 높은 지위에 올라있던 원장님 부부에게 문제아가 되어 있는 자식의 문제는 그야말로 자존심을 심하게 상하게 했을 것이다.

직장에 다닌다는 이유로 어린 시절부터 남의 손에 맡겨 키워 왔는데, 아들에 대한 담임 선생님의 청천벽력 같은 말을 듣고 반성문을 쓰며 늦게나마 아들을 위해 직장도 그만두었다고 한다. 그리고 아들 문제로 고민하는 아내가 지인이 권하는 유명하다는 역술인에게 아들의 사주를 들고 찾아갔다고 하는데, 그 역술인은 아들과 부부의 사주를 보자마자 부모 잡아먹을 천하의 잡놈이라며 사주를 볼 필요도 없다며 그냥 돌아가라고 했다고 한다.

그 이후에 아들 문제로 노심초사하던 아내는 이유 없이 시름시름 고열로 앓다가 유언 한마디 남기지 못하고 세상을 떠났다고 한다. 그리고 중병의 시부모님의 요양을 위해 급하게 홍천으로 이사하는 바람에 원장님과도 소원해졌는데, 이사한 그다음 해에 원장님께서 간암으로 돌아가셨다는 소식을 들었다. 돌아가실 당시 원장님의 연세는 겨우 61세였다고 한다.

돌아가신 정해(丁亥)년 생 원장님과 임진(壬辰)생의 사모님 그리고 말썽꾸러기 신유(辛酉)생인 아들의 사주를 대입해 보니 세 사람 모두 상극을 이루고 있었다.

수(水) → 화(火) → 금(金)

사주가 상극을 이루고 있으면 가족 구성원들이 행복할 수가 없다. 거기에다가 10년마다 바뀌는 대운과 월별로 바뀌는 세운에서 다시 상극을 이루게 되면, 극을 당하는 사람은 이제 더 이상 이 세상 사람이 아닌 것이 되는 것이다.

자살로 짧은 생을 마감한 모 여배우와 그의 남편이었던 운동선수 역시 상극의 사주를 이루고 있었다. 근자에 모 탤런트가 자살을 시도하여 뇌사자 판정을 받아 5명에게 새 생명을 나누어 주고 세상을 떠났는데, 그 역시 자체 상극의 사주를 이루고 있었다.

요즘 재혼가정에서 흔하게 일어나고 있는 어이없는 아동 학대 살인사건을 접하노라면, 오행과도 무관하지 않을 것이라 유추해 본다. 역학의 기본인 오행은 5천 년 전에 만들어졌다. 개개인이 타고난 오행으로 이루어진 사주는 이미 정해진 운명에 대한 하늘의 계시로 일정한 법칙을 가지고 있어 공부하기도 어렵지 않다. 사주를 통해 그 사람의 성품과 건강 상태도 알 수 있고 질병도 알 수 있다.

지난겨울에 사업을 하는 모 인사가 몸이 아파 강원도에 요양을 가 있다는 소식을 접하고 페북에서 정보를 얻어 사주를 열어 보니, 근무력증과 뇌졸중은 이미 예고되어 있는 질병이었다.

경계해야 할 사기꾼의 사주도 있다. 역학은 이미 95% 이상 통계로 입증되었다. 비록 우연한 기회에 죽향동산의 김상운 목사님을 통해 접하게 된 역학이지만, 생활 속에서 미력한 능력이나마 크고 작은 문제를 갖고 있는 이웃들을 위해 조언을 해 줄 수 있음에 감사한다.

기독교와 천주교는 역학을 미신이라 치부하며 애써 외면하고 있고, 불교계 스님들은 역학을 공부하여 신도들을 대상으로 돈으로 바꾸어 쓰고 있는데, 역학을 상식으로 배워서 이웃들에게 봉사하면 좋을 사람들이 종교인들이다.

김상운 목사님은 영국에서 신학을 공부하시고 국내에 돌아와 동양의 철학인 역학을 성경과 함께 20여년 가까이 공부하시고 연구하셨다. 김상운 목사님은 기운조정을 통하여 태어날 때부터 사지가 뒤틀려 나온 아이를 정상인으로 고쳐 주시고, 말기 암 환자도 치유해 주셨다. 생계가 막막한 어려운 도우들에게는 생계를 위한 방편으로 역학을 무료로 가르쳐 주시기도 하셨다. 차비가 없었던 형편이 어려운 제자에게는 주머닛돈을 탈탈 털어 차비로 내주신 분이셨다.

가족들의 사주 분석을 통해 나에게 조언을 받은 이웃을 길에서 마주치면 가족들이 편안해졌다며 감사하다는 인사와 함께 밥 한 끼 대접하겠다고 한다. 경기가 어려워진 수년 전부터 학사나 석사 박사보다 밥사(?)가 높고, 밥사보다는 술사(?)가 더 높다고 한다. 감사한 마음으로 밥을 사겠다는 밥사(?)들이 주변에 늘어 가고 있으니 요즘 같은 세상에 얼마나 다행인지 모르겠다. 그렇지만 나는 낯을 많이 가리는 편이라 아주 친한 사람이 아니면 밥을 같이 먹지 않는다.

젊은 시절 능력 부족으로 결혼상담소를 통해 몇 번 맞선을 보았던 남자들이 밥을 사겠다고 했을 때도 매번 차 한 잔만 마시고 헤어졌다. 공짜 밥을 좋아하지 않는데다가 인연자도 아닌 사람에게 비싼 밥을 사고 나면 나중에 상대방이 억울해할 것 같기도 하고, 낯선 사람과 밥을 먹으면 왠지 체할 것 같은 생각이 들었기 때문이다.

그 낯가림은 지금도 여전하다.

야자 폐지 환영

　이재정 경기교육감은 취임 2주년 기자간담회에서 "2017년부터 야간
자율학습에서 학생들을 해방시키겠다. 입시 위주, 성적 위주, 성과 위
주의 경쟁적 교육이 '야자'라는 이름의 비인간적·비교육적 제도를 만
들었다. 더 이상 학생들을 '야자'라는 틀 속에 가두지 않겠다."고 강조
했는데, 아이와 선생님과 부모님을 피곤하게 하는 '야자 폐지'에 나는
적극 찬성이다.

　도교육청이 파악한 도내 고교 '야자' 참여율은 고교 1학년이 19.3%,
2학년 17.9%, 3학년이 23.8%로 10명 중 2명꼴로 참여하고 있는 것으
로 나타났는데, 이 교육감은 '야자'를 대신해 대학과 연계한 '예비대학
교육과정'을 도입하겠다고 밝혔다. 이 교육감이 구상한 예비대학 교육
과정은 학생들이 진로탐구 및 인문학, 예술, IT 등 기초학문 등을 대학
교에 찾아가 배울 수 있는 프로그램이다.

　이 교육감은 '야자' 폐지로 사교육이 증가할 우려가 있다는 지적에 대
해 "예비대학 교육과정은 학원에선 배울 수 없는 교과로 만들 것이다.
또 추후 학점으로 인정받을 수 있는 길도 생각해 볼 수 있다. '야자' 폐
지를 위해 전국 시·도교육감협의회에 제안, 전국 시·도교육청이 공

조하는 방안을 모색하겠다."고 밝혔다.

이재정 교육감의 '야자 폐지'에 대해 일부 학부모들은 '대안도 없이 학생들을 학원. 독서실로 내모나? 기숙사가 있는 고교나 특목고는 계속 야자 할 텐데 일반고만 학력 더 떨어질 것'이라고 우려를 표했고, 교총은 '학교가 자율적으로 시행하게 해야 한다.'고 주장했다.

보편복지를 실현하고 있는 핀란드는 국제학생성취도평가에서 줄곧 1위를 차지하고 있고, 교육순례자들의 탐방지가 되었다. 핀란드는 정부 차원에서 민주시민의 소양을 키우기 위해 광역단위별로 '청소년의회'를 조직하여 각 학교의 학생회를 활성화하고, 자유로운 의사 표현과 사회 참여를 지원하며 민주주의를 체험으로 배워 능동적 민주시민으로 성장시키는 것을 목적으로 하고 있다.

매년 3월에 핀란드의 수도 헬싱키 시의회 본회의장에서 시장과 학생 대표들이 참여하는 '청소년 목소리 회의'가 열리는데, 학생들은 준비해 온 프로젝트를 발표하고 토론을 거쳐 학교별 예산배당을 투표로 확정한다. 세계인이 주목하는 이 같은 핀란드 교육정책은 정권이 바뀌어도 교육영역은 침범하거나 간섭하지 않는다는 사회적 합의가 지켜지기에 가능한 일이다. 교육에 있어 높은 자존감을 지닌 선생님들의 열정 어린 가르침을 경솔하게 평가하지 않으며, 누구도 함부로 교육현장을 건드리지 않는다.

학생들에게 평가는 서열이나 경쟁의 수단이 아니라 자신의 위치를 알게 하고, 진로 선택의 도구로 삼아 자기가 원하는 분야를 선택하고 즐기며 공부할 수 있게 해 준다. 핀란드 아이들의 학업에 대한 자신감과 공부에 대한 의욕이나 흥미도 높아 주관적 행복지수가 높다.

또 핀란드의 학생들은 오후 3시면 학교에서의 모든 일과가 끝나고 과외도 받지 않는다. '아이들은 놀 권리가 있다. 그 권리를 최대한 충족시켜 주어야 공부도 열심히 하게 된다.'는 것이 핀란드의 교육 철학이다.

의무교육이 이루어지는 7~16세까지 석차가 매겨진 성적표는 제공하지 않으며, 학교는 학생을 선택할 수 없으며, 학교 선택권도 학생들에게만 있다. 학력 수준별로 반을 편성하는 것도 금지되어 있으며, 학교 활동의 구성과 교육은 철저하게 학생들 중심으로 이루어지고 아이들의 평일 학습시간 평균은 4시간 22분이라고 한다.

단 한 명의 아이도 포기하지 않겠다는 것이 핀란드의 교육정신이다. 이렇듯 핀란드는 교육에 있어 경쟁과 차별이 아닌 협력과 지원의 교육이 성공적으로 이루어져 세계의 교육모델로 우뚝 섰다.

현재 대한민국의 교육은 인성교육은 뒷전이고 초등학교 시절부터 성적순으로 우열반을 나누어 오로지 경쟁만을 유도한다. 중학교, 고등학교 과정 역시 마찬가지다. 강남의 초등학생은 학교 수업을 마치면 중·고등학교 과정의 선행학습을 위해 몇 군데의 학원을 거쳐 집에 돌아오는 시간이 11시가 넘어선다고 하니, 쌓이는 것은 억지주입식의 지식일지 모르나 몸에 쌓이는 것은 피로와 짜증뿐일 것이다.

인성이 망가지는 교육 현실에서 아이들에게 인성교육을 논하는 것은 그야말로 어불성설(語不成說)이다. 어른도 견뎌 내기 힘들다. 요즘 보도되고 있는 청소년들의 잔혹한 성범죄가 횡행하는 것도 이러한 교육 현실과 무관하지는 않다고 생각한다.

사교육비도 만만치 않은 현실에서 대학 입시 논술과정과 관련하여 독서활동 수업료가 회당 30만 원이라고 한다. 논술은 객관적인 평가가 이루어지는 것이 아니라 주관적인 평가이므로 대학 입시를 투명하게 하기 위해서라도 불공정한 논술과목은 반드시 폐지되어야 한다.

선생님들의 과중한 업무도 문제다. 교육부가 발표한 '2016년 학생생활 기록부 기재 요령'에 따르면 교사는 독후감 등 독서 기록을 토대로 해당 학생의 관심 분야, 독서 성향, 독서 전후 변화 등을 파악해 이를 생활 기록부, 독서 활동 상황에 기입해야 한다고 한다. 시간을 많이 필요로 하는 과중한 업무이므로 이는 마땅히 폐지함이 옳으나, 굳이 이 업무를 수행하게 하려면 선생님이 담당하는 학생 수를 10명~15명의 선진국 수준으로 조정해 주어야 한다고 생각한다.

또 고교 학생선발제도에 있어 선발고사를 폐지하고 자기소개서와 학교생활기록부 성적으로 학생을 뽑는 자기주도학습전형으로 확대해야 한다. 지금까지 대한민국의 교육은 학교와 부모들의 과욕으로 인해 자신만 아는 이기적인 인간형을 키워 내는 데 집중되었는데, 이제는 내 자신도 이롭고 남도 이롭게 한다는 자리이타(自利利他) 정신에 입각하여 '협동하는 인간'을 키워 내는 것을 목적으로 해야 할 때이다.

100만 원짜리 수학여행과 자궁경부암 백신

최근에 100만 원이 넘는 고가의 수학여행이 논란을 불러일으켰는데, 수백만 원이 넘는 고가의 수학여행은 이미 수년 전부터 서울의 사립 초·중·고에서 실시되고 있는 것으로 알려졌다.

가장 비싼 곳이 7박 8일 유럽 여행으로 1인당 부담액이 295만 2,000원이었고, 가장 싼 곳이 3박 5일 중국, 상하이, 캄보디아로 122만 원이라고 한다. 서울의 모 학교에서 기획한 수학여행과 관련하여 100여만 원이 넘는 고가의 경비로 인해 360명 가운데 가정 형편이 넉넉하지 않은 학생 100여 명이 수학여행을 가지 못하고 자율학습을 해야 한다고 한다.

학창시절의 가장 큰 추억으로 남을 수학여행은 빈부의 차와 상관없이 누구나 참여할 수 있어야 한다. 평등하게 이루어져야 할 수학여행조차 여유 있는 집의 자제들 위주로 기획된다면, 이것은 형평성에 위배되는 처사다. 더군다나 내 나라 안의 지리조차 파악하지 못한 상태에서 비싼 경비를 들여 외국으로 수학여행을 나간다는 것은 어불성설이다.

서울시 교육청이 비싼 경비를 들여 떠나는 수학여행이 위화감을 조성할 수 있다는 이유로 자제를 권했다고 하는데, 자제를 권하는 것만으로 끝낼 일이 아니라 초·중·고의 외국 수학여행은 아예 법으로 금지시켜야 함이 마땅하다.

과도한 경비의 외국 수학여행이 계층 간 위화감을 조성하고 교육 격차를 심화시키고 있는데, 수학여행을 통하여 내 나라 안의 역사·문화적 유적지를 탐방하고, 학생들 간의 친목 도모와 지도력과 자율적 도덕 능력의 함양 등 종합적인 교육 목적이 이루어질 수 있는 수학여행이 되게 해야 한다.

보건복지부는 초등학교 6학년~중학교 1학년 여학생 47만 명에게 자궁경부암 무료 예방접종을 실시한다고 발표했다. 복지부는 보도자료에서 "자궁경부암은 전 세계 여성암 중 2위를 차지할 정도로 발병률이 높은 암으로, 우리나라에서도 매년 3,300여 명에게 발병하고 연간 900여 명이 사망한다."면서 "HPV 백신 접종으로 70% 예방이 가능하다."고 홍보했다.

그런데 복지부는 자궁경부암 백신의 부작용에 대해서는 크게 괘념치 않는 눈치다. 2016년 6월 21일 팩트올 보도에 의하면, 자궁경부암 백신의 부작용으로 영국의 13살 소녀 쉐즐은 HPV 백신을 맞고 5일 만에 사망했고, 뉴질랜드의 12살 소녀 앰버는 걷지 못하는 상태가 됐다. 미국의 매디와 올리비아 자매는 "백신을 맞고서 임신할 수 없는 불구의 몸이 됐다."고 했고, 펜실베니아의 17세 소녀 케이티는 HPV 백신을 맞고, 피로와 두통, 복통, 메스꺼움, 관절통, 기억 상실증, 현기증, 피부 질환 등에 시달렸다. 그리고 일본에서는 무려 2,584명이 HPV 백신 이상증상을 호소했다.

일본은 2013년 4월부터 HPV 백신을 '필수 정기 접종'으로 지정해 여성 청소년들에게 무료로 맞게 했다. 이에 따라 2014년 11월까지 무려 338만 명에 이르는 초·중·고교생들이 HPV 백신을 맞았다. 그런데 무료접종을 시작한 지 두 달 만인 2013년 6월부터 "이 백신을 맞은 13~16세 소녀들에게 만성 통증증후군인 'CRPS(복합부위통증증후군)' 등의 이상 반응이 발생했다."는 보고가 잇따랐다. 주사를 맞은 338만 명 중 2,584명이 부작용을 호소했고, 이 가운데 186명은 증상이 나아지지 않은 것으로 파악됐다. 그러자 일본 후생노동성은 2013년 6월 'HPV 백신 필수 접종 정책'을 철회했다.

이후 일본에서는 HPV 백신의 안전성과 관련된 실험을 진행했다. 일본 센다이사회보험 병원의 오사무 호타 박사는 "만성피로증후군(CFS)을 호소하는 환자 가운데 상당수가 HPV 백신을 맞은 여성이었다."면서 그 관찰 결과를 2016년 4월 독일에서 열린 국제 백신 심포지움에서 발표했다. 만성피로증후군이란 아무리 잠을 자도 피로가 풀리지 않는 증세로, 이 같은 증상이 6개월 넘게 지속되는 경우를 말한다.

호타 박사는 2014년 10월~2015년 9월까지 약 1년 동안 HPV 백신을 맞은 여성 중 이상증세를 보이는 41명을 관찰했다. 환자들은 수면장애, 두통, 피로, 어지럼증, 광선혐기증(빛을 보면 눈에 이상이 나타나는 증상), 관절 통증 등을 호소했다고 한다. 박사는 "41명 중 34명(82%)은 이 같은 증상 때문에 학교에도 가지 못했다."고 했다.

HPV 백신의 부작용을 호소한 사례는 일본에도 있었다. HPV 백신을 맞은 여성 4명이 "전신통증, 보행 장애, 손발 저림 같은 부작용이 나타났다."며, 올해 3월 "일본 정부와 백신 제조, 판매회사인 머크샤프앤돔(MSD), 글락소스미스클라인(GSK)을 상대로 집단소송을 제기하겠다."고 밝힌 것이다.

이들이 소송 의사를 밝힌 MSD와 GSK는 '백신' 하나로만 매년 수십억 달러(수조 원)의 매출을 거두는 글로벌 제약사다. 우리 복지부가 자궁경부암 백신 무료접종을 위해 조달 계약을 체결한 백신 역시 MSD 제품인 가다실(Gardasil)이다. 독감 백신을 겸하고 있는 '가다실' 하나에서 거둔 매출만 2012년 1년간 19억 달러(2조 1,000억 원)에 달한다.

우리나라의 대한산부인과학회와 대한부인종양학회는 "안전성이 입증됐다."면서 HPV 백신 접종을 적극 추천하고 있다. 이들은 2016년 4월 2일 "HPV 백신의 이상반응 사례에 대해 세계보건기구(WHO)가 안전함을 확인했다."면서 "HPV 관련 질환 예방에 백신 접종이 필수적이라는 점을 확인한다."고 주장했다.

백신의 부작용이 세계 도처에서 확인되고 있는데도 안전하다고 말하고 있는 대한민국이다. 어린 딸들에게 안전이 입증되지 않은 위험한 백신을 맞히길 권하기보다는 건강한 식단 제공과 연령에 맞는 성교육과 정기적인 건강검진을 통하여 건강관리를 권하는 사회가 되었으면 좋겠다.

부익부빈익빈(富益富貧益貧) 정치의 현장

초등학교 6학년인 딸아이가 내년에는 중학교에 진학해야 하는데, 제가 살고 있는 동구에서 딸아이가 갈 수 있는 중학교는 남녀공학인 화도진 중학교 한 곳밖에 없습니다.

오래된 박문여중이 동구에 있었는데, 구민들의 반대 의견에도 불구하고 송도신도시로 이전을 하였습니다. 그래서 재작년 여름비가 억수같이 퍼붓던 날, 딸을 가진 학부모의 한 사람으로 동인천 북광장에서 박문여중 송도신도시 이전을 반대하는 집회에 참가하여 촛불시위를 한 적이 있습니다.

시 교육청은 이전하는 박문여중을 대신할 여중을 신설할 계획이 전혀 없다고 합니다. 화도진중학교는 여학생 정원이 90명이라는데, 내년에 중학교에 진학해야 하는 동구의 여학생은 344명이라고 합니다. 90명을 제외한 나머지 학생은 다른 구로 전출을 할 수밖에 없는 입장인데, 자녀가 집과 먼 원거리 통학을 하게 되면 부모와 자녀 모두 불편하기는 마찬가지입니다. 원거리 통학을 해야 하는 자녀를 둔 부모는 결국 무리를 해서라도 이사를 가야하겠지요.

신도시가 건설되면 학교도 당연히 새로 신설하는 것이 일반인들의 생각인데, 구도심의 오래된 명문 학교들을 신도시로 이전시켜서 구도심 죽이기를 하는 정치인들의 머릿속에는 도대체 어떤 생각들이 들어 있는 걸까요? 이곳 동구는 유입인구가 적고 인천시에서 노년인구가 가장 많은 지역입니다. 이러한 지역에 잘못된 교육정책으로 인해 토박이까지 동구를 떠나게 만들고 있으니…….

교육을 받을 권리는 대한민국 전역 어디에서나 지역 차별을 받지 않고 공평하게 이루어져야 합니다. 교육은 보편복지에 해당합니다. 대한민국에서 자녀교육의 기회마저 구도시와 신도시간의 지역 차별 정책을 경험하고 나니, 대한민국에서 부익부빈익빈(富益富貧益貧)의 정치가 이루어지고 있는 것이 새삼 실감 납니다.

2015. 5. 19.

비문 없는 비석

　제주 4·3 평화기념관에는 비문을 새기지 않은 비석이 누워 있다. 제주 4·3사건이 발발한 지 68주년이 지났지만 아직까지도 진상 규명이 제대로 이루어지지 않았다. 미군정하에 발발한 제주 4·3사건은 6·25 전쟁 다음으로 인명 피해가 극심했던 비극적인 사건이다.

　4·3사건의 도화선이 된 사건은 1947년 28주년을 맞은 3·1절 기념 집회 및 가두시위 때 기마병의 말에 치인 어린이를 무시하고 지나는 경찰에 일부 군중이 항의하다가 벌어진 사건으로, 무장한 경찰이 시위대가 아닌 단순 구경꾼들에게 무차별 발포하여 6명이 사망하고 8명이 중상을 입었다.

　이 사건으로 인해 경찰 발포에 항의하는 민·관 합동으로 제주도 전체 직장의 95% 이상이 참여한 3·10 총파업이 강행되었다. 사태를 심각하게 여긴 미군정이 제주에 조사단을 파견한 결과, 경찰의 무분별한 발포에 도민들이 반감을 일으켰고, 이를 증폭시킨 것은 제주 남로당이라고 분석했다.

　제주도는 지리적으로 동북아 요충지라는 지리적인 특수성으로 인해 일본이 일으킨 태평양 전쟁 말기에는 미군의 상륙을 저지하기 위해 6만여 명의 일본군이 주둔했고, 종전 후에는 외지에 나가 있던 제주인 6만여 명의 귀향으로 급격한 인구 변동이 있었다. 급격한 인구 변동은 실업난과 생필품 부족, 전염병으로 몸살을 앓게 되었고, 흉년까지 겹쳐 이중고를 더했다.

거기에다 미군정의 미곡정책의 실패와 일제경찰의 군정경찰로의 변신으로 뇌물과 부정부패가 만연하여 사회적인 문제로 부상했다. 미군정은 3·10사건을 '경찰의 발포'보다는 '남로당의 선동'으로 몰아붙이며 강공정책을 펼쳤다. 도지사와 군정수뇌부를 전원 외지인으로 교체하고 응원경찰과 서청단원들이 제주에 투입되어 파업주모자들에 대한 검거 작전을 벌여, 한 달 만에 500여 명을 체포하고 1년 동안 2,500명이 구금하고 테러와 고문이 자행됐다.

이러한 가운데 일선지서에서 3건의 고문치사사건이 발생하여 제주도민들의 분노를 유발시켰고, 수세에 몰린 제주도당 남로당은 폭력적 탄압 중지, 단독 선거 반대, 단독정부 반대, 민족 통일, 미군정 반대를 내세우며 통일정부 수립을 촉구하는 구국투쟁을 결행하기로 하였다. 1948년 4월 3일 새벽 2시, 350명의 무장대가 봉기하여 12개 지서와 우익단체들을 공격하였다. 미군정은 치안상황으로 간주하여 경찰력과 서북청년단의 증파를 통해 사태를 수습하고자 하였으나, 수습이 되지 않아 주한미군사령관이 경비대에 무력진압 명령을 내렸다.

9연대장 김익렬 중령은 무장대 측 김달삼과의 4·28 협상을 통해 평화적인 사태 해결에 합의를 이끌어 냈으나, 우익청년단체에 의한 '오라리 방화사건'으로 평화협상이 파기되었다. 군정은 오라리 방화사건의 범행이 우익청년단의 소행으로 밝혀졌지만, 무장대의 소행으로 조작하여 강경진압을 펼쳤다.

그리고 1948년 5월 10일 남한만의 단독 선거가 치러졌는데 투표수

과반수 미달로 무효 처리되었고, 선거를 거듭 추진하려 했으나 무산되었다. 그러던 것이 1948년 8월 15일 대한민국 정부가 수립되면서 초대 대통령인 이승만은 제주도민에 대한 보복으로 계엄령을 선포하여 초토화 작전이 감행되어 이 과정에서 제주도 전체 인구의 10%에 해당하는 3만여 명이 군·경 토벌대에 학살된 것으로 추정하고 있다.

4·3사건 당시 가족 중에 청년이 사라지면 그 가족을 대신 죽이는 '대살'이 이루어졌고, 토벌대에 희생된 가족이 있는 사람은 '연좌제'로 신분의 대물림 고통을 당해야 했다. 계엄령이 해제된 후 산에 피신해 있던 양민들에게 귀순하면 사면해 주겠다고 하여 피난민 1만 명이 귀순했는데, 대부분이 노인과 부녀자와 어린이였다고 한다.

6·25가 발발하자 예비검속이 이루어져 요시찰자와 입산자 가족이 처형당했고, 전국 각지의 형무소에 수감되어 있던 4·3 관련자들도 처형당했는데 그 수가 3,000여 명에 이른다. 이러한 4·3사건은 수십 년 동안 대한민국의 역사에서 금기시되고 은폐되고 왜곡되어 왔으나 2000년 1월 12일 문민정부에서 제주4·3특별법을 제정·공포하면서 정부 차원의 진상조사가 이루어져 2003년 10월 31일 노무현 대통령의 첫 공식적인 사과가 이루어졌다.

"위원회의 건의를 받아들여 국정을 책임지고 있는 대통령으로서 과거 국가권력의 잘못에 대해 유족과 제주도민 여러분에게 진심으로 사과와 위로의 말씀을 드립니다.

광복 이래 역대 대통령들 중에서 국가권력의 잘못에 대한 사죄를 한 것은 노무현 대통령이 처음이었다.

이승만 친미정권에 의한 제주양민학살 사건은 국가가 책임져야 한다. 4·3사건 당시 희생된 서청, 대청, 민보단 등 우익단체원들은 '국가유공자'로 정부의 보훈대상이 되어 보훈처에 등록된 4·3사건 관련 민간인 국가유공자는 모두 639명이다.

4·3사건의 예비검속피해자 유족들이 국가를 상대로 손해배상을 청구했는데, 법원은 국가권력에 희생된 유족 179명에게 10억 5,333만 원을 지급하라는 판결을 내렸다. '예비검속'은 범죄 방지 명목으로 죄를 저지를 개연성이 있는 사람을 사전에 구금하는 행위이다. 소송에 참여한 유족들은 6·25 한국전쟁을 전후로 서귀포경찰서로 끌려 가 총살이나 수장당한 피해자들의 가족으로 상당수 유족들은 피해자의 시신조차 제대로 수습하지 못한 것으로 알려졌다.

소송에 참여했다가 정부로부터 5년의 소멸시효 완성을 이유로 배상을 받지 못한 일부 유족들이 있다. 그러나 법원은 국가가 예비검속 피해를 인정한 2010년 6월을 기점으로 소멸시효를 계산해야 한다고 판단했다. 재판부는 "군인과 경찰이 정당한 사유 없이 적법절차를 거치지 않고 피해자들을 살해해 국민의 기본권을 침해했다. 공무원들의 위법한 직무집행에 따른 배상이 이뤄져야 한다."고 밝혔다.

아직까지도 정확한 규명 작업이 이루어지지 않은 '국민보도연맹' 사건도 있다. 이 사건은 민간인 10만 명에서 최대 120만 명이 국가기관에 의해 학살당한 것으로 추정하고 있다. 1949년 이승만 정권이 공산주의 확산을 막는다는 명분으로 사상을 통제하기 위해 조직한 반공단체인 '국민보도연맹'은 가입자 수가 30만 명으로, 주로 좌파 활동 경험이 있거나 사상범을 가입대상으로 삼았다고 하는데, 실제로는 무관한 사람들이 많았다고 한다.

공무원들이 가입 실적을 높이기 위해 사상과는 무관한 평범한 양민과 농민들을 상대로 쌀과 식량, 고무신, 비료 등을 나누어 주는 조건으로 가입 도장을 받았고, 가족 중 월북자나 남로당원이 있는 사람은 반강제로 가입을 시켰다고 한다. 심지어는 철모르는 10대 중·고교생도 가입시켰다. 이들은 대한민국 정부 절대 지지, 북한정권 절대 반대, 인류의 자유와 민족성을 무시하는 공산주의 사상 배격·분쇄, 남·북로당의 파괴정책 폭로·분쇄, 민족진영 각 정당·사회단체와 협력해 총력을 결집한다는 내용을 주요 강령으로 삼았다.

이승만 정권은 6·25전쟁이 터지자 국민보도연맹원들이 공산주의에 동조할 것을 우려하여 이승만 대통령의 특명으로 육군 특무대(CIC)와 헌병과 경찰이 국민보도연맹원들에 대한 무차별 검속과 학살을 주도했고, 극우조직인 서북청년단이 예비검속과 사살에 가담했다.

1961년 제4대 국회(제2공화국)에서는 '양민학살사건의 진상조사특위'를 구성하여 학살 현장을 돌며 실태 조사를 벌였고, 정부에 진상 조사와 피해 배상을 촉구하는 대정부 건의문을 채택했다. 억울하게 희생당한 양민들을 위해 각 지역에서 합동위령제가 올려지자, 장면 총리는 보도연맹 학살 희생자들에 대한 조화와 부조금을 보내 조의를 표했다.

그러나 박정희 군부세력이 주도한 5·16 쿠데타의 성공으로 군사정권은 '소급법'을 만들어 보도연맹 학살 희생자들의 유골을 수습한 유족들을 '빨갱이'로 몰았고, '혁명재판'이라는 이름하에 유족들의 목소리를 묵살했으며, 합동묘를 해체시키고 추모비를 파괴하는 만행을 저질렀다. 군사정권은 유족들을 '요시찰 대상'으로 지목·규정하여 항시 감시하고 연좌제를 적용해 오랫동안 유족들을 옥죄었으며, 학살과 관련한 정부 기록을 모두 소각하고 진상을 철저히 은폐하고 금기시하였다.

2005년 참여정부인 노무현 대통령 직속기구로 '진실 화해를 위한 과거사 정리 위원회'를 만들어 2005년 12월부터 6년간 각종 문서 기록에 남아 있는 보도연맹 학살 의혹 사건들을 정리하였으나, 피해자들의 가족들이 정부의 홍보 부족과 억울함을 탄원할 방법이나 절차를 모르고 있어 60년 동안의 한을 풀 수 있는 기회마저 제대로 활용하지 못했다.

진실 화해를 위한 과거사 정리위원회에서 밝혀낸 기록상의 결과는 79개 시·군에 걸쳐 약 6만 명이 학살되었고, 얼마나 많은 보도연맹원들이 희생되었는지 전체 규모를 알 수 없다고 하였다.

보도연맹 입안 추진자였던 사상검사 오제도씨는 1999년 11월 『시사저널』과의 인터뷰에서 "보도연맹 학살은 정부의 커다란 과오"라고 시인했고, "이제라도 보도연맹 희생자들을 위한 위령제를 치러 줘야 한다."고 말했다.

2008년 고(故) 노무현 전 대통령은 울산 국민보도연맹 희생자와 유가족에 대한 위로 사과와 함께, 과거 국가의 잘못된 공권력 행사에 대해 국가를 대표하여 포괄적으로 유감을 표명하였다. 그러나 국가권력에 의해 저질러진 민간인 집단 학살사건은 60년이 지난 지금까지도 정확한 사건 규명 작업이 제대로 이루어지지 않고 있다.

노무현 대통령 재임 기간 중에 친일반민족행위진상규명이 2004년 3월 12일 특별법으로 제정되어 국회의 본회의를 통과하고 설립된 친일반민족행위진상규명위원회, 일제 강제동원진상규명위원회, 친일재산조사환수위원회, 진실 화해를 위한 과거사정리조사위원회, 군의문사진상조사위원회 등은 대한민국이 과거를 정리하고 앞으로 나아가기 위해 꼭 필요한 조치였다.

그러나 애석하게도 이명박 정권이 들어서면서 모두 해체되고 폐지되었다. 이명박 정권에서 2008년 12월 19일자로 부정선거관련자처벌법폐지와 2012년 6월 투표용지 보존기간을 5년에서 2개월로 축소한 것은 민주주의에 역행하는 처사로 실로 유감이 아닐 수 없다.

미국의 저널리스트인 팀셔록 기자가 광주에 기증한 해제된 미국방부의 기밀자료인 '체로키 파일'과 문건에는 제주 4·3사건과 5·18 광주 민주화운동에 미국이 개입된 정황을 보여 주고 있다. 이에 대해 팀셔록 기자는 "제주와 광주에서 벌어진 참극으로부터 자유로울 수 없는 미국의 대통령도 언젠가는 4·3과 5·18에 대해 사과해야 한다."고 강조했다.

국가가 책임져야 하는 국가 권력이 조직적으로 개입한 국가범죄는 공소시효를 배제해야 한다. 오만한 위정자들의 만행으로 대한민국 금수강산 곳곳에 암매장되어 아직도 피맺힌 한을 풀어내지 못하고 있는 수많은 원혼들이 있다. 일제에 의해 저질러진 만행보다 더 뼈아픈 것이 내 나라 안의 내 동족에게 어이없는 이유로 살육을 당했다는 것이다. 대한민국 최고위층에 있는 위정자들의 후손들은 이들에게 진심어린 사과와 더불어 명예를 회복시켜 주고 유족들에게 적절한 보상도 해 주어야 한다.

역사는 어떠한 경우에도 진실을 바탕으로 쓰여야 하고, 후손들에게 진실을 전하여 후손들로 하여금 지나간 역사 속에서 반성과 교훈을 배우게 해야 한다. 그리고 국가권력이 개입하여 국민들을 살육한 제주 4·3사건과 국민보도연맹, 5·18 광주 민주화운동과 같은 뼈아픈 역사가 다시는 되풀이되지 않기를 바라고, 고(故)노무현 대통령님께서 마무리하시지 못한 '비문 없는 비석'에 비문을 제대로 채워 세워 줄 지도자의 출현을 두 손 모아 비손한다.

거울

　딸아이가 초등학교 3학년 때의 일입니다. 겨울방학식을 하는 날에 딸아이가 울면서 전화를 했습니다. 겨울방학식을 마치고 친구가 짐이 많다며 집까지 들어 달라고 도움을 청하여 친구가 사는 낯선 동네까지 짐을 들고 따라갔는데, 친구가 현관문 앞에서 그냥 돌아가라고 하여 목도 말랐는데 물 한 모금도 얻어 마시지 못하고 친구의 집을 나섰다고 합니다.

　그런데 집과는 거리가 먼 처음 와 본 낯선 동네가 되어 집으로 돌아가는 길을 알 수가 없어서 다시 친구에게 전화를 걸었는데 친구의 전화기는 꺼져 있고, 친구 집을 다시 찾아가려니 집들이 거의 비슷해서 어느 집인지 알 수가 없더랍니다. 불안한 마음에 엄마에게 전화를 걸어 엄마 목소리를 들으니 울음부터 터져 나왔다고 합니다.

　그래서 차분하게 아이를 안심시키고 주변에 경찰서나 동사무소 아니면 슈퍼마켓에 들어가 자초지종을 말하고 엄마와 통화를 하게 해달라고 했습니다. 잠시 후, 그 동네 동사무소에서 전화가 걸려왔습니다. 제가 동사무소 위치를 물어보고 바로 데리러 가겠노라고 아이 좀 잘 봐주십사 부탁을 드리고는 전화를 끊자마자 택시를 타고 데리러 갔습니다.

동사무소 직원이 준 음료수를 마시고 있던 딸아이는 저를 보자마자 제 품에 안기며 울었습니다. 딸아이를 보호해 준 동사무소 직원에게 거듭 감사 인사를 하고 집으로 돌아왔습니다.

　딸아이에게 짐을 들어 달라고 도움을 청했던 그 친구는 저희 집에도 몇 번 놀러와 제가 만들어 준 간식과 밥을 먹고 간 적이 있는데, 저희 집에서 놀다가 집으로 돌아갈 때는 반드시 딸아이에게 친구가 아는 길까지 데려다 주라고 하여 학교 정문까지 데려다 주곤 했습니다.

　그 날 이후로 저는 딸아이에게 자신에게 도움을 준 친구에 대한 배려심이 전혀 없는 그 친구와는 놀지 말라고 했습니다. 그 친구는 부모님이 맞벌이를 하여 연로하신 할머님께서 돌봐주고 있다고 하는데, 개학식 날도 깜빡 잊어서 결석을 하고, 숙제나 준비물도 제대로 챙겨 오지 못하는 날들이 많아 딸아이가 빌려준 적도 많았다고 합니다.

　저보다는 한참 나이가 젊은 부부가 하나밖에 없는 자식을 연로하신 노모님께 맡기고 신경도 쓰지 않는가 싶어 한편으로는 아이가 불쌍하다는 생각도 들면서 내심 불쾌한 생각도 들었습니다. 제가 아무리 제 자식을 기본부터 예의 바르게 가르쳐 놓는다 해도 다른 부모들이 아이를 제대로 가르쳐 주지 않는다면 아무 소용이 없습니다. 각기 사는 환경과 다른 처지에 있는 부모들이라 하더라도 부모로서 자녀에게 기본으로 가르쳐야 하는 것은 똑같아야 한다고 생각합니다.

　그런데 돈벌이에만 급급한 부모들은 연로하신 부모님에게 어린 자녀를 맡겨 놓고 나 몰라라 수수방관하고 있습니다. 어린아이에게 필요한 것은 돈이 아니라 애정과 관심입니다. 인성교육도 어렸을 적부터 부모가 모범을 보이면 자식도 자연스럽게 따라하게 되어 있습니다.

　어느 날 딸아이의 손을 잡고 시장에 가다가 무거운 짐을 들고 언덕길을 올라오시는 낯선 어르신을 만났습니다. 제가 그 어르신의 짐을 받아들고 집까지 들어다 드린 적이 있는데, 그 사이에 딸아이는 엄마가 비를 맞을까 봐 우산을 챙겨들고 나왔습니다. 딸아이는 학교에서 다리를 다친 저학년의 후배를 위해 급식을 타다 주고 교실까지 업어다 주기도 했습니다.

이처럼 부모가 모범을 보이면 자식도 자연스럽게 따라합니다. 자식은 부모의 거울이고, 부모는 자식의 거울입니다. 그런데 지금 대한민국에는 불륜으로 인해 부모의 잦은 별거와 이혼과 재혼으로 인해 죄 없는 어린아이들이 계모와 계부 또는 친부모에 의해 끔찍하게 학대를 받아 맞아 죽거나 굶어 죽고, 시신마저 절단되어 유기 방임되는 일들이 비일비재하게 일어나고 있습니다. 한집에 살면서 '부부관계 갈등'으로 가족 간에 대화가 단절된 '투명가족'이 되어 갈등을 겪고 있는 가정도 많다고 합니다.

국가가 재범의 소지가 많은 성범죄자를 관리하지 못해 전자발찌를 찬 성범죄자가 아침에 어린이집에 가는 3살과 5살의 아이를 배웅하고 돌아온 엄마를 성폭행하고 잔인하게 살해하여 아이들과 남편에게 지옥을 선물한 사건도 있습니다. 살인자의 아버지는 피해자 가족들에게 자식이 저지른 잘못에 대해 사과의 말 한마디나 반성의 기미가 전혀 없었습니다. 살인자의 아버지 역시 아내를 폭행하고 어린 자식을 학대해 온 아버지였기 때문입니다.

아래는 '어린이 헌장'에 명시된 문구입니다.

1. 어린이는 인간으로서 존중하여야 하며 사회의 한 사람으로서 올바르게 키워야 한다.
2. 어린이는 튼튼하게 낳아 가정과 사회에서 참된 애정으로 교육하여야 한다.

3. 어린이에게 마음껏 놀고 공부할 수 있는 시설과 환경을 마련해 주어야 한다.
4. 어린이는 공부나 일이 몸과 마음에 짐이 되지 않아야 한다.
5. 어린이는 위험한 때에 맨 먼저 구출하여야 한다.
6. 어린이는 어떠한 경우에라도 악용의 대상이 되어서는 아니 된다.
7. 굶주린 어린이는 먹여야 한다. 병든 어린이는 치료해 주어야 하고, 신체와 정신에 결함이 있는 어린이는 도와주어야 한다.
8. 어린이는 자연과 예술을 사랑하고 과학을 탐구하며 도의를 존중하도록 이끌어야 한다.
9. 어린이는 좋은 국민으로서 인류의 자유와 문화 발전에 공헌할 수 있도록 키워야 한다.

요즘과 같이 혼탁한 세상에서 자식을 키우는 부모님들은 어린이 헌장에 명시된 문구들을 되새기면서 자식과 부모가 서로를 비추는 거울이 되어 그 거울이 늘 맑음을 유지할 수 있게 되기를 소망합니다. 국가도 부모가 자식에 대한 의무를 제대로 할 수 있도록 덕이 있는 정치로 도와주어야 합니다.

지난 3월 올해 중학교에 입학한 딸아이 학교에 학부모 상담을 하러 갔었습니다. 면담지를 꺼내 놓으신 선생님께서 "○○이는 자존감이 많이 부족한 것 같습니다. 자신을 소개하는 란에 자랑할 것이 없다고 적어 놓았습니다."라고 말씀하셔서 깜짝 놀랐습니다.

생각해 보니 제 딸아이는 또래들이 갖고 있지 않은 컴퓨터 국가자격증도 5개나 보유하고 있고 오케스트라부 활동으로 호른과 소금에 탁월한 연주 실력을 보여 인천시교육청 주관 합동 연주회에서 소금 독주도 했고, 예능분야 특기 장학금도 탔고, 교내외 시서화 대회에 나가 수상도 많이 했습니다. 학교에서 예체능 달인으로 인정받아 메달도 받았고, 또래의 고민을 상담해 주는 또래 상담사도 했고, 다리를 다친 후배를 업어서 교실까지 데려다주고 급식실에서 급식도 타다 주어 선행상까지 탄, 자랑할 것이 참 많은 아이인데 자랑할 것이 아무것도 없다고 했다니……. 믿어지지 않았습니다.

선생님께 아이의 장점을 말씀드렸더니 아이가 겸손이 너무 지나쳤다는 말씀을 하셨습니다. 학교에서 봉사 동아리에 가입한 딸아이는 판·검사가 장래희망이었는데, 아픈 사람들의 마음을 치유해 주는 정신과 의사가 되고 싶다며 의대에 진학하겠다고 합니다. 다른 사람의 마음을 치유해 주는 의사가 되길 원한 것은 아마도 아빠로서의 의무를 전혀 하지 않는 아빠에게 받은 마음의 상처가 깊기 때문일지도 모르겠습니다.

초등학교 6년 동안은 걸어서 학교를 다녔는데, 중학교는 걸어서 다니기에는 먼 거리라서 아침에 등교할 때만 버스를 타고 하교는 40분 걸어서 집에 돌아옵니다. 한 달 용돈은 3만 원인데 그 3만 원으로 매달 읽고 싶은 책 두 권을 사서 읽습니다. 웬만하면 책을 사서 읽지 말고 도서관에서 책을 빌려서 읽으라고 했더니, 도서관에는 읽고 싶은 신간이 없다고 합니다. 저도 딸아이가 읽고 싶은 책을 마음껏 사서 읽을 수 있도록 용돈을 넉넉하게 줄 수 있는 능력 있는 엄마가 되면 좋겠습니다.

딸아이의 올해 목표는 봉사의 왕이 되는 것이라고 합니다. 초등학교 시절에는 예술 부문에서 달인으로 인정받았으니, 중학교에서는 이웃들을 위한 봉사활동을 통해 자신을 인정받고 싶다고 합니다. 중학교 1학년생이 의무적으로 해야 하는 봉사활동 시간이 20시간이라는데 딸아이는 110시간을 목표로 정해 놓고 학교에서 동아리도 봉사 동아리반에 들었다고 합니다. 지난주에는 학교에서 봉사활동을 하고, 다음 주에는 어르신들을 위해 요양원에 봉사활동을 간다며 감기에 걸리면 봉사활동

못 간다고 건강관리에도 신경 쓰는 모습입니다.

일요일 밤에 MBC 〈시사 2580〉에서 저소득층 여학생들의 생리대 문제가 방영되었는데, 자식을 키우는 엄마로서 마음이 아팠습니다. 편부 가정인 여학생은 한 달 용돈이 만 원이라는데, 생리대 가격은 보통 6천 원에서 7천 원 선으로 만 원의 용돈으로는 매달 생리대 사는 것도 큰 부담이 될 것입니다. 생리대를 생산하는 회사는 면세까지 받았는데도 생리대 가격을 큰 폭으로 올린다고 하고, 생리대 가격을 국제 비교를 하니 대한민국이 가장 비쌌습니다.

세 딸을 혼자 키우는 엄마도 생리대 가격을 감당하기 어렵다는 안타까운 사연을 접하면서 딸아이에게 혹시라도 반에 생리대 사는 게 부담스러운 아이가 있거든 마음 불편하지 않게 도와주라고 말했습니다. 지자체와 시민단체와 기업에서 저소득 가정의 소녀들을 위해 생리대를 지원 또는 후원하겠다고 하니 얼마나 다행인지 모르겠습니다. 마트에 가면 늘 눈에 들어오는 게 세일하는 생리대였습니다. 그래서 틈나는 대로 사다 보니 어느새 한 박스가 채워졌고, 남들에게 불편하지 않게 위생에 신경 쓰라고 가르치고 있습니다.

가난은 사람을 불편하게 합니다. 가난 때문에 지금 불편을 겪는 소녀들이 자라서 꼭 성공한 사회인이 되길 바랍니다.

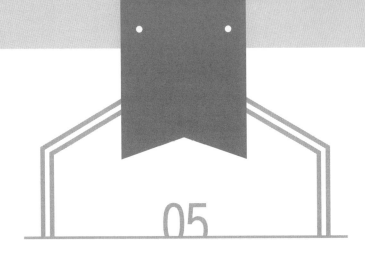

05

제 5 장

날개옷을 찾아서

중국의 문학 혁명가, 루쉰

루쉰은 청나라 말기 절강(浙江) 소흥(紹興) 사람으로 1881년에 태어났다. 자는 예재(豫才)고, 루쉰은 대표적인 필명이며, 본명은 주수인(周樹人)이다.

그가 13세 때 가정의 중심이자 경제적 지주였던 할아버지가 갑자기 체포·투옥되는 사건이 일어났다. 친지가 관리시험을 치를 때 평소 알고 지내던 시험관에게 뇌물을 건네주었다는 혐의 때문이었다. 현지사(縣知事)와 중앙정부 관리까지 지냈던 할아버지가 감옥에 갇히게 되자, 그의 일가는 커다란 타격을 입었고 생활은 갑자기 곤궁해졌다. 그의 아버지는 본래 병약하여 당시 폐결핵으로 오랫동안 병상에 누워 있었다. 그는 거의 매일 어머니의 장신구 등을 전당포에 맡기고 받은 돈으로 약을 사 왔지만, 아버지는 결국 그가 16세 때 사망했다.

루쉰의 인생의 바꾸어 놓은 것은 책 한 권에 있었다. 그것은 바로 토머스 헉슬리의 『진화와 윤리』라는 책이었는데, 진화론학설은 그에게 신선한 자극을 주는 동시에 '자연선택'이나 '적자생존'이라는 진화론의 법칙성이 국제사회 속의 중국에 적용되는 것이 아닌가 하는 민족적·국가적 위기의식을 갖게 하였다.

따라서 진화론의 적용을 피하기 위해서는 당시의 중국을 혁명하여 '신생(新生)'화하지 않으면 안 된다는 강한 전진의 염원이 청년 루쉰을 다그쳤다. 바로 이 때문에 루쉰은 문필활동을 시작하여 죽는 날까지 중국의 쇠퇴를 상징하는 봉건적·전근대적 의식구조를 집요하게 파헤쳐 비판하고 공격했다.

24세 때 센다이 의학전문학교에 입학했지만 세균 강의학에 상영된 영화의 한 장면 때문에 의학을 그만두게 되었다. 영상 속에서 러일 전쟁 당시 러시아를 위해 스파이 노릇을 했다는 이유로 일본군에 체포된 동포들이 참수당하는 장면을, 당당한 체격을 가진 다른 많은 동포들은 무덤덤한 얼굴로 구경만 하고 있었다.

그때 루쉰은 '대체로 무지한 국민은 체격이 아무리 훌륭하고 건장해도 바보 같은 구경꾼밖에 되지 않는다. 우선 가장 필요한 것은 그들의 정신을 변화시키는 것이며, 그렇게 하는 데에는 문예가 가장 적당한 수단이다.'라고 판단했기 때문에 의학교를 그만두고 국민성 개조를 위한 문학을 지향했다.

중국 근대화에 정신개혁을 주도한 '문학혁명'의 지도자였던 그는 1936년 폐병으로 사망하였다. 그의 죽음을 애도하는 조문객만 1만 명이 넘었다고 한다.

  '희망이란 본래 있다고도 할 수 없고, 없다고도 할 수 없다.
  그것은 땅 위의 길과 같다. 본래 땅 위에는 길이 없었다.
  걸어가는 사람이 많아지면 그것이 곧 길이 되는 것이다.'
  ― 루쉰

오강가

　목사의 아들로 태어난 슈바이처 박사는 유아기 시절부터 몸이 허약하였습니다. 태어난 지 6개월이 되었을 때, 아버지의 목사 취임식에 참석한 사람들로부터 축원의 말보다는 걱정 어린 말을 더 많이 들어야 할 만큼 신체적으로 몸이 약했습니다. 그래서 어머니는 그런 아들을 보며 마음이 아파 남몰래 눈물을 흘리며 아들이 건강하게 잘 자라게 해달라고 기도를 하였습니다. 이웃에 사는 아주머니가 이 모습을 보고 자신의 목장에서 나는 신선한 우유를 먹이면 튼튼해질 수 있을 거라며 하루도 거르지 않고 우유를 가져다주었습니다.

　어머니의 간절한 기도와 이웃의 따뜻한 배려로 매일 신선한 우유를 먹고 건강한 아이로 자라난 슈바이처는 나이 많은 유태인 장사꾼이 동네아이들에게 돼지라고 놀림을 받으면서도 묵묵히 참고 견디는 것을 보고 '인내'와 '용서'를 배웠습니다.

　목사였던 아버지로부터 예수의 탄생에서 죽음에 이르기까지의 이야기와 예배 때마다 아프리카의 가난하고 불쌍한 흑인들에 대한 얘기를 들은 슈바이처는 불쌍한 사람들에 대한 이야기를 들을 때마다 가슴이 아팠습니다. 어려서부터 거짓을 모르고 동정심이 많은 이 소년은 동네에 가난한 이웃 친구들에게 미안하여 새 옷도 입으려 하지 않았고 친구들과 똑같이 입으려 해서 어머니에게 혼이 나기도 하였습니다.

철학박사, 신학박사, 의학박사인 슈바이처가 무지와 가난과 질병 속에서 허덕이는 사람들을 돕기 위해 살기 좋은 유럽을 뒤로하고 아프리카로 떠났습니다. 그곳에서 의료봉사를 할 때 연로한 부인이 300㎞나 떨어진 먼 곳에서 문둥병에 걸려 손가락이 문드러진 남편을 카누에 싣고 와서 살려 달라고 애원했습니다. 피부병으로 눈과 코와 입을 분간할 수 없을 정도의 환자도 찾아왔습니다. 이러한 환자들의 손을 잡아 주고 그들을 위해 슈바이처 박사는 사랑으로 헌신적인 봉사를 하였습니다.

그리고 치료를 받은 원주민들에게 '오강가'로 불렸습니다. '오강가'라는 말은 '요술쟁이'란 뜻으로 슈바이처박사가 병을 요술쟁이처럼 낫게 해 주었다는 뜻입니다.

슈바이처 박사는 20대 청년 시절에 신학박사로 성 니콜라이 교회의 목사가 되어 사랑의 전도에 나서기도 했고, 대학에서 신학을 강의하기도 했습니다. 슈바이처 박사는 의학박사이면서 신학박사, 철학박사로 의술과 신유의 능력을 갖춘 하느님께 선택받은 완벽한 신의 아들, 예수의 후예였던 것입니다.

예수의 후예는 지금도 각기 다른 모습으로 도처에 존재하고 있습니다. 대한민국에도 슈바이처 박사와 같은 제대로 된 요술쟁이가 있으면 참 좋겠습니다.

아름다운 갑의 이야기

2014년 12월 18일 『일요시사』 경제팀의 보도에 의하면, 세월호의 희생자 황지현 양의 아버지 황인열 씨가 다니고 있는 동양피스톤 홍순겸 회장님은 지현 양의 아버지가 딸을 찾기 위해 회사에 사표를 제출하자, 딸을 잃은 아비의 심정을 자신이 이해할 수 있겠느냐며 회사는 걱정 말고 딸을 찾은 후에 얘기하자며 사표를 반려하셨다. 그리고 7개월간 급여도 계속 지급했다. 세월호 참사 200일이 되어 지현양은 돌아왔고, 그날은 지현양의 생일날이었다고 한다.

홍순겸 회장님의 직원에 대한 배려와 미담은 지현 양이 돌아온 날로부터 일주일 뒤에 인터넷 매체를 통하여 알려지게 되었다. 홍순겸 회장님은 자신의 선행이 알려지는 것을 원치 않아 언론사들의 인터뷰 요청도 거절하고 있는 것으로 알려졌다. 회사 측도 '당연히 할 일을 했을 뿐'이라며 '조명받는 것을 원치 않는다.'는 입장을 표명하였다.

홍순겸 회장님의 직원 사랑은 각별하여 '직원 경쟁력이 곧 회사의 경쟁력'이라는 신조로 전 직원에게 대학학자금 지원 등 대기업 부럽지 않은 복지 혜택을 제공하고 있다. 대학 보내기가 무섭다는 말이 나올 정도로 대학 등록금이 비싼 요즘이지만, 동양피스톤은 2년 이상 재직한 직원이라면 누구나 자녀 한 사람당 반기 180만 원까지 학자금을 지원받는다. 자녀 두 명까지 지원 가능하다고 한다. 은행권의 '희망엔지니어적금' 프로그램을 통해 직원이 월 10만 원 적금을 부으면 회사가 추가로 10만 원을 더 보태 주고 있으며 5년 안에 해지하면 회사 지원금을 챙길 수 없지만 계속 회사에 다닌다면 은행 이자까지 너해 돈을 불릴 수 있게 해 주고 있다.

홍순겸 회장님이 경영을 하고 계신 동양피스톤은 지난 5년간 직원들의 이직률이 0.5%로, 회사경영이 가장 어려울 때에도 구조조정은 없었으며 직원들도 노사합의를 통해 무급휴가 참여, 상여금 삭감으로 위기를 극복하여 대한민국에서 근무환경이 가장 좋은 회사로 만들었다. 인재들을 아끼고 키운 결과, 동양피스톤이 보유한 특허만 30개. 자동차 엔진 피스톤 분야 국내 1위, 세계 4위에 올라있다. 국내 자동차 기업은 물론 BMW, 아우디, GM, 크라이슬러 등 세계 기업들도 앞 다투어 동양피스톤과 협업을 진행하고 있다.

동양피스톤은 지난 7월 세계적인 히든챔피언 기업 육성을 위한 '월드클래스 300기업'으로 선정되기도 했다. 혹한의 겨울을 나고 있는 을의 지위에 있는 대한민국 국민들에게 아낌없는 직원 사랑을 보여 주신 홍순겸 회장님은 존경받는 경영인의 표상이다.

남모르게 선행을 베풀고 있는 LG기업에 대한 소식도 있다. LG의 창업주인 구인회 회장님은 일제시대 거액의 독립운동 자금을 지원하였는데, 구본무 회장님이 창업주인 구인회 회장님의 정신을 이어받아 다방면으로 사회적인 기여를 하고 있다.

2015년 8월 26일 『스포츠서울』에 실린 기사에 의하면, 휴전선 최전방에서 발생한 목함지뢰 폭발사고로 과다출혈로 인해 죽음의 문턱까지 이르렀던 발목과 다리를 잃은 두 명의 부상자들에게 LG는 구본무 회장님의 뜻에 따라 각각 5억 원의 위로금을 전달했다고 한다.

LG그룹은 과거에도 우리 사회의 귀감이 되는 의인들과 그 유족들에게 위로금을 전달해 왔는데, 2014년 7월 진도 팽목항 세월호 사고 현장 지원 활동을 마치고 복귀하던 중 헬기 추락 사고로 순직한 소방관 5명의 유가족에게 1억 원씩 총 5억 원의 위로금을 전달했다. 또 2013년 4월에는 바다에 뛰어든 시민을 구하려다 희생된 인천 강화경찰서 소속 고(故) 정옥성 경감 유가족에게 5억 원의 위로금과 자녀 3명의 학자금 전액을 지원했다.

천안함 격침사건의 유가족 보상금으로 20억 원을 후원하였고, 2015년 10월 21일 장애아동을 선로에서 장애아동을 구하고 순직한 이경감의 유가족에게 위로금 1억 원 전달, 교통사고 여성을 구하다 숨진 특전사 상사 유가족에게 위로금 1억 원 전달, 서해대교 화재사건의 당시 순직한 이 소방관 유가족에게 위로금 1억 원을 전달하는 등 대한민국에서 이웃들이 당한 불행한 사고에 대해 아낌없는 후원을 하고 있다. 또한 2004년부터 '사회적 약자 배려 서비스'라는 이름으로 복지시설과 소외계층에서 사용하고 있는 자사제품을 무제한 무상으로 수리(1년에 약 5,000건 이상)를 해 주고 있다.

SK그룹은 최근 남북 정국에서 전역 연기를 신청한 장병들을 우선 채용하겠다고 밝혔다.

압해정씨 대종회의 부회장이신 정석현 수산중공업 회장님께서 2016년 3월 11일 압해정씨 대종회 임원총회에 참석하셔서 들려주신 성공담이다.

정석현 회장님은 집안 형편이 어려워 전주공고를 졸업한 후 현대건설에 입사하였다. 집안 형편상 대학에 진학하지 못한 아쉬움에 대학에 진학하여 못다 한 공부를 더 하고자 월급을 모아 한양대 야간학부에 진학하였다.

대학을 마치고 공구 장사를 시작했고, 1983년 석원산업을 설립하여 발전소 건설 하도급을 맡았다. 2004년에 유압브레이커(암반이나 콘크리트를 깨는 기기) 건설 중장비를 생산하는 수산중공업을 인수하여 기술 개발에 힘쓴 결과, 현재 매출 1,150억의 세계 90여 개국에 수출하는 글로벌 강소기업으로 성장하였다.

회사가 성장을 거듭하던 2008년 뜻밖의 위기가 찾아왔다. 일명 '키코 사태'로 키코(knock-in, knock-out)는 환헤지 파생금융상품으로 당시 많은 중소기업이 키코 계약으로 막대한 손실을 입었는데, 자신은 회사가 이 계약을 맺었다는 사실조차 몰랐던 것이다. 은행이 대표인 자신도 모르게 여직원 사인만 받아 갔는데 무려 200억 원에 달하는 손실이 났고, 열심히 일군 회사가 한순간에 무너질 위기에 봉착했다.

고민 끝에 정 회장님이 내린 결론은 '기술 개발만이 살길'이라고 생각했고 주변에서는 투자자체가 어렵다고 말렸다. 그 당시 수산중공업은 당시 일본 업체의 기술을 벤치마킹해 제품을 만들어 싼 가격에 팔고 있었다는데, 정 회장은 "일본 제품을 흉내 내는 것으로는 살아남을 수 없다."며 "시간이 걸리더라도 이를 뛰어넘는 기술을 개발하라."고 직원들을 독려하며 밀어붙였다.

그리고 제품 80여 종을 개발했고, 이때 개발한 제품이 수산중공업을 유압브레이커 세계 5위 기업으로 끌어올렸다. 수출액은 인수 당시에 비해 4배 이상 늘었다. 정 회장은 국내에서 잘 팔린다고 외국에서 인정받는 것은 아니고 국가별로 장비를 사용할 때 나타나는 특징, 광산별 지질 등을 연구하면서 일본을 따라잡는 기술력을 갖추게 되었다고 설명했다.

정 회장님은 경기가 어려울 때 연구개발 인력을 줄이지 않고 오히려 연구개발 인력을 35명에서 50명으로 늘렸는데, 이는 전체 직원의 20%에 달한다. 정 회장은 '사람'을 통해 성장하고 위기도 극복했다고 말하며 "위기는 누구에게나 찾아올 수 있다. 위기일수록 사람을 더 아껴야만 살아남는다."고 강조했다.

키코 사태 때 수산중공업은 석 달간 조업을 중단해야 했는데, 구조조정은 최소화하고 월급 일부를 삭감하는 방법으로 고통을 함께 나눴다. 위기 상황에서도 직원들의 복지 혜택은 전혀 줄이지 않았고, 자녀 학자금과 부부 상해보험 가입 지원 등 모든 혜택을 그대로 유지하겠다고 공언하고 약속을 지켰다고 한다.

정 회장님은 "흉년 들었다고 자식 안 가르치는 부모 없다. 직원들 가족은 내 가족인데 어렵다고 가족을 안 돌보는 게 말이 되느냐, 어렵게 이 분야에서 최고의 인재를 확보했는데 위기 때 사람을 소홀히 대하면 이들을 모두 잃는다."며 "회사가 직원에게 변치 않는 믿음을 주는 것이 중요하다."고 했다.

혹한의 겨울을 나고 있는 을의 지위에 있는 대한민국 국민들에게 아낌없는 국민사랑을 보여 주신 홍순겸 회장님이나 구본무 회장님, 정석현 회장님은 존경받는 경영인의 표상이다.

대한민국 최초의 벤처기업인 메디슨의 창업자이자 사법개혁추진위원회 위원이신 이민화 교수님은 창업을 꿈꾸는 개인들이 많아지도록 교육하는 사회적 시스템을 바꿔야 하고, 학교가 기업가 정신 교육을 해야 한다고 강조하셨다.

"선진국은 초중고교의 기업가 정신 교육을 의무화했다. 한국도 기업가 정신 교육을 의무화해야 한다. 그 교육을 한 그룹과 하지 않은 그룹의 창업은 3배나 차이가 난다. 또 교육받은 그룹은 창업을 하지 않더라도 연봉이 27%나 많다. 오하이오주립대와 카프만 재단이 13년 동안 추적 연구해 얻은 결과다. 스펙 교육에서 기업가 정신 교육으로 바뀌어야 한다."

기업 성장의 결과가 기업가 정신을 통하여 제대로 된 분배와 환원이 이루어진다면, 대한민국은 그야말로 초일류국가, 영원히 망하지 않는 복지국가가 이루어질 것이다.

희망 샘

오늘 우연히 채널을 돌리다가 '이웃들의 나눔 이야기'를 보게 되었습니다. 18살에 두 아이의 엄마가 된 A양과 대학 1학년을 다니다가 아빠가 된 B군은 모두 건강하지 못한 부모 밑에서 태어났습니다. A양의 아버지는 컴퓨터 게임중독에 빠져 가정을 돌보지 않았고 엄마는 이를 견디지 못해 집을 나갔습니다. B군 역시 A양의 가정환경과 별반 다르지 않았습니다.

늘 따뜻한 가정이 그리웠던 그 두 사람이 만나 어린 나이에 두 아이의 부모가 되었습니다. 22살의 가장이 된 B군은 정육점에서 하루 13시간을 일하고 일주일에 한 번 쉽니다. 육아를 도와줄 가족이 없어서 두 아이와 하루 종일 육아에 대한 스트레스를 받고 있는 A양을 위해 일주일에 한 번 쉬는 날에 두 아이를 자신이 떠맡고 아내가 친구들을 만날 수 있게 외출을 허락하는 B군은 참 자상한 남편입니다.

그러나 이들에게도 이루지 못한 꿈에 대한 아쉬움이 있습니다. 아내는 고등학교에 다니고 있는 친구들이 마냥 부러워 자신도 공부를 더 하고 싶은데 현실은 허락하지 않습니다. 남편 역시 불안한 현실에 가장이라는 막중한 소임을 맡아 중단한 학업이 아쉽고, 기술 자격증이라도 따고 싶은데 현실은 거리가 있습니다.

자신의 꿈을 미처 펼쳐 보지도 못하고 준비도 되지 않은 너무 이른 나이에 부모가 된다는 것은 결코 좋은 일이 아닙니다. 오늘 두 사람의 이야기를 대하면서 정상적인 길이 아닌 길을 걷고 있는 아이들에게 건강한 부모와 가정의 소중함을 다시 한 번 느끼게 되었습니다.

2016년 2월 페이스북 서울대학교 대나무숲에 올라온 서울대생의 따뜻한 사연이 소개되었습니다. 사연인즉 올해 졸업하는 A군은 12살에 버스 사고로 부모님을 잃고 7살과 2살의 동생을 키워야 하는 소년 가장이 되었는데, 돌아가신 부모님도 고아 출신이어서 이들을 도와줄 일가 친척이라고는 아무도 없다고 합니다.

다섯 평짜리 단칸방에서 셋이서 함께 생활하며 동생들을 돌보기 위해 어린 나이에 새벽에 배달을 하며 공부를 열심히 하여 학교에서 장학금도 타고, 정부에서 주는 생계비도 받았는데, 대부분은 분유와 기저귀를 사는 데 썼다고 합니다. 어렵게 생활하면서도 집주인 아주머니의 조언으로 매달 5만 원씩 꼬박꼬박 저축도 했다고 합니다.

그리고 몇 년 뒤에 집주인 아주머니가 소년 가장인 A군을 불러 앉혀 놓고 대학에 진학할 거냐고 물었는데 A군은 당연히 동생들의 생계 때문에 일을 할 거라고 대답을 했다고 합니다. 그랬더니 아주머니께서 "어린 나이에 몸이 상하면 먹고 살기가 더 힘들다. 공부 열심히 해서 좋은 대학에 가서 과외를 해라. 동생들도 몸이 커서 다섯 평에서 자기 힘들 텐데, 돈 많이 벌어서 조금 더 넓은 집으로 이사 가라."라고 말씀하셨다고 합니다.

그래서 A군은 아주머님의 말씀에 힘을 얻어 대학에도 진학했고, 어려운 시절 묵묵히 자신을 도와준 주인집 아주머니 덕에 대학을 졸업한다고 감사의 인사를 올렸습니다.

이처럼 따뜻한 이웃의 배려와 도움과 조언이 사람의 인생을 바꾸어 줄 수도 있습니다. 집주인 아주머니와 같이 부모의 마음으로 도움이 필요한 어린 이웃에게 따뜻한 길 안내자가 되어 줄 수 있는 희망 샘들이 많아졌으면 좋겠습니다.

비정규직 없는 꿈의 기업

'한일자동펌프'로 유명한 신한일전기㈜는 재일교포인 김상호 명예회장이 '생산을 통해 국가사회에 봉사한다.'는 기업 이념에 따라 1968년에 설립된 부천의 대표 토종기업이다. 신한일전기는 IMF 사태와 같이 국가적 경영위기에 직면했을 때 노·사 간의 화합을 이루어 내어 상생의 빛을 발했다.

1998년 IMF 사태가 발생했을 때, 내수 부진과 수출 급감으로 경영상 위기에 직면하여 구조조정을 단행해야 하는 시점에 회사 경영진은 구조조정보다는 고용을 유지하는 방법을 택하여 법정근무시간보다 적게 42시간으로 근무시간을 축소했다. 또한 노·사 간에 중·장기적 세부 추진계획을 공동 수립하고 실천하였으며, 회사 운영에 일체의 비정규직이나 불법 외국인 근로자를 채용하지 않았다. 현재 대한민국에서 100인 이하 중소기업이 88.8%의 비정규직을 채용하는 현실에 비하면 가히 파격적인 경영방침이다.

이렇게 노·사 간의 화합과 신뢰를 바탕으로 우수한 기술력과 가격경쟁 우위를 차지하여 국내·외로 수출을 확장하며 든든하게 성장하고 있는 신한일전기는 노후화된 공장 건물의 증·개축이 각종 규제에 막혀

경쟁력을 상실해 가고 있을 때, 회사 경영진의 건의로 부천시와 경기도가 공조를 이루어 적극 개선하여 기업경쟁력 제고와 매출증대, 안정적인 신규 일자리 창출을 이루어 내었다.

신한일전기㈜의 김영우 대표는 모든 경영정보를 노조와 공유하고, 노사 상호 간의 신뢰를 바탕으로 한 협력적 상생의 노사문화를 정착시켰다. 또한 회사의 외형적인 양적 확장보다는 내실을 다져 직원복지와 사회공헌 활동에 노력하고 있고, 이윤 추구보다는 국민에게 꼭 필요한 좋은 제품을 저렴하게 공급한다는 기본 방침을 지키고 있다.

김영우 대표는 국가의 미래를 위해서는 우수 인재발굴과 양성이 필요하다는 생각에 따라 2009년 일석장학재단을 설립하여 운영하고 있다. 신한일전기㈜는 대한민국을 대표하는 토종기업으로, 비정규직이나 외국인 근로자를 채용하지 않는 민족주의 기업이다.

대한민국 청년들이 실업으로 꿈과 희망을 잃고 '헬조선, 망한민국, N포 세대'로 자조하고 있는 오늘, 신한일전기㈜와 같이 내 나라 사람을 사랑하는 기업가 정신을 가진 민족주의 기업이 많아져야 대한민국의 미래가 밝아지지 않을까 생각해 본다.

날개옷을 찾아서

책 『날개옷을 찾아서』는 한국 최초의 여류 비행사 권기옥 님의 이야기를 종친이신 정혜주 작가님께서 열 살의 딸을 위해 기획하고 쓰신 일대기이다.

권기옥은 1901년 평양에서 태어났다. 아버지는 만석지기 지주의 아들로 태어나 노름으로 전 재산을 날리고 가족들에게 지독한 가난을 선물했다. 남아선호 사상으로 아들만을 귀하게 여겨 배움의 기회조차 갖지 못했던 그녀가 여섯 살 때 언니의 소학교 교과서를 넘겨보고 언문과 셈을 익혔다. 그리고 지독한 가난으로 인해 그녀는 11살에 은단공장에 여공으로 들어가 집안 살림을 도와야 했다.

배움에 목말라 했던 그녀에게 새 인생이 열린 것은 그녀의 사정을 딱하게 여긴 교회의 목사님이 그녀의 영민함을 알아보고 장학생으로 추천하면서부터다. 그녀에게 은혜를 베푼 평양의 장대현교회 길선주 목사는 조선 말기 독립협회 평양지부를 조직하여 구국운동에 앞장섰고, 한국기독교사의 '성령 대부흥회'의 불꽃을 당긴 목회자이기도 하다.

두뇌가 명석했던 그녀는 한 달 만에 1학년에서 2학년으로 월반을 하며 장학금과 1등을 놓치지 않았다. 노산으로 인해 어머니의 건강이 나

빠지자 몸져누운 어머니를 대신하여 집안 살림을 도맡아 해야 했고, 어린 동생을 업고 학교에 가기도 했다. 이토록 어려운 환경 속에서도 배움을 통하여 그녀는 야무지고 심지가 굳고 꼿꼿하고 호기심 많고 대담한 소녀로 변해 가고 있었다.

학교에서 배움을 통하여 남녀 평등의식을 깨우쳤고, 일제치하에서 숨죽여 가며 역사와 지리를 배웠다. 그리고 한반도의 백지도 안에 그녀만의 누에를 그려 넣었다. 그녀의 첫 스승이신 김경희 선생님을 통해 민족주의 정신을 일깨웠고, 일제에 끌려 가 혹독한 문초를 당하고 계신 선생님을 위해 하느님께 선생님이 빨리 돌아오게 해달라고, 선생님을 지켜 달라고 간절히 기도했다.

가장 존경하는 선생님의 구속을 통하여 '왜 일본은 우리나라를 빼앗고 우리 겨레를 핍박하는지?', '왜 세상은 불의가 승리하는지?', '정말 정의는 더 강한 것인지?' 그녀 스스로 많은 의문을 갖게 되었다.

그녀의 세례명은 '에스더'였다. '에스더'는 유대인의 딸로 페르시아의 왕비가 되어 몰살 위기에 처한 동족을 죽음에서 구한다. 식민지의 딸이자 가난한 집안의 딸로 태어나 그녀 스스로 선택한 세례명이었다.

그녀는 여성 독립운동가로 1919년 3·1운동에 참여하여 6개월이라는 긴 시간 동안 옥고를 치렀고, 석방 후에는 독립자금을 마련하기 위해 임시정부 공채를 비밀리에 판매하였다. 이후 평양도경 폭파사건에 가담하고 비밀 연락원 활동을 하다가 체포망이 좁혀 오자 상하이로 망명하게 되었다.

열일곱 살 때 아트스미스의 곡예비행을 보고 예전의 꿈을 떠올리고서 비행기를 타고 날아가서 조선총독부에 폭탄을 안기겠다는 투지로 비행사가 될 것을 결심한다. 그리하여 임시정부를 설득하고 추천장을 받아 원난성 선장을 찾아가서 담판 끝에 원난항공학교에 입학을 허락받고,

1925년 2월 중국과 한국의 최초 여성비행사가 된다. 그리고 임시정부가 독립군항공대를 창설할 여력이 없어지자, 중국공군에 투신하여 항일전선에서 싸우고 무공훈장을 받았다.

1926년 독립운동가인 이상정과 결혼을 하고 시대의 동행으로 20여 년의 세월을 함께하였으나 어머니의 사망 전보를 받고 귀국한 남편이 두 달 만에 사망했다는 어처구니없는 소식과 남편에게 전처와 자식이 있다는 사실을 접하고 반평생을 속은 것에 심한 배신감과 아픔과 상실감을 느꼈다.

권기옥은 대한민국 공군 창설에 기여하여 '대한민국 공군의 어머니'라 불리게 되며 한국전쟁 시기에는 최초의 여성 전문위원으로서 전선을 누비며 활동을 펼쳤고, 역사를 중요시하여 연감을 편찬하기도 했다. 그리고 여든여덟의 나이로 생을 마감할 때까지 날갯짓을 멈추지 않았다.

평생 주변에서 인색하다는 말을 들을 정도로 근검절약하여 모은 재산으로 장학기금 1억 원을 한일은행에 백 년 동안 기탁했는데, 이는 일본을 이길 씨앗들을 키워 내는 게 목적이었다. 자식이 없었던 그녀는 대한민국의 모든 젊은이들을 자신의 자식으로 삼고 국가의 미래를 책임질 인재를 키워 내기로 한 것이다. 여학생들에게는 살림을 잘해야 한다고 강조하셨는데, 그 원뜻은 자신을 살리고 집안을 살리고 나라를 살리고 세상을 살리는 여성이 되라는 뜻이었다.

이 말씀에서 '수신제가치국평천하(修身齊家治國平天下)'라는 말이 떠오른다. 나라를 되찾겠다는 일념으로 열정과 청춘을 바쳐 개인의 꿈과 겨레의 꿈을 하나로 엮어 대한민국 최초의 여류 비행사의 꿈을 이룬 것에 감사하는 권기옥의 남북분단에 대한 아픔과 아쉬움을 안고 하나 된 조국에 대한 염원이 아프게 와 닿는 오늘이다.

대한민국의 국혼이여, 부활하라!

"나는 누에에서 날개를 얻은 것뿐이다.

빼앗긴 하늘을 되찾고자 강철날개로 날아올랐지만,

온전한 하늘을 열지 못했다.

갈라진 하늘 아래 한쪽 날개를 접어야 했다.

그러나 한반도여! 그대는 봉황이다.

봉황이 두 날개를 펴고 날아오르는 날,

그대는 지구를 감싸 안고 새로운 세기로 나아가리라."

－『날개옷을 찾아서』 본문 중에서

'빚까프리오'의 생각 엿보기

 2015년 대한민국 최고의 경영대상을 수상하신 이재명 성남시장님은 시민운동가이자 인권변호사 출신입니다.

 경상북도 안동에서 가난한 집안의 7남매 중 다섯째로 태어나신 이재명 시장님은 초등학교를 졸업한 후, 가난한 형편 탓에 상급학교에 진학하지 못하고 성남시로 이사하여 목걸이 공장, 고무공장을 거쳐 상대원 공단의 냉장고 공장의 노동자로 6년간 일을 하는 동안 프레스 기계에 팔이 눌리는 바람에 지금도 펴지지 않는 굽은 팔이 있습니다. 그 사건으로 산업재해 장애인 6급 판정을 받아 병역 면제를 받았습니다.

 공부에 대한 미련이 많았던 시장님은 이후 고졸 검정고시와 대입검정고시를 거쳐 중앙대 법대에 진학하여 사법시험에 합격하였습니다. 변호사를 개업한 후에는 노동상담소장으로 활동하며 시국사건과 노동사건 등의 변론을 맡아 인권변호사의 역할을 하였고, 시민운동에도 참여하게 되었습니다.

 이후 빚이 많은 성남시에 시장으로 당선되어 3년 6개월 동안 부정부패와 예산 낭비를 없애고 세금 탈루를 막는 합리적인 경영을 통하여 4,572억 원의 부채를 갚고, 성남시를 대한민국에서 가장 살기 좋은 도시로 만들기 위해 복지를 늘려 가고 있습니다. 이재명 시장님은 복지예산 논란과 관련하여 "나라에 돈이 없는 것이 아니라 도둑이 너무 많은 것"이라고 말했습니다.

그리고 좀비채권에 시달리는 장기 채무자들의 빚 탕감 프로젝트인 '롤링주빌리' 운동을 전개하여 지역 시민사회단체와 종교계, 기업계까지 연대하여 모금운동에 가세하고, 모금된 돈으로 빚을 탕감해 준 채무자들에게 원금의 7%를 단계적으로 형편껏 갚게 하고 있습니다. 이 운동으로 이재명 성남시장은 '빚까프리오'라는 별칭을 얻었습니다.

2015년 12월 주빌리은행은 서울시청 시민청에서 서울시 박원순 시장이 참석한 가운데 업무 협약을 맺고 향후 악성채무탕감프로젝트에 적극적으로 협력해 나가기로 뜻을 모았는데, 이재명 시장은 협약식에서 "악성장기연체채권을 100분의 1 또는 200분의 1 가격으로 사서 없애주면 (채무자들이) 정상적인 경제활동인구로 복귀하고 복지지출도 없애주고 세금도 내게 돼서 실제로는 정부로서도 엄청난 이익의 영역이 존재한다."고 주빌리은행 설립 취지와 진행하는 빚 탕감 프로젝트에 대해 소개했습니다.

이와 더불어 이재명 성남시장은 대한민국 최초로 저출산율을 극복하기 위해 출산에 도움을 줄 수 있는 '무상 공공산후조리원'을 계획하였으나 보건복지부의 제동으로 시행하지 못하고 있습니다. 이에 대하여 이재명 성남시장은 "자체 예산 아껴서 시민복지 하겠다는데 경기도는 되고 성남시는 안 된다고 하고, 저출산 극복이 국가적 과제인데도 성남시 출산장려정책만 안 된다는 박근혜 정부 복지부, 황당합니다. 국민이 맡긴 권력을 그렇게 불공정하게 행사하는 건 국가와 국민에 대한 배반입니다."라고 불편한 심정을 토로했습니다.

지자체가 정부와 사전 협의 없이 사회보장제도를 신설하거나 변경하면 관련 사업 예산만큼 지자체 교부세를 깎겠다는 정부 방침에 대해서도 이 시장은 "세금을 걷으면 중앙정부 얼마, 지자체 얼마 주는 게 법으로 정해져 있다. 이걸 안 주려면 법적 근거가 있어야 하는데 없다. 그래서 시행령을 뜯어 고치겠다는 건데 소송하겠다."고 강조했습니다.

또 대한민국 최초로 성남시 거주 만19~24세 청년 모두에게 1년에 100만 원씩 지급하는 '청년배당 제도'를 정부의 규제로 인해 당초 계획의 절반 수준인 50만 원을 지급하고 있습니다.

민중총궐기 대회에서 경찰이 농민 백남기 씨에게 직사 물대포를 쏜 것과 관련하여 이재명 시장은 "국민의 생명을 지켜야 하는 국가가 국민의 생명을 침해했다."며 〈오마이뉴스〉 팟캐스트 '장윤선의 팟짱'에 출연해 "국가가 '미안하다'고 사과조차 하지 않고 있는데, 이것은 국가의 역할 자체를 포기한 게 아닌가? 지금은 윤리 도덕적으로 보면 무정부 상태"라고 지적했습니다.

그리고 2016년 3월 1일 서울 청계광장에서 열린 전국지방자치단체 해외자매·우호도시 '평화의 소녀상' 건립 공동성명서 발표식에 참석한 이재명 시장은 "한일 위안부 합의에 국민들이 아직도 아파하고 있음에도 법과 헌법을 지키지 않고 정부 마음대로 합의했다고 주장한다. 정부도 우리 국민이 합의한 헌법과 법률을 지켜야 한다. 국가 간 합의는 문서로 하고 국회 동의를 얻어야 효력이 있다. 우리가 다시는 이런 일을 겪지 않게 하기 위해선 그 기록을 남겨야 한다. 그 기록을 지우려는 자, 그 기억을 없애려는 자는 이 나라를 대표하는 것이 아니라 적국을 대표하는 것이다. 정부는 국민을 대표하고 국민을 위해 일해야지, 국민이 합의한 법과 원칙을 지키지 않고 국민의 의사에 반하는 위안부 관련 정부의 합의는 헛소리에 지나지 않는다."라고 밝혔습니다.

이어 이재명 성남시장은 성남시와 자매 도시인 미국 오로라시의 공식초청으로 미국 시장개척단과 미국을 순회하며 '성남 알리기'에 나섰습니다. 미국 보스턴시의 마틴 월시 시장과 우호 교류 협력을 약속하며 SNS를 활용해 빠르게 민원을 처리하는 성남시만의 독특한 'SNS 시민소통관' 제도를 소개했는데, 월시 시장도 보스턴 핫라인 앱 '311'을 보여 주며 빠른 민원처리를 자랑했습니다.

그 결과, 2016년 4월 성남시는 산업통상자원부, 농림축산식품부가 후원하는 '2016 국가브랜드대상' 행복복지도시(기초지자체) 부문 대상을 수상했는데, 이는 성남시가 추진하고 있는 3대 무상복지사업인 청년배당, 무상교복, 산후조리 지원 사업이 정부로터 인정받은 셈이나 다름없습니다.

이재명 시장님은 2016년 4월 14일 김해석 육군 인사사령관과 전국에서 최초로 '현역 복무 중 사망자 화장료 면제 지원에 관한 협약'을 체결하였습니다. 성남시는 국가유공자나 제대군인은 국가보훈기본법에 의해 전국 모든 화장장의 사용료를 면제받고 있는 데 반해 현역 군인은 국가를 위해 근무하고도 사망 시 화장에 관한 아무런 혜택이 없어, 예우 차원에서 화장장 이용료 면제를 추진하게 되었다고 합니다.

요즘 저소득층의 소녀들이 생리대를 살 돈이 없어서 신발 깔창을 이용했다는 안타까운 소식과 관련하여 이재명 시장님은 그늘 속에 가려진 약자들의 삶에 좀 더 관심을 기울이고 노력하겠다며 지자체 중 가장 먼저 성남시의 12세~18세의 저소득층 소녀들을 위해 생리대 지원 사업을 표명하였습니다. 이들에게 알아서 조용히 본인들이 아무런 마음의 상처나 부담이 없는 상태로 전달하는 시스템을 고민 중이라고 하십니다.

정부의 지방재정개악과 관련하여 1인 시위를 하신 이재명 시장님은 현재 경기도 6개 자치단체장들과 함께 무기한 단식투쟁에 돌입하셨는데 "5천억 더 뺏을 생각 말고, 대통령 소속 지방자치발전위원회가 기초연금제도, 기초생활보장 급여 개편 등으로 전국 지자체에 재정부담 시킨 4조 7천억 원 반환 약속부터 이행하라. 허리띠를 졸라매서 겨우 모라토리움에서 벗어났는데 1천억 원의 예산을 빼앗기면 수십만 명의 시민 생활에 치명적인 타격을 받게 된다. 시장으로서 시민 고통에 상응하는 투쟁을 하는 것은 당연하다. 성남시뿐 아니라 지방자치의 운명이 걸린 문제"라며 폭염 속에 단식을 강행했습니다.

"밥은 굶고 있지만 저는 희망을 먹고 있습니다. 하루 세 끼를 굶지만 하루에 백 끼, 천 끼, 만 끼, 십만 끼의 희망을 먹기 때문에 배고프지 않습니다. 이 정부의 부당한 조치를 대한민국과 온 세상에 알려서 지방자치가 살아남고, 민주주의가 살아남고, 우리가 제대로 된 대접을 받는 그런 세상 함께 만들어 주십시오."라고 이재명 시장님은 국민 여러분께 호소했습니다.

지자체를 시행할 준비가 되어 있지 않았던 대한민국에 지자체를 도입하면서 검증되지 않은 정치인들이 단체장이 된 결과, 무분별한 운영으로 대부분의 지자체는 감당하기 어려운 빚더미에 올랐습니다. 거기에다 중앙정부의 정책에 필요한 재정을 지자체에 떠넘기기와 특정 지역개발과 재정지원 등의 편파적인 정책도 지역발전 불균형에 한몫 거들었습니다. 대통령과 중앙정부가 해야 할 일은 지역 차별 없이 대한민국의 전국토를 고루 균형 발전시키는 일이 되어야 합니다.

6월 11일 광화문에서 지방재정개악을 저지하기 위한 시민문화제에 성남시를 비롯하여 수원·용인·화성 등 6개 불교부단체 3만여 명의 시민이 참여한 행사에 보수적 성격이 강한 보훈안보단체인 월남전참전자회, 전몰군경유족회, 전몰군경미망인회, 고엽제전우회, 특수임무수행자회, 상이군경회, 광복회, 무공수훈자회 등 모두 600여 명이 참석하였는데, 행사 전에 단식 농성을 벌이고 있는 이재명 시장님을 격려 방문하여 안타깝고 속상한 마음을 전하시며 "우리가 나서서 빨리 해결되도록 돕겠다."는 말과 함께 다른 지자체에서는 볼 수 없는 '힘내라'는 따뜻한 응원의 말로 진정한 어버이의 모습을 보여 주셨습니다.

늦은 밤, 성남시의 재래시장 상인들께서 상가를 닫고 광화문에서 단식 중인 이재명 시장님을 격려하기 위해 방문했을 때, 이재명 시장님이 감사의 큰절을 올리며 "저는 여러분의 머슴이다. 다른 사람이 주인 돈을 빼앗아 가려면 머슴이 나가서 막는 건 당연한 것"이라며 공복으로서의 머슴의 본분을 강조하셨습니다.

더민주당의 김종인 대표님께서 광화문에서 11일째 단식 중인 이재명 시장님을 두 번째 방문하여 당에서 책임지고 해결하겠다는 약속을 하셨고, 이재명 시장님은 당을 믿고 단식을 중단하며, 국민과 함께 현장에서 지방자치와 민주주의를 위해 계속 싸우겠다고 약속하셨습니다. 민주주의 수호를 외치시는 이재명 시장님께 동조하는 분들이 멀리 지방 끝에서 혹은 해외에서까지 오셔서 격려하고 응원해 주시고 계시니, 민주주의 시민동맹은 반드시 승리할 것입니다. 더불어민주당에서 정부의 지방재정개악과 관련하여 지방재정 자립도가 1995년 63.5%에서 지난해 45.1%로 악화일로를 걷고 있다며 국회차원의 지방재정특위를 구성하겠다고 합니다.

요즘 시대의 화두로 문제가 되고 있는 비정규직과 관련하여 이재명 시장님은 "세금으로 운영하는 공공기관이 비인간적인 비정규직을 쓰는 건 옳지 않습니다. 비정규직 문제가 해소돼야 경제가 살아납니다. 문제 해결의 출발점은 '동일노동 동일임금 원칙' 준수에 있습니다. 노동조직 강화, 노동인권 강화를 통해 노동자의 교섭력을 높이고 고용안정성을 강화해야 합니다. 공공기관 내 비정규직의 정규직화 성남이 앞서갑니다. 대한민국이 못해도 성남은 합니다! 성남이 하면 대한민국의 표준이 됩니다!"라고 말씀하셨습니다.

성남시는 2012년 7월부터 공공기관의 비정규직의 정규직 전환이 이루어졌는데, 2016년 6월 현재까지 697명이 정규직으로 전환되어 안정적인 조건에서 근무하게 되었습니다.

이재명 성남시장님께서 출간하신 『오직 민주주의, 꼬리를 잡아 몸통을 흔들다』의 본문 중에 독자님들과 공감할 수 있는 부분을 옮겨 봅니다.

이 : 저는 정말 믿을 건 시민의 힘밖에 없었어요. 정말 고맙고 행복했습니다. 성남시의회가 여소야대인데요. 상대 정당이 극렬하게 이를 막고 있는 상황에서 시민들이 나서서 해결한 사업이 정말 많습니다. 이런 사례들은 아마 나중에 행정학 교과서에 실릴지도 몰라요. 예를 들어 기업 유치를 시의회에서 반대하면 제가 노인정, 경로당 찾아가 부탁을 했어요. 그러자 이분들이 새누리당 당사에 찾아가 사무총장을 만나서 담판을 지어 해결해 주시고 그랬지요.

김 : 그분들 스스로요?

이 : 네, 그분들 스스로요. 물론 제가 설명은 했죠. 기업 유치를 하면 이런저런 혜택이 있고 빚을 1년 앞당겨 갚을 수 있고 경로당에도 혜택이 있습니다. 경로당 운영비도 올려 드릴 수 있고 일자리도 만들어 드릴 수 있고, 취사도우미도 보내 드릴 수 있다고 했지요. 경로당 회장님들이 꼭 그런 거 기대해서는 아니고, 필요한 일이고 해야 할 일

인데 막으니까 나서서 해결해 준 거예요. 저는 싸우지 않고 해결했습니다. 이게 주민자치 참여거든요.

나는 날마다 시민을 만난다. 한 명의 시민은 하나의 민주주의이다. 시민 한 분 한 분의 희망이 민주주의를 통해 실현되어야 한다. 성남시민이 100만 명이니 백만 송이 민주주의가 활짝 피어야 제격이다. 주권자인 시민들을 만나 표정을 읽고 말을 듣고 사는 모습을 보는 것은 결국 그분들의 바람을 만나는 일, 민주주의를 만나는 일이다.
민주주의가 시민과 멀어질 때, 그것은 정상적인 상황이 아니라는 신호다. 정치가 시민을 주변화시키고 시민의 열정을 받아들일 노력을 하지 않을 때, 시민 속에서 문제를 찾고, 시민 속에서 해결책을 찾으려는 노력을 게을리하는 순간, 중병이 찾아온다.
민주주의의 위험한 적은 구경꾼이다. 시민이 정치 구경꾼이 되지 않게 하기 위해 나는 매일 주인인 시민을 만나러 간다.

불행하게도 나는 냄새를 잘 못 맡는다. 어려서 공장을 다니며 후각을 잃어버린 탓이다. 벤젠, 신나, 페인트로 작업을 많이 한 후유증이다. 몇 해 전 검사를 해 봤더니 후각기능의 55%를 상실했다는 결과가 나왔다. 오리엔트 공장을 다닐 때 자원해서 페인트 실에서 혼자 일을 했다. 방진시설이 되어 있는 공간인데 화학약품이 가득했지만, 대신 독립된 공간이었다. 사람들이 못 들어오니까 얼른

일해 놓고 남은 시간에는 숨어서 공부하려는 욕심에서였
다. 그래서 냄새로 세상의 아름다움을 느끼는 것을 많이
잃어버렸다.

어릴 때 제일 좋아했던 냄새는 '익은 복숭아 냄새'였다. 하
지만 그 좋던 '익은 복숭아 냄새'도 지금은 많이 아쉽다.
어렸을 때 계절이 바뀔 때마다 느껴지던 미묘한 계절의
내음 전령사들도 많이 그립다. 가을철 풀이 마르는 냄새
들을 다시 알아채기엔 코가 너무 일찍 늙어 버렸다. 청각
도 사정은 마찬가지다.

– 이재명 시장님의
『오직 민주주의 꼬리를 잡아 몸통을 흔든다』 중에서

지독한 가난을 경험해 보지 않은 사람은 서민들의 삶을 절대로 이해
할 수 없습니다. 이재명 시장님이 시민들을 위해 꿈과 희망의 정치를
하는 이유이기도 합니다.

부정부패가 만연하고 있는 대한민국에서 최상위 10%가 아닌 90%의
국민이 주도하는 '아래로부터의 개혁'을 이루기 위해서는 많은 희생이
필요합니다. 그러나 상위 10% 중에 깨어 있는 누군가가 '위로부터의 개
혁'을 주도하면, 피를 흘리지 않고도 개혁이 이루어질 수 있습니다. 국
민들이 코르크 귀마개를 한 정치권과 소통의 부재로 답답해하는 대한
민국에서 이재명 시장님은 혁신의 아이콘입니다.

노무현 대통령님의 서거 7주년을 맞아 이재명 시장님은 SNS에 "오늘
이 대통령께서 떠나신 지 6년이 되는 날이다. 님께서 이루고자 했던 참

민주 세상, 깨어 있는 시민들과 함께 만들어 가겠다. 물방울이 모여 탁류를 이루듯이 시민 한 사람 한 사람의 참여와 행동을 모아 대한민국의 더러운 역사를 청산하고, 마침내 희망 가득한 통일조국을 만들어 가겠다."고 강조하셨습니다.

이재명 시장님께서 어릴 때 제일 좋아하셨던 달콤한 '잘 익은 복숭아 냄새'가 바로 세상 모든 사람들이 즐기고 싶어 하는 천국의 세상입니다. 『오직 민주주의 꼬리를 잡아 몸통을 흔들다』를 읽으면서 가난의 굴레로 인해 망가진 자신의 몸을 통하여 이재명 시장님께서 성남시민들과 대한민국 국민들에게 복지라는 이름으로 선물하고픈 냄새가 바로 '잘 익은 복숭아 냄새'가 아닐까 생각해 봅니다.

기사회생(起死回生)과 육불치(六不治)

춘추시대에 편작(扁鵲)으로 알려진 진월인(秦越人)이란 명의(名醫)가 있었다. 편작은 의술로 명성을 얻게 되자, 천하를 돌아다니며 병을 치료해 주었다.

그가 괵나라를 지나는데 태자가 새벽에 갑자기 죽었다. 편작은 궁에 들어가 의술을 이해하는 중서자(中庶子)에게 태자의 상태에 대해 여러 가지를 물은 후, 태자를 살릴 수 있다고 했다. 괵나라 왕은 편작에게 태자를 살펴보게 했다.

편작은 제자들을 데리고 태자의 몸에 침을 놓았고, 얼마 후에 태자는 기적적으로 소생했다. 편작이 몇 가지 방법으로 태자를 치료하자, 이번에는 일어나 앉을 수 있게 되었다. 그리고 20일 만에 건강을 완전히 회복했다.

천하의 사람들은 편작이 죽은 사람을 살릴 수 있다고 생각했는데, 편작은 이렇게 말했다.

"나는 죽은 사람을 살릴 수 있는 것이 아니라 살아날 수 있는 사람을 일어나게 한 것뿐이다."

편작이 각 나라를 돌아다니며 의술로 사람을 구해내어 명의로 인정받고 그의 고향인 제나라로 돌아와서 그를 환영하는 제환후의 영접을 받게 되었다. 편작은 제환후의 손등에 생긴 붉은 반점을 보고 제환후에게 병이 있음을 확신하여 병증을 진단하고 치료하고자 하였으나, 제환후는 애첩을 옆에 두고 자신은 건강하다며 한사코 진료를 마다하였다. 그래도 편작은 포기하지 않고 제환후의 병을 수차례 진단하고자 하였으나 거절을 당하고, 제환후의 병이 이미 고칠 수 없는 경지에 이르렀음을 알고 마침내 제자들과 제나라를 떠나기로 결정하였다.

여기에서 편작은 제자들에게 병을 치료하지 못하는 여섯 가지 유형의 '육불치(六不治)'에 대해 설명했다. "첫째는 교만 방자하고 도리를 알지 못하여 자신에게 병이 있음을 인정하지 않는 경우, 둘째는 자신의 몸을 아낄 줄 모르고 단지 일체를 불고하고서 재물만 모으는 경우, 셋째는 의복 음식이 부적당한 경우, 넷째는 음양이 아울러 운행함으로 인하여 장기(藏氣)가 부족한 경우, 다섯째는 신체가 허약하여 약을 먹을 기력조차 없는 경우, 여섯째는 무당을 믿고 의사를 불신하는 경우를 치료하지 않는 것이네."

제환후의 병세가 깊어지자 신하는 그제야 편작을 찾았으나 편작은 이미 제나라를 떠나 진나라에 가 있었다. 제환후가 세상을 떠나자 꽃다운 16세의 그의 애첩도 함께 순장되었다.

진나라에 도착한 편작은 자신의 뛰어난 의술을 시기 · 질투하여 지위를 빼앗길까 두려워한 진나라 태의령(太醫令) 이혜(李醯)의 자객에 의해 목숨을 잃었다.

곽나라의 태자는 운 좋게 명의(名醫)인 편작을 만나 죽음에서 기사회생(起死回生)하였으나, 제나라의 제환후는 명의인 편작이 병증을 초기에 발견하여 고칠 수 있는 기회가 있었음에도 불구하고 오만함으로 그 기회를 잃었다.

대한민국에서 잘못된 정치가 오랜 세월 동안 관행처럼 이어져 와 민생 파탄, 경제 파탄으로 더 이상 물러설 곳이 없어진 국민들은 지금 못 살겠다고 아우성이다. 편작의 육불치(六不治)에 해당되는 지금의 대한민국에 꼭 필요한 사람이 대한민국을 기사회생(起死回生)시킬 편작과 같은 명의(名醫)이다.

혁신하라, 대한민국(大韓民國)

　수년 전에 선관위에서 근무하던 중에 모 정당에서 공약으로 내건 수도·전기·가스 요금을 전액 무상으로 제공하는 정책을 본 적이 있습니다.

　그 당시에는 빚이 많은 대한민국의 현실에서 절대로 이루어질 수 없는 공약이라고 생각했는데, 러시아의 푸틴 대통령이 주택과 식수, 가스, 의료, 교육을 무상으로 실시하고 있다는 기사를 읽고 큰 충격을 받았습니다. 러시아에서는 노동정책에 있어서도 기업이 직원을 해고하기 3개월 전에 국가에 신청하고 승인을 받아야 한다고 합니다. 푸틴 대통령은 연설에서 이렇게 말했다고 합니다.

　"국민의 거주권리, 건강권리, 교육권리를 이용하여 돈 장사를 하는 정부는 철저히 양심 없는 정부입니다. 진정으로 국민에게 충성하는 정권은 반드시 이 세 가지를 물과 빛과 공기로 여기고 국민에게 돌려주어야 합니다."

　경제 위기에도 흔들리지 않는 독일의 노동 정책도 파격적입니다. 독일은 경기가 나쁠 때 직원을 해고하는 대신 노동 시간을 줄여서 고용을 보장하고, 줄어든 노동 시간만큼 국가에서 임금을 보전해 준다고 합니다. 직원을 마음대로 해고할 수 있게 한 대한민국과는 대조적입니다.

독일의 메르켈 총리는 2015년 최저 임금을 대폭 인상하여 독일 내수 경제가 빠르게 되살아났습니다. 최저 임금 인상으로 가계수입은 8.8% 늘었고, 소비 욕구는 26.5% 증가했습니다. 메르켈 총리는 패션 감각에 뒤처진 '옷 못 입는 정치인'으로 정평이 나 있지만, 국민과의 친근한 소통으로 국민들에게 '엄마'라는 별칭을 얻었습니다. 러시아어와 영어에 능통하면서도 외국에 나가서 자국어인 독일어로 연설하고 독일 국민의 이익을 위해서 일을 합니다.

대한민국에 필요한 정치인은 메르켈 총리와 같이 국민과 편안하게 소통을 하는 정치인입니다. 외국에 나가 국가 재정 형편이나 국민들의 의사와는 상관없이 혈세 퍼주기에 능한 대한민국 정치인들이 본받아야 할 정치인이 바로 메르켈 총리입니다.

사회주의를 표방한 국가들과 민주주의 신진국들은 국민 복지에 있어 획기적인 복지를 시행하고 있습니다. 핀란드는 기본소득제로 국민들에게 월 100여 만을 지급하는 법안을 국민투표로 통과시켰고, 네덜란드는 모든 국민에게 기본소득제로 매달 100만 원 이상의 일정 금액을 지급하는 복지 실험을 검토 중이라고 하고, 복지 수당 수급자에게는 매달 900유로(115만 원)를 제공하고, 수급자에게 따로 소득이 생기더라도 지급액을 깎지 않을 예정이라고 합니다.

독일 학생들은 대학을 졸업할 때까지 수업료를 내지 않는다고 하고, 덴마크 역시 대학 등록금을 내지 않고 오히려 국가에서 100만 원의 생활비를 받고 졸업 후에는 취업을 준비하는 2년간 매달 200만 원 가량의 생활비를 지원받는다고 합니다. 빚이 많고 복지 없는 증세가 시행되고 있는 대한민국의 국민들에게는 정말로 부러운 일이 아닐 수 없습니다.

나라 경영을 잘못하여 해마다 부채가 늘어 가더니 이제는 그 빚이 1,200조가 넘어섰다고 합니다. 총 부채는 5,000억 원에 육박한다고 합니다. 공무원들과 임시직 정치인들은 나랏빚 늘려 가면서 자신들의 밥그릇은 연금법으로 든든하게 챙기는 이때, 한 가난한 60대의 아들은 노모의 장례를 치를 장례비조차 없어 훔친 차에 두 달 동안 노모의 시신을 싣고 다녔다고 합니다.

대한민국에서 가장 가난한 기초수급자들에게 대한민국 정부는 국가에서 정한 1인 최저생계비에도 못 미치는 생계비를 기초수급비로 지급하고 있습니다. 2016년 국가에서 정한 1인 최저생계비는 649,923만 원인데 기초수급자에게는 생계비로 437,454원을 지급하고 있습니다. 기초수급자에게 적은 금액의 수입이라도 생기게 되면 소득으로 인정하여 그 알량한 수급비에서 수입 금액만큼 제하고 수급비보다 많은 금액의 수입이 생기게 되면 수급비를 지급하지 않고 있는 실정입니다.

제 이웃 중에는 집도 없고 가족도 없고 모아 놓은 재산도 없이 월세 방에서 기거하시는 70대의 독거 어르신이 계십니다. 어르신께 나라에서 주는 기초노령연금 20만 원과 기초생계비를 합하여 64만여 원이 지급되어야 하는데, 나라에서 새로 신설된 주거급여를 포함하여 기초수급자 1인에게 지급하는 총 급여가 월 56만 원을 넘으면 안 되게 되어 있다고 합니다. 월 56만 원의 수급비로는 병원비도 월세도 생계비도 감당이 되지 않아 아픈 몸을 이끌고 막노동을 나가 최소한 월 70만 원의 벌이를 하고 계십니다.

이처럼 복지정책을 제대로 입안해 놓고도 잘못된 소득인정액을 적용하여 기초연금제도도 가난한 기초수급자 어르신들께는 큰 도움이 되지 않고 있고, 오히려 기초수급 대상에서 제외될 것을 두려워하여 연금신청을 하지 않고 있는 실정이라고 합니다.

선진국과 같이 전 국민에게 높은 금액의 기본소득제는 시행할 수 없다 하더라도, 대한민국도 기초수급자들이 빈곤의 늪에서 벗어날 수 있도록 기초수급자들에게 지급하는 생계비를 소득과 상관없이 기본소득제 개념으로 지급해야 합니다. 국회의원이나 공무원들은 정해진 급여 외에 각종 명목의 수당은 따로 지급받고 있으면서 유독 취약 계층인 기초수급자들에게만 이런저런 명목으로 소득인정액을 적용하여 다시 빼앗아가는 것은 형평성에 맞지 않습니다.

OECD 회원국인 대한민국에서 부담스러운 생리대 가격을 감당하지 못하는 국내 저소득층 여학생 수가 약 10만 명이라고 합니다. 제자가 결석을 하여 선생님이 가정방문을 했더니, 생리대 살 돈이 없어서 생리하는 일주일 내내 수건을 깔고 누워 있었다는 제자의 말에 부둥켜안고 울었다는 이야기는 충격적이었습니다. 편부 가정의 여학생이 신발 깔창으로 생리대를 대신했다고 하고, 비싼 생리대 대신 휴지를 사용했다는 소녀들의 이야기는 가난이 얼마나 삶을 불편하게 하는지를 보여 주고 있습니다.

이런 와중에 세금을 면제받은 생리대를 생산하는 업체에서는 생리대 가격을 8%나 올린다고 합니다. 생리대 가격을 각국과 비교하니 대한민국이 가장 비쌉니다. 부모로서 OECD 회원국의 자격을 반납하고 싶은 부끄러운 민낯이 대한민국에 있습니다. 생리대조차 마음대로 살 수 없는 저소득 계층의 소녀들 앞에서 과잉복지가 국민을 나태하고 게으르게 만든다는 정치인의 주장에 의문이 듭니다. 미래를 준비하는 세대들에게 부족하고 필요한 것들을 채워 주는 일은 정치인들이 해야 할 일입니다.

교육과 관련한 누리과정 예산과 관련해서도 답답함이 있습니다. 박근혜 대통령이 공약으로 내건 누리과정은 보건복지부 소관으로 4조 원의 예산이 필요하다고 합니다. 그런데 중앙정부에서 책임져야 할 예산을 17조 원의 원금과 이자상환도 버거운 처지에 있는 지방의 시·도교육청으로 떠넘겼습니다. 정부에서 떠넘긴 누리과정 예산으로 인해 수년째 초·중·고 학교 운영비를 삭감하여 꼭 필요한 보건교사 수를 줄이는 등 이 피해는 고스란히 학생들에게 돌아가고 있습니다.

최근에 누리과정 예산과 관련하여 감사원이 교육청을 상대로 예산실태 감사를 벌인 결과, 교육청에 편성의무가 있고 재정 여건상 문제가 없다는 판단을 내려 교육부는 이를 근거로 전국 10개 교육청의 교육감들을 고발하는 등 어이없는 행태를 일삼고 있습니다. 각 교육청은 국가 지원이 없는 상태에서 누리과정에 우선적으로 지원하게 되면 과밀 학급 해소, 3년간 동결된 학교운영비 미인상분, 폭염 대비 전기요금, 노후 기숙사 개축 사업, 학교 교육 환경 개선 시설을 할 수 없으며, 이는 공교육을 포기하라는 것과 다름이 없다며 불만을 제기하고 있습니다.

지키지도 못할 무리한 공약을 내건 정치인도 잘못이지만, 지자체를 파산시키고도 남을 정책을 무리하게 강행하는 정부도 잘못입니다. 대한민국은 현재 부실경영으로 정부와 공공분야, 일반기업, 가계부채를 모두 합쳐 전체 부채는 총 5,500조 원에 육박하는데, 이는 국민 1인당 1억 원의 빚을 지고 있는 셈이라고 합니다. 지자체도 부채비율이 40%에 육박하고 있습니다.

1,285조 원이 넘는 국가부채는 매년 40조 원에 가까운 이자를 부담해야 하는데, 30조 원이면 국민들이 원하는 반값 등록금 등 무상교육을 다 이룰 수 있다고 합니다. 박근혜 정부 3년에 발생한 재정적자가 95조 원이라는데, 최근 박근혜 대통령이 프랑스를 방문하여 유학생 기숙사 건립을 약속한 일은 국내 재정 형편에 맞지 않는 처사입니다.

투자의 귀재 워런 버핏 버크셔 해서웨이 회장은 '버핏과의 점심'을 경매가 약 40억 3,000만 원에 낙찰되어 수익금은 전액 빈민들을 돕는 구호기관에 기부한다고 합니다. 이에 반해 대한민국의 부패한 재벌과 정치권이 해외로 빼돌린 부정한 자산은 1,850조 원에 이른다고 하는데, 이 도피자산을 모두 국고로 환수하여 국채로 발행한 채권을 소각하여 나랏빚부터 갚아야 합니다.

잘못된 정치가 양산해 놓은 N포 세대로 인해 결혼과 출산을 포기하여 국가의 존폐에 중대한 영향을 미치고 있습니다. 1,000명당 5.9명이 결혼을 하고 중병이 걸려 있는 사회로 자식을 내보는 게 두려워 아예 출산도 포기하여, 영국의 옥스퍼드대 데이빗 콜먼 교수는 대한민국이 '인구소멸 국가 1호'가 될 것이라고 발표했습니다.

정부는 부자 감세를 해 주고 모자란 세수를 손쉽게 거두어들이는 방법으로 서민들에게 부담이 되는 담뱃값을 인상하고, 주민세도 100% 인상하고 각종 세금을 인상했습니다. 전국 곳곳에는 손쉽게 세수 확보가 가능한 사행성 사업인 가지노 설립을 허가하여 사회 저변에 합법적인 도박 분위기를 조성하고 있습니다. 그 결과 한 집안의 가장이 도박으로 재산을 탕진하고도 모자라 무리하게 빚까지 내어 내 이웃의 가정이 파탄 났습니다. 대한민국에 필요한 것은 국민을 파탄 나게 하는 사행성 사업이 아니라, 질 좋은 건강한 일자리 창출을 통하여 건강한 세수를 확보하는 것입니다.

이탈리아의 최연소 총리인 마테오 렌치 총리는 국가적 위기에 직면하여 노동개혁과 행정개혁, 경제개혁을 단행했습니다. 노동개혁으로는 취업난과 비정규직에 내몰린 청년들을 위해 고용주에게 세제혜택을 주는 신규 노동법을 도입하여 정규직 채용을 장려하였습니다. 정부의 재정난을 가중시키는 불필요한 공공지출을 줄이기 위해 고급 관용차 대신

경차로 교체하고 상원의원의 권한과 정족수를 감축하는 법안을 발의하여 315명의 상원의원 수를 100명으로 감축하였습니다.

2016 미국대선에서 돌풍을 일으키고 있는 74세의 버니 샌더스 민주당 후보는 대한민국의 청년들과 흡사한 처지에 놓여 있는 청년들을 위해 획기적인 제안을 하고 있습니다. '억만장자들에 맞선 정치혁명'을 내건 그는 힘 있는 월가 경제인들에게 세금을 부과하여 모든 사람을 위한 공공의료, 무상고등교육을 실현하고, 최저임금을 인상하겠다고 합니다. 1%의 기업 권력 앞에 고용과 임금, 보건의료와 교육 등 생존권과 복지 문제에 무기력한 정치권을 질타하며 1%가 독식하고 있는 미국 경제를 99%를 위한 경제를 만들겠다고 합니다. 더불어 이익단체인 월가나 대기업으로부터 선거자금으로 검은 돈을 받게 되면 서민들을 위한 정치를 펼 수 없다고 검은 돈을 일체 받지 않고 개개인의 기부로 선거를 치르겠다고 합니다.

2016년 4월 13일에 치러진 대한민국 20대 총선은 국민투표율 58%로 여소야대의 정치구도를 만들어 냈습니다. 당선된 국회의원 300명의 1인당 평균 재산은 41억 원이고, 국방의 의무인 병역 면제자는 41명으로 16.4%나 된다고 합니다. 젊은 층의 투표 참여가 저조한 가운데 여소야대의 정치 구도를 만들어 낸 것은 정치 혁신을 바라는 국민들의 의지가 반영된 것으로, 대한민국의 국회는 지금부터라도 여야 합심하여 선진국에서 행하고 있는 혁신의 정치를 이루어 내야 합니다. 합리적인 나라 경영을 통하여 막대한 국가부채부터 줄여 나가고, 국민들에게 꼭 필요한 복지정책부터 실행하여 기초부터 든든한 나라로 바로 세워야 합니다.

현재 대한민국에서 태어나는 아이들은 태어날 때부터 1억 원의 빚을 지고 나오는 것과 다름없다고 합니다. 저도 혼인하기 전에 어이없는 사기를 당하여 사기꾼이 떠넘긴 2억 원이 넘는 금융권 채무로 인해 10년이 넘는 세월 동안 신용불량자의 신분으로 자식과 함께 어둠 속에 갇혀 살아야 했습니다. 빚 때문에 혼인 파탄이 되고, 정상적인 취업도 할 수 없는 자식에게 물려줄 것이라고는 빚밖에 없는 가난한 한 부모 엄마가 되어 보니, 자식을 버릴 수밖에 없게 만드는 어이없는 한 부모 복지정책을 경험하고, 정치권에 수차례 개정을 요구해도 받아들이지 않는 정치권에 대한 자괴감은 이루 말할 수 없었습니다. 후손들에게 물려주어야 할 것은 '빚'이 아니라 '빛'이 되어야 합니다.

20대 국회의원에 당선된 더민주당의 123명의 의원들이 20대 국회 임기가 시작된 첫날 주빌리 은행에 기부한 이틀치 세비 8,179만 5,000원으로 2,525명의 123억 원어치의 악성 채권을 매입하여 소각했다고 합니다. 123억 원의 부실채권을 매입하는 데 들어간 돈은 0.1%(1,230만 원)이었다고 합니다. 우상호 더민주 원내대표는 "우리가 하는 작은 실천이 국민 한 사람 한 사람에게 도움이 되고 그들의 고통과 불안을 해결하는 정치어야 한디는 다짐을 국민에세 보여 준 것"이라고 했습니다.

20대 국회의장에 취임하신 정세균 압해정씨 대종회 회장님은 "20대 국회는 갈등·차별·분열·불공정의 고리를 끊고, 국민통합의 용광로가 돼야 한다. 국민에게 힘이 되는 국회, 헌법정신을 구현하는 국회, 미래를 준비하는 국회로 거듭나야 한다."고 강조하셨습니다. 그리고 국민들이 바라는 '국회의원 특권 내려놓기'를 추진하기 위해 여야 3당 원내대표들이 '의원특권 내려놓기 기구' 신설에 합의했습니다. 불안한 비정규직과 관련하여 공공부문 비정규직 문제 해결에 선도적으로 나서 국회에서 지위가 불안한 비정규직 환경미화원들을 정규직으로의 전환을 추진하고 있습니다. 압해정씨 대종회 회장님이신 정세균 국회의장님은 시민단체에서 국회를 F학범으로 평가한 것에 대해 겸허히 수용하고 국회개혁의 일환으로 국회의원 특권내려놓기를 추진하여 많은 국민들의 지지와 호응을 받고 있습니다.

정세균 국회의장님은 2016.10.25. CNB저널과의 단독 인터뷰에서 "영국 의회는 불만 켜져 있어도 국민이 안심한다고 한다. 우리 국회도 불이 꺼지지 않는, 진짜 '일하는 국회'로 만들겠다는 의지에 변함없다. 특히 여소야대, 다당 체제는 16년 만에 경험하는 국회 운영체제다. 여소야대를 만들어주신 국민들의 민심을 실천할 중책을 맡은 만큼, 약속드린 '일하는 국회' 구현에 전력을 다할 것이다. 입법 부진을 두고 국회선진화법 탓만 해서는 안된다. 성과를 내기 위한 운용의 묘를 살려야 한다. 상임위의 입법을 독려하면서 실적을 공개하는 등 성과관리를 할 생각이다. 그리고 상임위를 그냥 방치하지 않겠다. 특정 상임위의 진도가 너무 떨어지면 이유가 뭔지도 살펴보고 언론에 공표도 할 것이다. 부진한 곳에는 '페널티'도 부여할 생각이다. 일하는 국회를 만들어야만 국회가 권위를 회복해 제 자리를 찾을 수 있다. 이를 위해 국회 입법조사처, 예산정책처의 기능을 강화해 의원들의 입법 활동을 적극 지원하겠다. 그리고 지난 19대 국회 후반기에 정의화 당시 국회의장이 추진했던 '미래전략원' 설립 계획 역시 승계하겠다. 20대 국회는 일하기 위해 소통과 협력이 반드시 필요한 상황이다. 협치를 실현하기 위해 민주적 원칙과 적법 절차에 따라 흔들림 없이 노력해 가겠다."라고 말씀하셨습니다.

대한민국도 선진국에서 시행하고 있는 직접민주제를 도입해야 합니다. 직접민주제의 일환으로 국민이 제안하는 법안에 대해 10만 명이 서명하면 국회에서 법안으로 심사하여 법제화해야 합니다. 고등학생들의 장래 희망이 '9급공무원'과 '선진국으로의 이민'이 되어 버린 대한민국에 실천하는 20대 국회를 통하여 대한민국의 미래를 책임질 어린 새싹들을 위해 건강한 정치가 이루어져 대한민국이 건강한 나라로 바로 세워지길 진심으로 소망합니다.

끝으로 책 출간에 정성을 다해 주신 책과나무의 양옥매 대표님과 이수지 디자이너님 조준경 편집자님께 감사합니다.

2016. 11.
대한민국의 미래를 준비하는 사람들
'민주주의시민동맹' 사무국장 정혜옥 배상

"민주주의 최후의 보루는
깨어 있는 시민의 조직된 힘입니다.
이것이 우리의 미래입니다."

_

고(故) 노무현 대통령